JN001597

「遅い」「重たい」を瞬時に解決

Excel × Python 逆引き コードレシピ126

金宏和實 Kanehiro Kazumi

日経BP

はじめに

最近、物忘れがひどいんです。冷やし中華を作っているのにハムを入れ忘れたり、天津飯のかに玉にカニかまぼこを入れ忘れたりするんです。食べている間も気がつかず、食べ終わってから、入れ忘れたことに気が付くんです。歳のせいでしょうか。

プログラミングでもそうですよね。本もネットの記事も一切参考にしないで、すらすらコードが書ける人は尊敬しちゃいますよね。普通、なかなかコードが出てこないものですよね。言い訳させてもらいますと、筆者は複数のプログラミング言語を使っているので、あっちの言語からこっちの言語に切り替えたときになかなかコードが出てこなくて困ります。勝手にコードが出てくるようになるまで時間がかかるのです。

話は変わりますが、ネットに載っているプログラムコードをコピーして、そのまま自分のプログラムとして貼り付けて利用する人のことを揶揄して、コピペラマーというらしいです。でも、自分が本来やりたいことを実現することを重視して、コードはネットで見つけたものを上手に改変して使うといったことができる人は、プログラマとして確実に伸びます。そのまま貼り付けるだけの人は、いつまで経っても、それを繰り返します。初めは少しでもいいから、自分で「いじってみる」ことが大事なんですね。

でも、逆に、忙しいビジネスパーソンにとって、すでに誰かが考えた解法——プログラミングで言えばアルゴリズムやロジックと言われるもの——これを一から考え出す時間はなかなか取れないと思います。このような“車輪の再発明”をしなくても良いようにプログラマやライターは、スキルアップに役立つ知識や情報を幅広く発信しています。私もその中の一人であると自負しています。

この本は、これさえパソコンのすぐ側に置いておけば、PythonでExcelのデータを加工処理したいときに必要なコードは「なんでも載っている」となることを目指してまとめました。自分のやりたいことを実現するコードを本書で探して、どんどん自分の仕事に役立つプログラムをを作ってもらおうというのが本書の目的です。

どうぞ、ご活用ください。

2021年7月　金宏 和實

Contents

Chapter 3

プログラムの書き方と実行方法 63

Chapter 4

ブックを操作する 91

Chapter 5

シートを操作する 127

Chapter 8

Chapter 9

Chapter 10

Chapter **11**

テーブル、印刷、その他の処理 339

Chapter **12**

【応用】フィルター、並べ替え、集計 371

サンプルファイルのダウンロード

本書で紹介しているプログラムのうち、プログラムコードとして掲載しているもの、およびプログラムで読み込むファイルは、本書のWebページからダウンロードしていただけます。

https://project.nikkeibp.co.jp/bnt/atcl/21/S70120/

を開き、「データダウンロード」欄にある「サンプルファイルをダウンロード」のリンクをクリックしてください。開いたページにダウンロードに関する説明があります。それに従ってダウンロードしてください。

※ファイルのダウンロードには日経IDおよび日経BPブックス&テキストOnlineダウンロードサービスへの登録が必要になります(いずれも登録は無料)。

ダウンロードしたファイルはZIP形式になっています。収録しているファイルについては、ZIPファイルを展開して取り出せる「はじめにお読みください.txt」をご覧ください。

- 本書で紹介しているプログラムおよび操作は、2021年6月末現在の環境に基づいています。なお、プログラムの動作についてはPython 3.9.5で検証しました。
- 本書発行後にOS、Excelを含むMicrosoft OfficeやPython、関連するライブラリなどがアップデートされることにより、誌面通りに動作しなかったり、表示が異なったりすることがあります。あらかじめご了承ください。
- 本書に基づき操作した結果、直接的、間接的被害が生じた場合でも、日経BP並びに著者はいかなる責任も負いません。ご自身の責任と判断でご利用ください。

Chapter

1

Pythonの概要とExcelを扱うライブラリ

01

Pythonを知る

Pythonはプログラミング言語です。パソコンなどのコンピュータ機器を自分の思い通りに動かしたいときは、プログラミング言語を使ってプログラムを作ります。

プログラミング言語はC言語に代表されるコンパイラ型言語（事前にマシン語に翻訳してから実行する）とJavaScriptに代表されるインタープリタ言語（1行ずつ解釈しながら実行する言語）に大別されます。Pythonがどちらにあたるかというと、インタープリタ言語です。

Pythonは比較的新しい言語で、オブジェクト指向プログラミング言語と呼ばれるもののひとつです。Pythonで扱えるデータはすべてオブジェクトです。本書でプログラミングが初めて、もしくはプログラミングを始めてまだ日が浅いという人は、そう言われても戸惑ってしまうかもしれません。とりあえず「データはすべてオブジェクトである」とだけ頭に入れておいてください。

Pythonには2000年に公開された2.x系と2008年に公開された3.x系がありますが、現在メンテナンスされている主流は3.x系です。将来的に使い続けることを考えて、本書では3.x系を扱います。

Pythonは読みやすく書きやすいプログラミング言語と言われています。その理由のひとつは言語仕様のシンプルさです。Pythonが学習コストの低いプログラミングである、つまり比較的、短時間で習得できると言われる理由は予約語の少なさです。予約語とはその名の通り、プログラミング言語の中で予約された言葉であり、特別な意味を持ちます。Trueやclassが予約語の代表です。

プログラムの中で特別な意味を持つ予約語の種類が多いとプログラムを作成する前に、知っておかなければならないことがそれだけ多くなります。この予約語がPythonはJavaなどに比べると少ないので、言語仕様がシンプルであると言えるのです。

Pythonのプログラムが読みやすく書きやすいもうひとつの理由は、インデントが文法であるという特徴にあります。インデントは字下げです。多くのプログラミング言語では、インデントは人間がプログラムを見やすくするための“作法”です。文法的には意味を持ちません。しかし、Pythonではインデントが文法的に意味を持ちます。見やすくするためのお作法と文法が一致するので、コードが読みやすくなるという特徴があります。

02 Pythonの利用範囲を知る

Pythonについてあまり詳しくないという方向けに、もう少し踏み込んで説明しておきましょう。

幅広い環境で動作する

Pythonは多くのみなさんが利用しているWindowsやMacOSはもとより、Ubuntu（ウブントゥ）などのLinux OS上でも動きます。もちろん、机の上で使うクライアントPCだけではなく、サーバーあるいはクラウドにあるサーバー上でも動作します。一方で、要求するリソースが少ないので、Raspberry Piのような安価なワンボードコンピュータ上でも動作します。ここでいうリソースとは、メモリやハードディスクなどの容量のことです。

各種OSとそれに対応するPythonがあれば、広範囲な環境で目的とするプログラムを作成して実行することができるのです。

Pythonが力を発揮する領域

Pythonに限らずプログラムを作成する理由は、そこに解決すべき問題があるからです。Pythonのプログラムはどんな目的に使われているのでしょうか。

筆者が見たところ、Webアプリケーション、データ分析、機械学習、デスクトップアプリケーションが多いようです。Webアプリケーションは、ブラウザで利用するソフトウェアで、サーバー上でDjangoなど、Pythonのフレームワークを使って動作するように開発されます。多くのWebアプリケーションはデータベースとデータのやり取りをして、その結果をHTML(Hypertext Markup Language：ハイパーテキスト・マークアップ・ランゲージ)として、利用者のブラウザに返します。

他の領域での利用についても見てみましょう。Pythonは数値計算に強いと言わています。このため、Pythonはデータ分析（解析）によく使われています。数値計算ライブラリのNumpyや科学技術計算ライブラリのScipy、データを可視化するグラフ描画ライブラリのMatplotlib、Excelデータもサポートしているデータ分析用ライブラリのpandasなどを使ってデータ分析をすることができます。

機械学習（Machine Learning、マシンラーニング）分野でもPythonが注目されています。その理由は言語の習得にかかる時間が短いというだけでなく、機械学習ライブラリが充実しているからです。NumPyやSciPyとともに使うscikit-learn（サイキット・ラーン）やTensorFlow（テンソルフロー）、Pytorch（パイトーチ）などが、機械学習でよく使われるライブラリです。

システムプログラミングやツール開発に使われることも多いPythonですが、GUI（Graphical User Interface、グラフィカル・ユーザ・インターフェース）を備えたデスクトップアプリケーションの開発にも使われています。デスクトップアプリケーションという呼び方は、Webアプリケーションの対義語のように広まりましたが、パソコンにインストールして使う普通のアプリケーションのことです。Tkinter、Kivy、PyQtといったライブラリを使ってGUIアプリケーションを作成できます。

03

ライブラリを知る

「ライブラリ」と何気なく使いましたが、ライブラリはPythonの特徴のひとつです。プログラミングの用語でライブラリというのは、ある目的を達成するためのプログラム部品を集めたもののことです。Pythonでさまざまな目的のプログラムが作成できる理由は、プログラムの作成の助けとなるライブラリが豊富に用意されているからです。「こんな機能が必要だ」となったときに、すべてゼロから自分で作るのは大変です。その機能を実現するための部品がライブラリです。そんな部品がたくさん用意されているため、Pythonでプログラムを作る人の助けになるのです。

ここではもう少しライブラリについて詳しく説明しておきましょう。

標準ライブラリと外部ライブラリ

Pythonのライブラリには標準ライブラリと外部ライブラリがあります。標準ライブラリはPythonをインストールすると同時にインストールされ、最初から利用可能になっています。一方、外部ライブラリは必要に応じて、別途インストールするライブラリです。プログラムを作るうえで必要なものだけインストールすればいいというわけです。

そしてこれらのライブラリは同様の手順で利用可能です。インストールが必要かどうかが異なるだけで、プログラムで利用する際には標準、外部で違いはありません。

モジュールとパッケージ

ライブラリが提供される形態には、モジュールとパッケージの２種類があります。

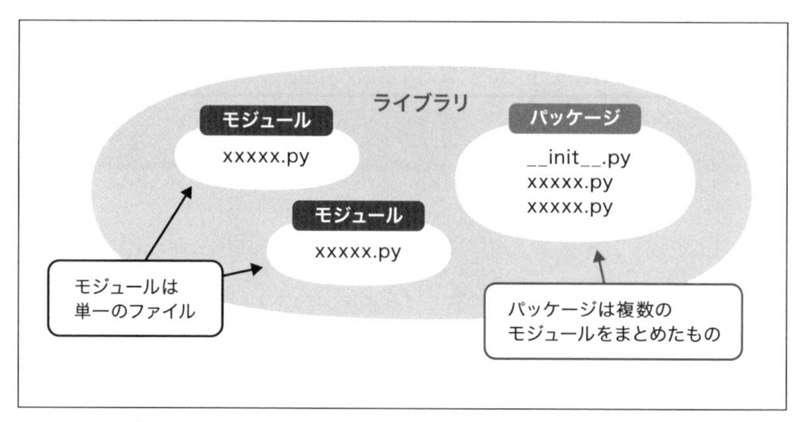

図1-1 **ライブラリはモジュールかパッケージで提供される**

モジュールはxxxxx.pyというひとつのファイルで提供されるPythonプログラムです。一方、パッケージはモジュールの集まりです。パッケージはそれぞれのフォルダーにまとまって提供され、必ず__init__.pyというファイルが含まれています。

標準モジュールとパッケージはPythonをインストールしたディレクトリ配下のLibディレクトリにインストールされます。

代表的な標準ライブラリ、外部ライブラリには、以下のようなものがあります。

表1-1　**代表的なライブラリ**

ライブラリ名	目的	区分
string	文字列操作	標準
re	正規表現	標準
datetime	日付や時刻を扱う	標準
random	乱数生成	標準
pathlib	オブジェクト指向のファイルシステムパス	標準
sqlite3	sqlite3データベース	標準
zipfile	zip圧縮	標準
shutil	高水準のファイル操作	標準
NumPy	数値計算	外部
SciPy	科学技術計算	外部
pandas	データ分析	外部
Matplotlib	グラフ描画	外部
Pygame	ゲーム作成用	外部
simplejson	JSONのエンコード・デコード	外部
Django	ウェブフレームワーク	外部
Beautiful Soup	スクレイピング（HTMLから情報抽出）	外部
scikit-learn	機械学習	外部
TensorFlow	機械学習	外部
Pytorch	機械学習	外部
Tkinter	GUI	外部
Kivy	GUI	外部
PyQt	GUI	外部

04

Excel用のライブラリを知る

Excelファイルを操作するライブラリも、実はけっこうな数が公開されています。

表1-2　PythonでExcelを操作するためのライブラリ

ライブラリ名	目的
openpyxl	Excelファイル (.xlsx) の読み書きができる
pandas	Excelファイル (.xls, .xlsx) の読み書きができる
xlrd	Excelファイル (.xls,.xlsx) のデータの読み込みができる
xlwt	Excelファイル (.xls) にデータとフォーマットの書き込みができる
xlswriter	Excelファイル (.xlsx) にデータとフォーマットの書き込みができる

ただ、この表を見てわかる通り、対応しているExcelのバージョンに違いがあります。拡張子*1が.xlsのファイルはExcel97-2003形式のExcelファイルです。.xlsxはExcel 2007以降のExcelで使える形式です。もし、お手元のWindowsパソコンで拡張子が表示されていないという場合は、エクスプローラーの設定を変えて、拡張子を表示してみてください。Windows 10の場合、「表示」タブで「ファイル名拡張子」にチェックを付けると、拡張子が表示されます。

*1　拡張子とはファイルの種類を識別するためファイルの末尾に付けられる.（ドット）から始まる部分のことです。

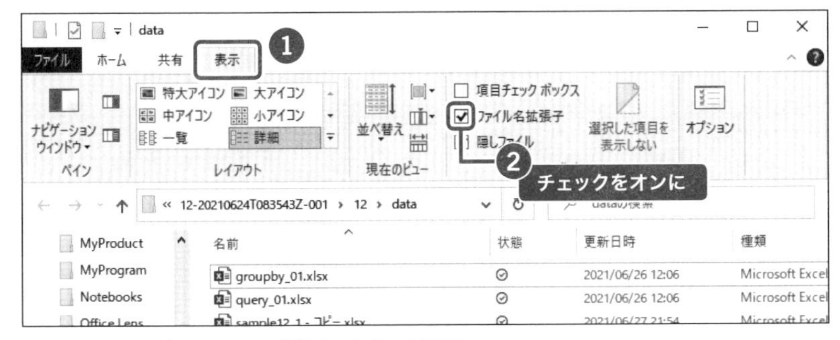

図1-2 **エクスプローラーで拡張子を表示する設定に**

本書では現行のファイル形式である、拡張子が.xlsxのExcelファイルを読み書きできて、細かい操作が可能なopenpyxlライブラリを中心に解説します。

また、Excel上で動作し、VBAの代替になるようなライブラリもあります。pywin32はPythonでのCOM*2を利用したExcelの操作を実現しますし、xlwingsやPyXLLではExcel上からVBAのようにPythonが利用できます。ただし、使えるようにするまでの準備が大変だったり、PyXLLのように有償だったりという面があるため、本書では取り上げていません。

*2 COMとはComponent Object Model(コンポーネント・オブジェクト・モデル)の略で、プログラムを独立した処理を行なうソフトウェア・コンポーネントで構成する、オブジェクト指向のプログラミングモデルのひとつです。COMはいろいろなプログラミング言語から呼び出すことができるソフトウェア部品の技術仕様として1990年代後半にMicrosoftが発表したものです。

05

VBAではなくPythonで Excelを扱う理由を知る

ExcelやPowerPointをはじめとするMicrosoft Officeのソフトウェアでは、VBA（Visual Basic for Applications）が使えます。特にインストールなどしなくても、簡単な設定で専用のプログラミング環境が利用可能になります。それなのにあえてPythonをインストールして、Excelのファイルを扱う意味はどこにあるのでしょうか。

プログラムとデータを分離できる

Excel VBAでは、同じファイルにExcelのシートからなるデータとVBAで作成したプログラムが保存されます。多くの場合、ユーザーが扱うExcelのファイルはたくさんあり、同じVBAプログラムで加工したり、集計したいデータは、あちこちのファイルに分散しています。VBAの場合、使いたいプログラムをあっちのExcelのファイルからエクスポート（取り出したり）したり、こっちのExcelのファイルにインポート（取り込み）したりしないといけません。つまり、データの数だけプログラムが必要になります。プログラムを作るのは1回で済むとしても、新しいデータができるたびに、プログラムをエクスポート／インポートしなければなりません。

それに対し、Pythonを使えばプログラムとプログラムを分けることができます。新しくExcelファイルが増えても、ただ単にそのファイルを対象にプログラムを実行するだけで処理できます。

またVBAを使ってExcelの中でだけ動くプログラムを作ると、VBAでは処理しにくい部分はシート上の関数を使ってフォローする必要が出てくるなど、どこまでをExcelの関数で処理して、どこからがプログラムで処理しているのかわかりにくくなることがあります。「作り込んだExcelデータは扱いにくい。作った本人以外では手が出せない」と言われるのは、そういったところにも原因があります。Pythonでプログラムを作れば、データとプログラムに分離できるので、このわかりにくさを排除できます。

Excelデータに豊富なライブラリの機能を適用できる

VBAはExcelやAccessに特化しているので、その専用の機能を最大限に活用できます。その点で「VBAにしかできないこと」があるのは事実です。しかし、それ以外の機能のために外部のソフトウェアを使おうとすると一筋縄では実現できません。

その点、Pythonには豊富なライブラリがあります。Excelのデータをデータ分析用のライブラリで分析したり、データベースに登録したりと、Excelデータの活用の世界が広がります。

プログラミングの学習におけるコストとメリット

もし、この本を読んでくれている皆さんがVBAをもうすでに使いこなしているのなら、それに加えPythonも勉強することをお勧めします。もし、VBAもPythonも初めてなら、最初にPythonを選ぶことをお薦めします。

プログラミングの学習におけるコストとはお金のことでありません。そのプログラミング言語の習得にかけた時間が、もたらすメリットに対してバランスが取れているかと考えることです。Excel VBAを学ぶとExcelデータを自由に扱えるようになるだけでなく、もう少し勉強を積めばAccessのデータもうまく扱えるようになるでしょう。しかし、同じMicrosoft Officeのプロダクトといっても、Win版とMac版ではOS由来の違いがありますし、Office互換とうたう他メーカーのソフトウェアにVBAの互換性はありません。VBAを学ぶ上で、WindowsのExcelデータしか扱わないのであれば、他の環境のことを考えなければならない場合よりも学習コストは低くなるかもしれませんが、その先の展開がありません。

PythonでExcelのデータを処理する方法を学べば、Pythonプログラミングそのもの知識が身につきます。プログラミング全般でできることへ、Excelのデータを展開できるようになります。

また、プログラミング言語には、その言語が作成されたときのフレーバーがまとわりつきます。VBAはBASIC言語から派生したVisual Basic(ビジュアルベーシック)を基に作成された開発環境で長い歴史を持ちます。失礼な言い方をあえて許していただければ、“古くさい文法”を引きずっています。

それに対し、Pythonは他の新しいプログラミング言語と似たところが多々あります。たとえば、CやC++言語の代替になることを期待されているものに、Rustという言語があります。Pythonがインタープリタ言語で、Rustがコンパイラ言語という大きな違いがあるのにもかかわらず、文法的には似たところがあります。プログラミング言語にはその時代、時代のフレーバーがあります。もしもこの先、次の言語を学ぼうとなったときに、それまで身に付けた知識やスキルを生かしやすいのは、VBAよりもPythonだともいえるでしょう。

ですから、プログラミングを覚えるなら、なるべく新しい言語で覚えるのが望ましいと思います。

06 openpyxlを知る

本書が主として利用するopenpyxlライブラリのドキュメントは以下のurlにあります。

```
https://openpyxl.readthedocs.io/en/stable/index.html
```

全編英文なのですが、その点さえ問題なければ、Tutorialのプログラムを試してopenpyxlに入門することもできます。

図1-3　openpyxlの公式ドキュメントとして用意されているTutorial

オブジェクトやメソッドなどについて、より詳しく知りたい場合は、Search docsのテキストボックスにキーワードを入力してSearch（検索）することができます。

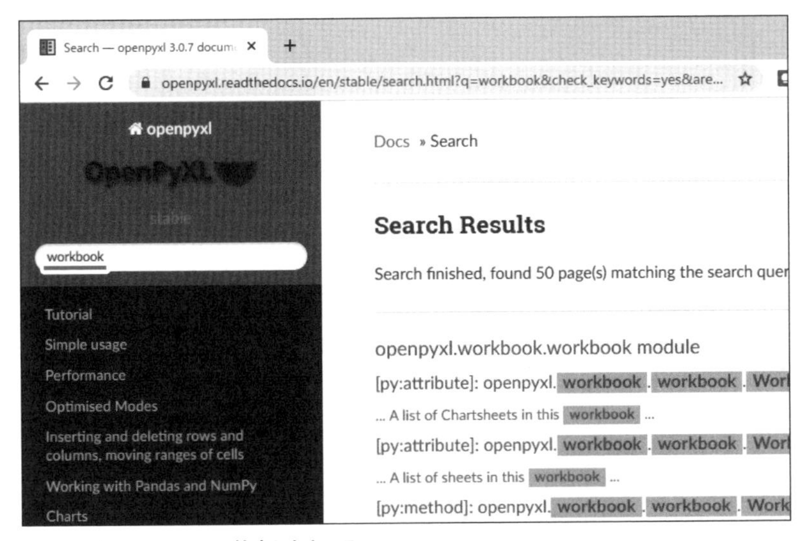

図1-4　「workbook」で検索したところ

検索すると詳しい使い方がわかりますが、筆者が一番気に入っているのは、sourceのリンクをクリックすると、openpyxlライブラリ本体のソースコードが読めることです。

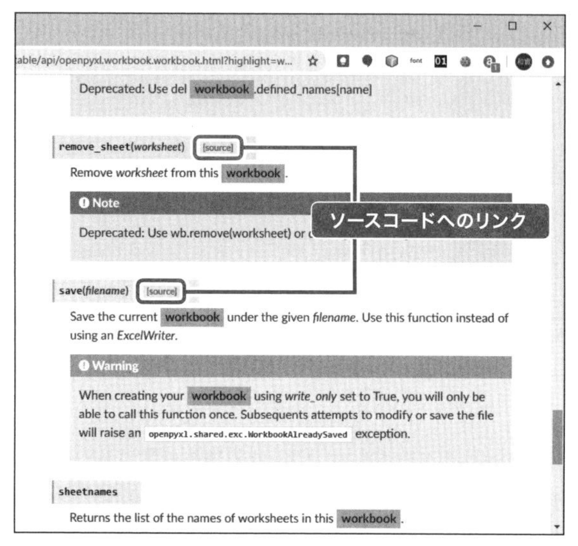

図1-5　**検索結果から、worksheets関連のページを開いたところ**

実際にどう実装されているのかわかるので、使い方に迷ったときに安心です。また、自分でライブラリを作ろうとまでは思わなくても、ベテラン開発者の作った良いコードを読むことはプログラマに飛躍のきっかけを与えてくれると思います。その点でも活用しがいのあるドキュメントです。

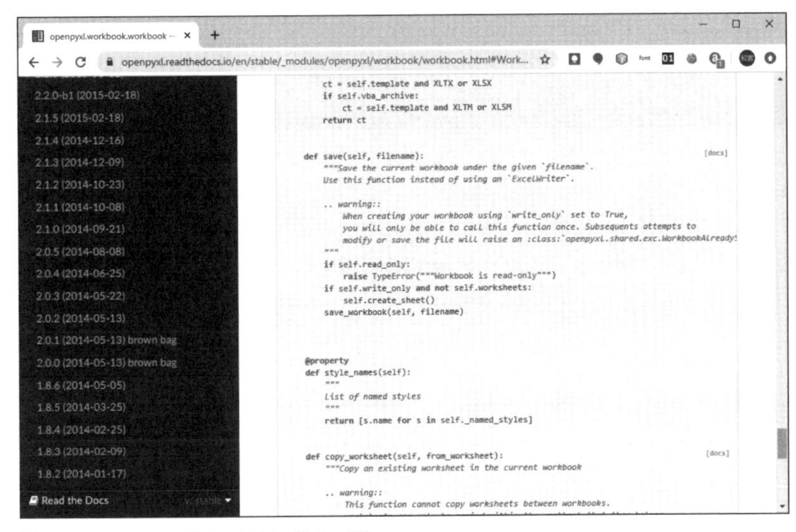

図1-6　openpyxlのソースコード（一部）

07

pandasライブラリを知る

本書では、データ分析ライブラリpandasもExcel×Pythonの応用として取り上げています。そこでpandasについても触れておきましょう。

pandasの公式サイトはhttps://pandas.pydata.org/にあります。

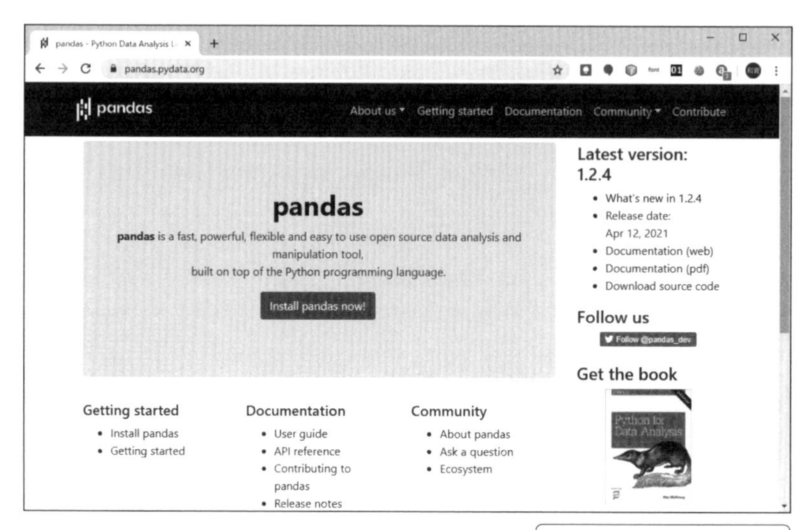

図1-7　pandasのWebサイト　　https://pandas.pydata.org/

pandasライブラリを使うと、CSV[*3]やExcelのシートを読み込んでデータを解析することができます。

このサイトのUser guideとAPI referenceが役に立つでしょう。

*3　CSVはComma Separated Valueの略です。Comma（カンマ）でSeparated（区切った）Value（値）という意味です。CSVファイルの拡張子はcsvですが、テキストファイルなので、メモ帳などのテキストエディタで開くことができます。もちろんExcelでも開くことができます。

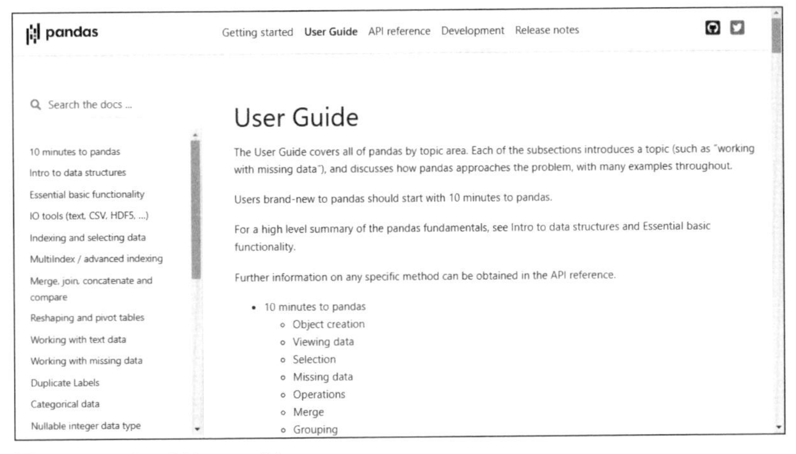

図1-8　pandasのUser guide

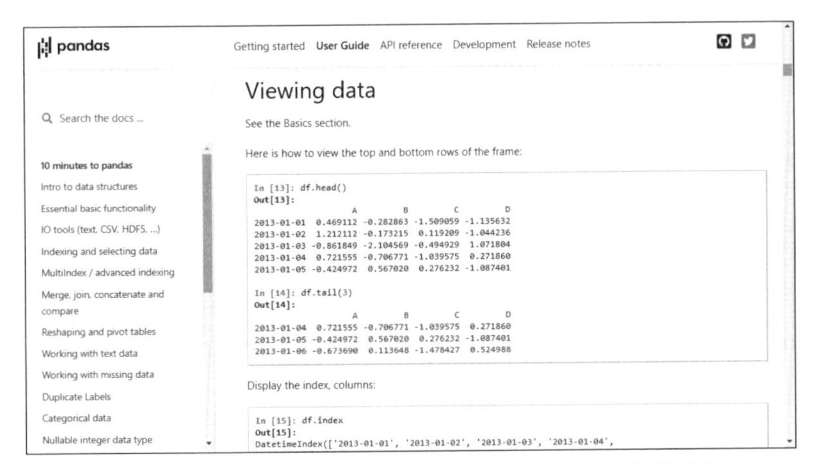

図1-9　Viewing dataでどう記述すると、どのようにデータが見えるのかがわかる

User guideの10 minutes to pandasの内容を読むと、pandasでできることが何となくわかると思います。時間が合ったらぜひ目を通してみてください。

プログラミングに役立つのは、API referenceです。

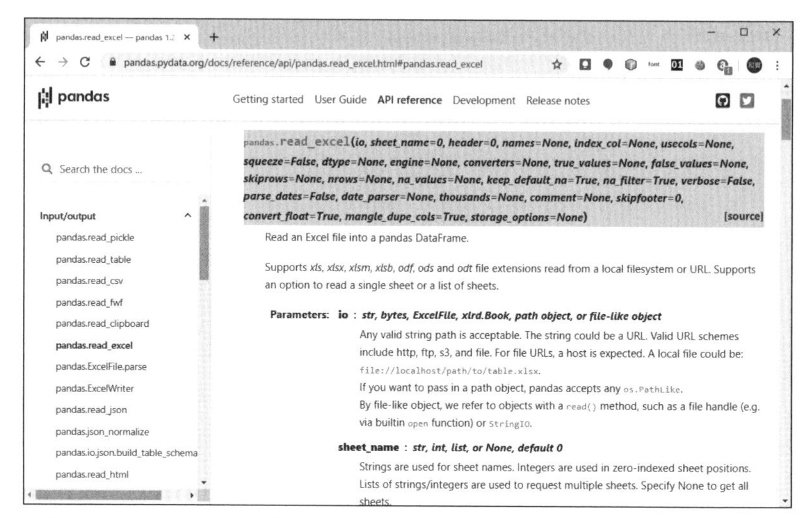

図1-10　API referenceに掲載されたpandas.read_excelの説明

英語ばかりで読みにくいと感じられる方もいらっしゃるとは思いますが、サンプルコードも載っていますので、時間のあるときに眺めてみてください。

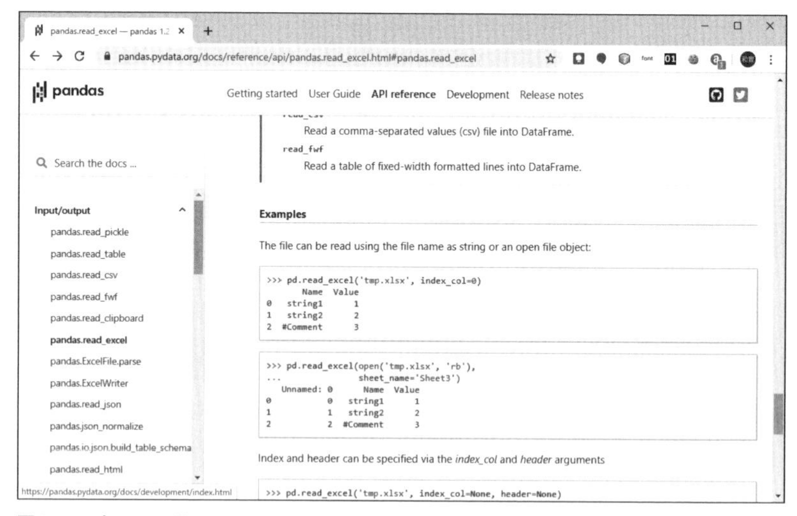

図1-11　各APIではExamplesとしてサンプルコードが紹介されている

もちろん、pandasライブラリを使った方たちが日本語で情報をまとめてくれているサイトもぜひ活用してください。ただ、疑問に思う点があったり、解釈に迷ったりすることがあったら、最終的には本家のサイトで原文を参考するのが最も確かだと思います。

08 どんなライブラリがあるかを知る

Pythonでいろいろな目的のプログラムが作成できる理由はライブラリの豊富さにあるのは、すでにご説明した通りです。すでにあるコードを、そうとは知らずにゼロから作るような作業は避けるべきでしょう。そういった無駄なコーディングは「車輪の再発明」と揶揄されています。そうした無駄足を踏まないためにも、どんなライブラリが利用可能なのかを知っておくことや、自分が求めている機能を実現するライブラリはないか調べることも重要です。もっとも、筆者はプログラミングの勉強においては、車輪の再発明はとても有意義だと考えます。それはさておき、まず標準ライブラリです。標準ライブラリの機能を調べてみましょう。

標準ライブラリはPythonの公式サイトにドキュメントがあります。

```
https://docs.python.org/ja/3/library/index.html
```

このページを開くと、標準ライブラリだけでもたくさんの種類があることがわかります。

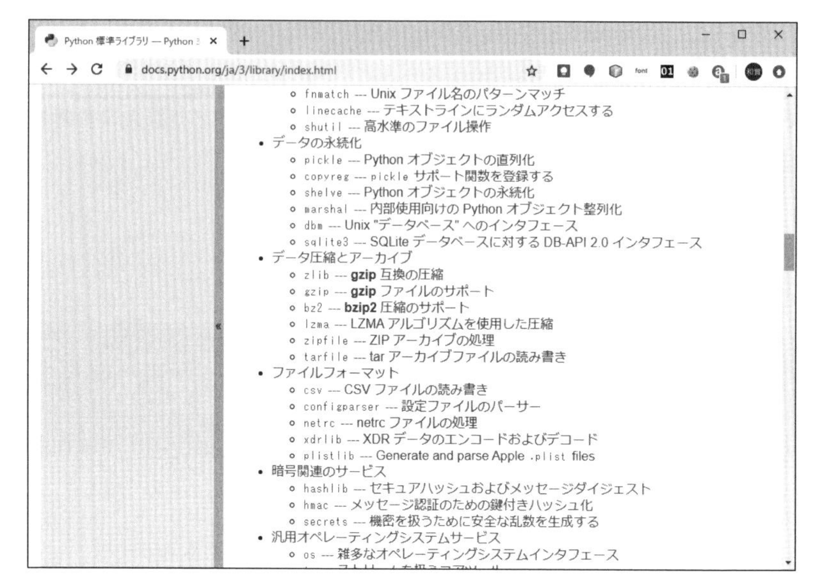

図1-12　標準ライブラリが列挙されている

　どんな標準ライブラリがあるのか、ざっと目を通しておくとよいでしょう。

　外部ライブラリ（サードパーティ製）はもっと広がりを見せています。上記のページのPython Package Indexのリンクからは、外部ライブラリをまとめたサイトにつながります。これはPython Package Index（PyPI）と呼ばれる外部ライブラリのレポジトリ（貯蔵庫）です。直接開く場合は、

```
https://pypi.org/
```

にアクセスしてください。ここにたくさんのライブラリが保存されています。

　次の図はCSVで検索したところです。

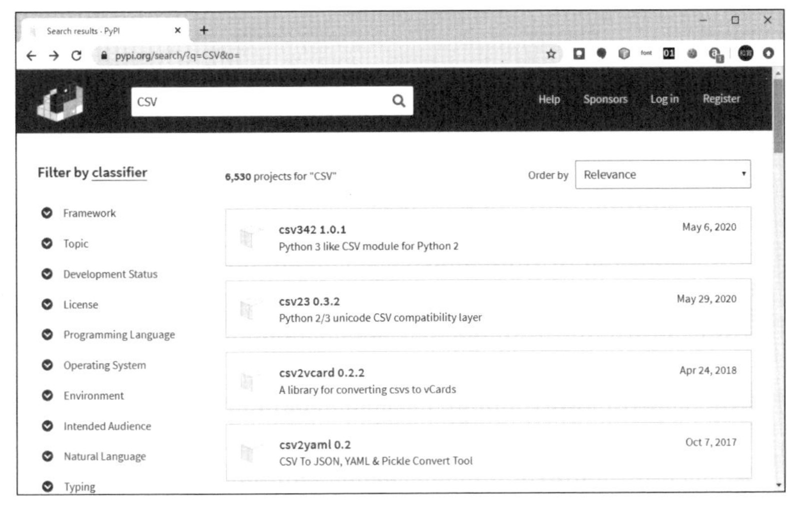

図1-13　PyPIでCSVを検索したところ

「6530 projects for "CSV"」とあるように、CSV関連だけでたくさんのライブラリが登録されています。

いずれかを選ぶと、各ライブラリの詳細を参照できます。英文ですが「Project description」を読んで内容を理解して、その下にあるExamplesでサンプルコードを読んで目的に合致しているかどうか判断することになるでしょう。たくさんあると大変ですね。

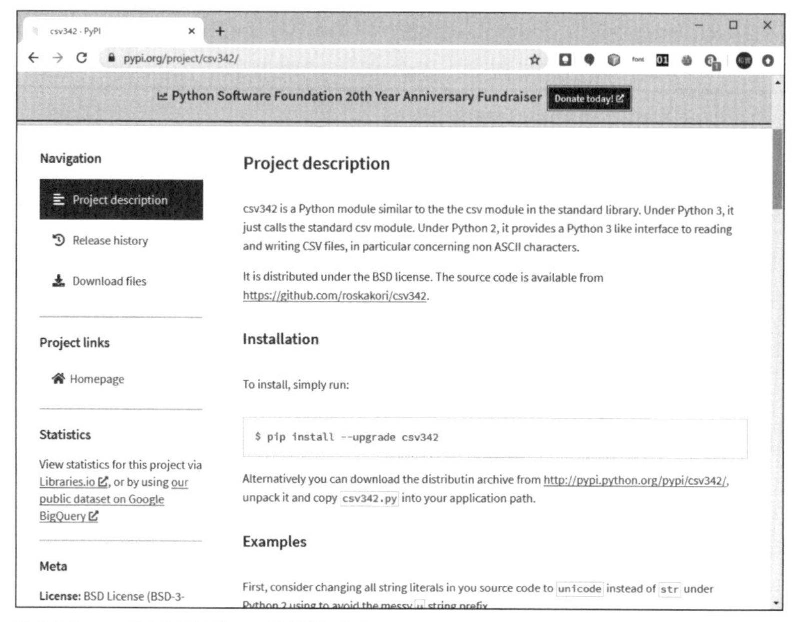

図1-14　**csv342の詳細ページを開いたところ**

各ライブラリの信頼性は「Release history」を見て、最終更新はいつか、どのくらいの頻度でアップデートされているかなどをチェックすると良いでしょう。

本書では、次のChapter2でPythonやVisual Studio Codeをインストールしたら、その使い方から解説を始め、いろいろなサンプルコードを説明していきます。Excelを扱うだけでもたくさんのコードが出てきます。Chapter4以降は順にすべて読んでいただいてもいいのですが、それよりも読者のみなさんが自分のやりたいことを探して読んでいただくことを期待しています。必要な機能を探しながら、そのために記述するコードを見つけ出し、それらを組み合わせて、自分の仕事専用の自動化プログラムを作って役立てる――。そんな使い方をしていただければ、筆者としても大変うれしいです。ただし、Chapter12は応用編として、高度な処理にもかなり踏み込んで解説しています。決して簡単ではないので、基礎編であるChapter4から11までの章で肩慣らしをしてから読んでくださいね。

Chapter

2

プログラミング環境の作成

本章では、Excel操作を自動化するPythonプログラムを作るための環境を整えていきます。一般的なビジネスパーソンを想定し、Windows 10パソコンでプログラミングのために必要なソフトウェアをインストールしていきます。インストールするのは、Python本体および、Excelを操作するためのライブラリopenpyxl、それと開発ツールであるVisual Studio Codeです。サンプルプログラムを動作させるための環境についても説明します。

01

Pythonをインストールする

ではまず、Python をインストールしましょう。Webブラウザで、Pythonの公式サイトにアクセスします。

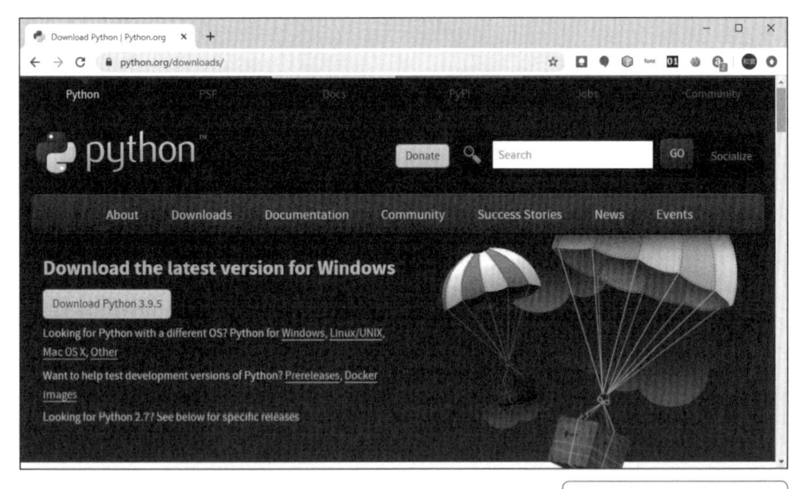

図2-1　公式サイトのPython.orgのトップページ　https://www.python.org/

トップページページからDownloadsのリンクをたどると、「Download

for Windows」のようにお使いの環境に合わせた最新版のダウンロード用ボタンが表示されます。本書執筆の時点の最新版は3.9.5ですが、読者のみなさんはインストール時点での最新版をご利用ください。また、Pythonには2.7のような2系も公開されていますが、もう積極的なメンテナンスはされていないようです。このため3系を使うようにしてください。上記のような操作をすれば、自然に3系をダウンロードすることになるはずです。

ダウンロード用のボタン（図2-1では「python3.9.5」と表示されている）をクリックすると、インストール用ファイルのダウンロードが始まります。ダウンロードしたファイルをダブルクリックすると、インストールが始まります*1。

インストール中は何カ所か設定を変更したり、確認したりしておきたいポイントがあります。

最初の画面では、「Add Python 3.9 to PATH」にチェックを付けます。こうしておくと、いちいちPython をインストールしたフォルダーに移動しなくても、Pythonを起動できるようになります。

---

*1　インストールの途中で「このアプリがデバイスに変更を加えることを許可しますか？」という確認画面（ユーザーアカウント制御）が表示されたときは、「はい」を選んで、インストールを進めてください。

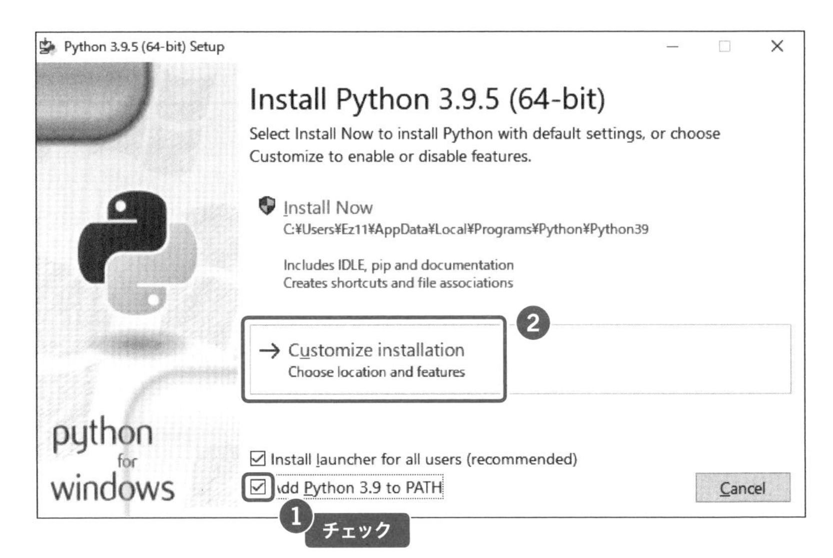

図2-2　インストールの最初の画面で設定を変更

さらに、使いやすく環境にするために「Customize installation」をクリックします。すると「Optional Features」の画面に切り替わります。

この選択画面ではデフォルト（既定）ですべての項目にチェックが付いていることを確認して、そのまま「Next」ボタンをクリックしてください。続いて、「Advanced Options」画面になります。

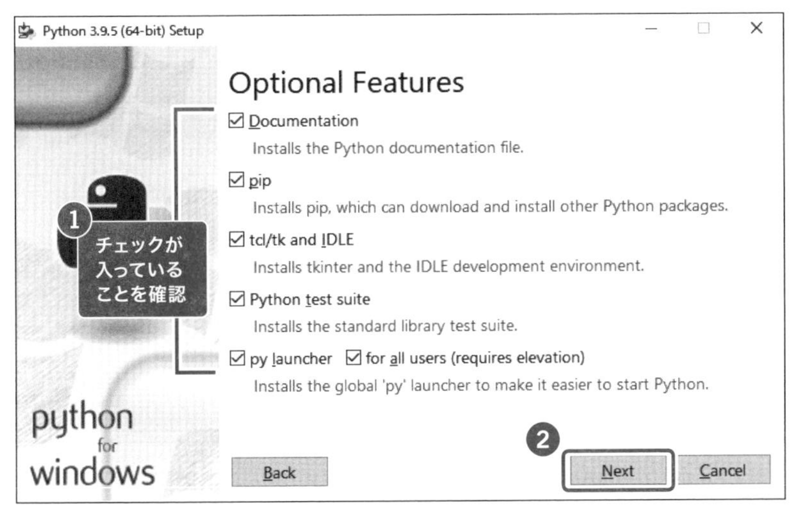

図2-3　**Optional Featuresではすべての項目にチェックが付いていることを確認**

Advanced Options の画面では「Associate files…」、「Create shortcuts…」、「Add Python to environment variables」の3項目にチェックが付いた状態で、「Customize install location欄で、Pythonをインストールする場所（ディレクトリ）を変更します。デフォルトのままではディレクトリの階層が深いので、もっと単純なディレクトリに変更します。

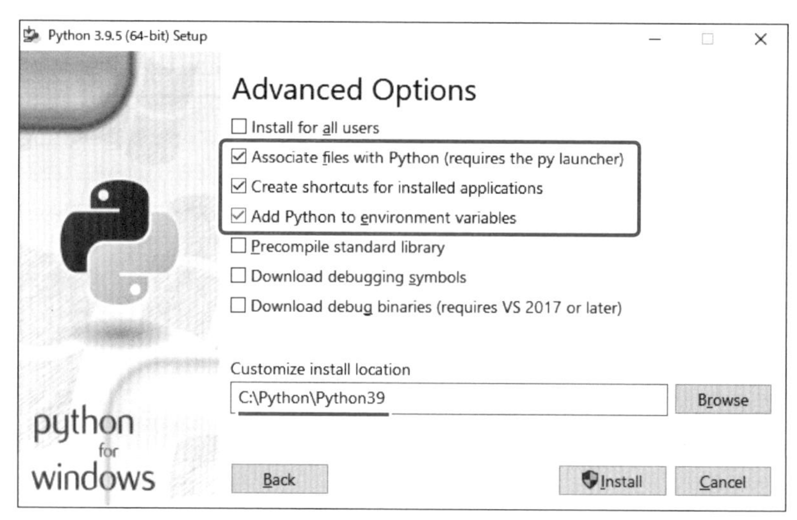

図2-4　**インストール先を単純なディレクトリに変更する**

ここでは「C:\Python\Python39」として、階層を浅くしました。画面上のバックスラッシュ「\」は「¥」のことです。ポイントは、ディレクトリを示す文字列（パス）が短くなるようにすることです。変更し終えたら、「Install」ボタンをクリックしてインストールを進めましょう。「Setup was successfulと表示されたら、インストールは完了です。

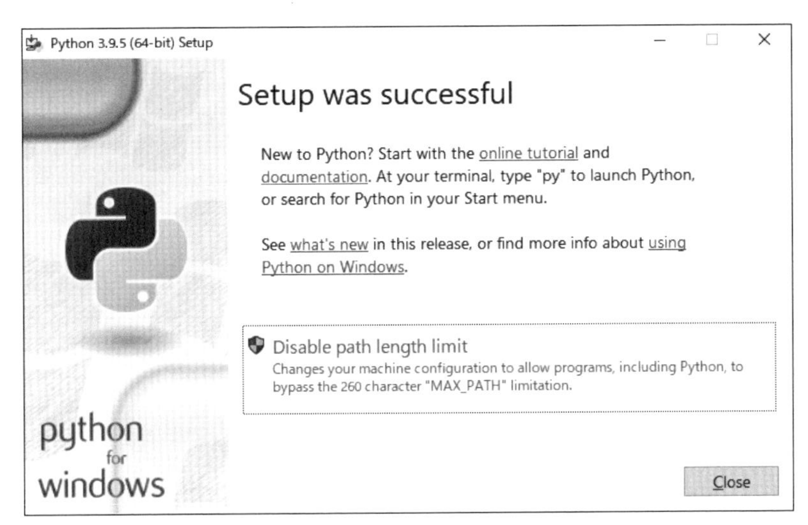

図2-5　**インストールが完了した**

この画面の下のほうに、「Disable path length limit」というメッセージが表示されています。ここをクリックすると、OSに設定されているパスの長さの制限(MAX_PATH)を解除できます。今回はインストール先が単純なパス名になるようインストールしたので、この設定を変更する必要はありません。OSの設定を変えずに済むよう、インストール場所を変更したという側面もあります。ここで「Close」ボタンを押して、インストールを終わりましょう。

ここで、インストールの最初の画面（図2-2）で「Add Python 3.9 to PATH」にチェックを付けた結果を確認してみます。スタートボタンを押して、Windowsシステムツールからコントロールパネルを起動し、コントロールパネルでは「システムとセキュリティ」を選びます。

図2-6　**コントロールパネルが開いたら「システムとセキュリティ」を選ぶ**

そして、システムを選びます。

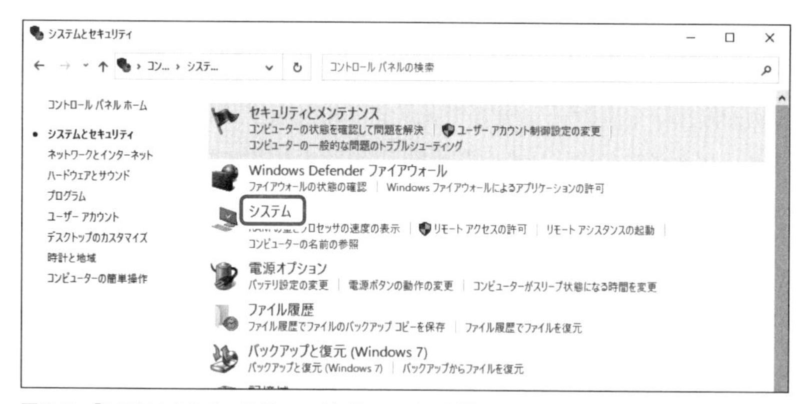

図2-7　**「システムとセキュリティ」では「システム」を選ぶ**

「システム」が開いたら、「システムの詳細設定」のリンクをたどってください。

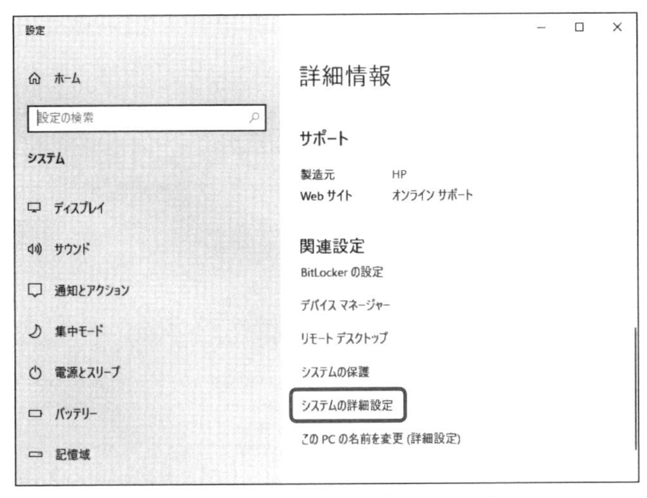

図2-8　「システム」では「システムの詳細設定」をクリック

「システムのプロパティ」が開くので、ここで環境変数のボタンをクリックします。

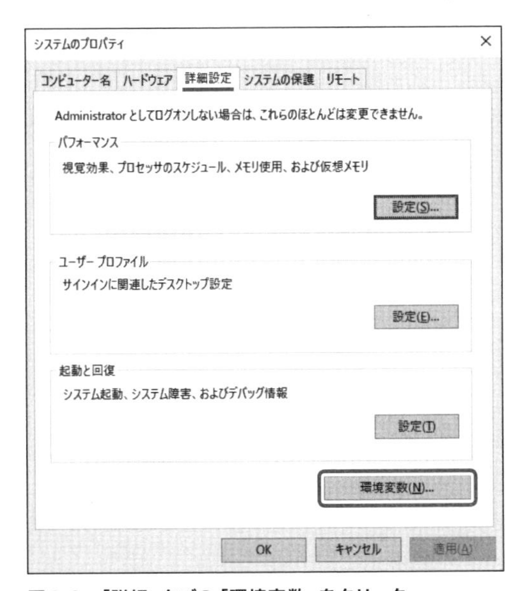

図2-9　「詳細」タブの「環境変数」をクリック

すると、「環境変数」ウィンドウが開きます。ここで、「ユーザー環境変数」の「Path」にPythonをインストールしたディレクトリとサブディレクトリScriptsが追加されていることを確認します。

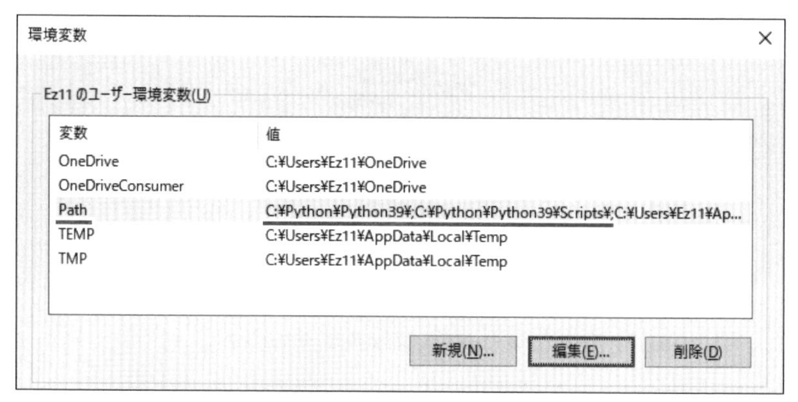

図2-10　環境変数のPathを確認する

これでどこのディレクトリにいてもPythonを呼び出すことができるようになりました。Pathの2番目に登録されているScriptsディレクトリには、ライブラリをインストールするpipコマンドがあります。これで、pipコマンドも実行ファイルがどこにあるかを気にせず利用できるようになりました。

02

Pythonの動作確認をする

まずはこの段階でPythonを起動し、動作をチェックしておきましょう。スタートメニューにPython3.9が追加されているので、IDLE*2をクリックして起動してみましょう。

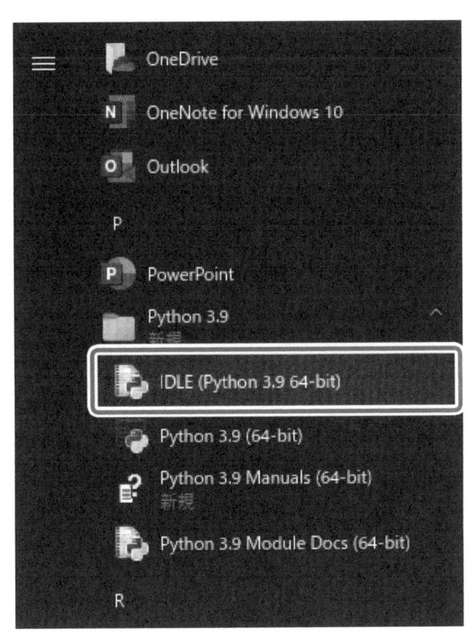

図2-11　**スタートメニューにPythonフォルダーができている**

起動した画面には「Python3.9.5 Shell」と表示されていますね（次ページ）。これは、対話型のPythonの実行環境です。この画面からPythonのプログラムファイルを作ったり、実行したりすることもできます。ここでは、1行だけプログラムを入力して実行してみましょう。Pythonのプロンプト

＊2　「IDLE」は（Python's）Integrated Development and Learning Environment の略です。

(>>>)に

```
print("Hello,Python")
```

と入力してEnterキーを押すと、Hello,Pythonと表示されます。

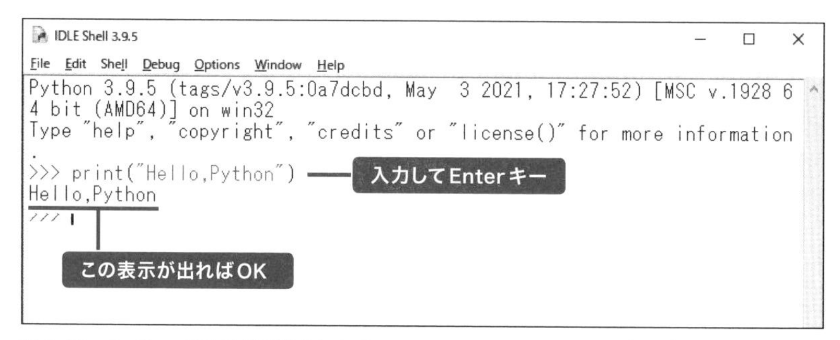

図2-12　Python IDLEが起動されたので、print("Hello,Python")と入力する

これでPythonの動作確認はOKです。ここでやったことは何かというと、Python言語の文字列や数値を表示するprint関数の引数に

```
"Hello,Python"
```

という文字列を渡して、これを出力するプログラムコードを入力し、実行したということになります。

03

Visual Studio Codeをインストールする

本書では、Visual Studio CodeでPythonのプログラムを作成します。Visual Studio CodeはMicrosoftによるプログラムの作成を支援してくれる無料のツールで、これを使うとプログラミングがグッと楽になります。Visual Studio Codeではプログラムの編集だけではなく、プログラムの実行、効率的なデバッグ*3が可能です。

Visual Studio Code（以下、VS Codeと略します）を導入するには、まず公式サイト（https://code.visualstudio.com/）からインストール用プログラムをダウンロードします。

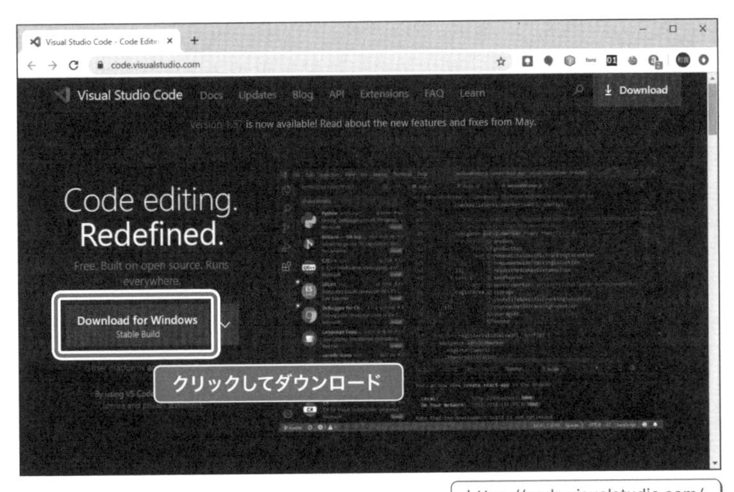

図2-13　VS Codeの公式サイトからWindows版をダウンロード

Windowsパソコンで公式サイトを開くと、「Download for Windows」ボ

＊3　デバッグとは、プログラムのバグと呼ばれる欠陥を見つけ取り除く作業のことを指します。

タンが表示されます。これをクリックして実行形式のファイルをダウンロードします。サイト側で、自動的にユーザー側のOSを判別してくれるので、MacOSを使っている場合は「Download for Mac」ボタンが表示されます。

ボタンの2行目に表示されている「Stable Build」は安定版という意味です。ソフトウェアによってはalpha版（テスト版）やbeta版(試用版)、Release Candidate（リリース候補）などを正式版より前に公開し、新しい機能をいち早く紹介したり、ユーザーにテストを依頼したり、評価を求めたりすることがあります。こうしたプロセスを経て改良されることにより、Stable Buildが公開されます。

ダウンロードしたファイルをダブルクリックすると、インストールが始まります。最初に使用許諾契約書への同意が求められます。同意をして先に進みましょう。Visual Studio Code のインストールではほとんど設定を変更するところはありません。インストール先の指定画面でも特に必要がなければ、表示されたディレクトリのまま、次に進んでください。スタートメニューフォルダーの指定も表示のままで、特に変更する必要はありません。

ただし、「追加タスクの選択」画面では「PATHへの追加」にチェックが付いていることを確認します。基本的には初期状態でチェックがオンになっているはずです。そのまま「次へ」ボタンをクリックして次の画面に進め、インストールボタンをクリックして、インストールを完了させましょう。

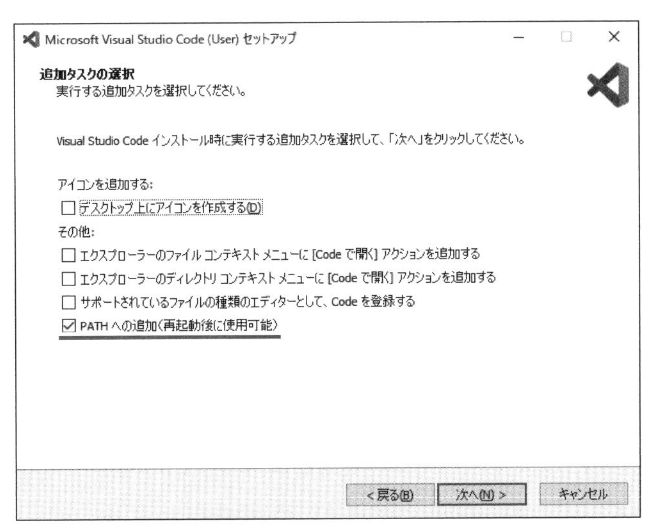

図2-14　**追加タスクの選択画面で「PATHへの追加」を確認**

セットアップウィザードの完了画面が表示されたら、「Visual Studio Codeを実行する」にチェックが付いている状態で完了をクリックします。

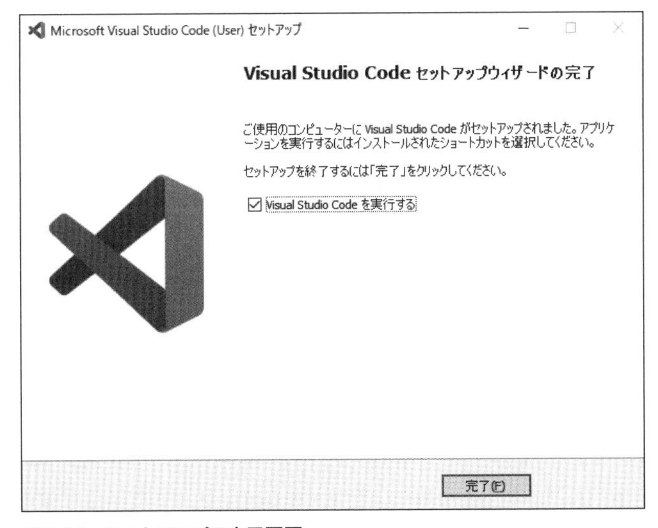

図2-15　**セットアップの完了画面**

そうすると、Visual Studio Codeが起動します。

04

VS Codeを日本語化する

VS Codeの場合、インストールしただけでは準備は終わりません。Pythonプログラミングのためには、拡張機能（エクステンション）が必要です。まずは、VS Codeを日本語化する拡張機能（Japanese Language Pack for Visual Studio Code）を入れましょう。

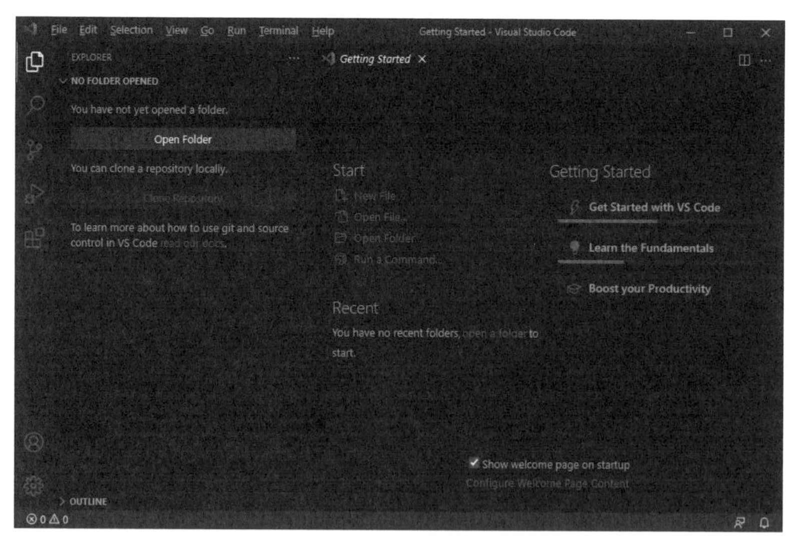

図2-16　**はじめてVS Codeを起動したところ。表記が英語になっている**

インストール直後は、上の図のようにVS Codeはすべて英語です。画面左端に並んでいるメニューの上から5番目にあるExtensionsアイコンをクリックします。すると拡張機能を検索するためのボックス「Search Extensions in Marketplace」が表示されるので、「japanese」で検索します。

左側のペインにJapaneseで始まる拡張機能が一覧表示されるので、一番上のものをクリックします。それが、MicrosoftのJapanese Language Pack for Visual Studio Codeであることを確認して、installをクリックします。

図2-17 **「japanese」で拡張機能を検索し、一番上に表示されたMicrosoftの「Japanese Langua…」をインストール**

ただし、これだけでは日本語化されません。VS Codeを再起動する必要があるので、画面右下に表示された「Restart」ボタンをクリックします。

図2-18　**画面右下にある「Restart」ボタンを押す**

VS Codeが再起動します。画面が日本語化されているかどうか、確認しましょう。

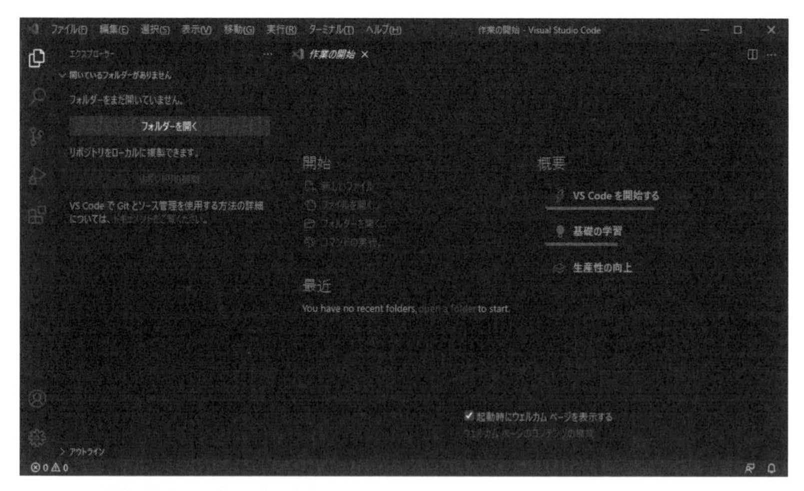

図2-19　**再起動すると表示が日本語に**

ただし、日本語化してからも、何かの拍子にまた英語に戻ってしまうときがあります。そんなときは、Ctrl＋Shift＋Pを押してコマンドパレットを開きます。すると利用できるコマンドがリストアップされます。ここに

「Configure Display Language」があれば、これをクリックして実行します。もしなければ、テキストボックスに「config」と入力し、利用できるコマンドのリストをフィルター処理すると、Configure Display Languageを選択しやすくなります。Configure Display Languageを実行すると、選択できる言語が表示されるのでjaを選び、VS Codeを再起動します。

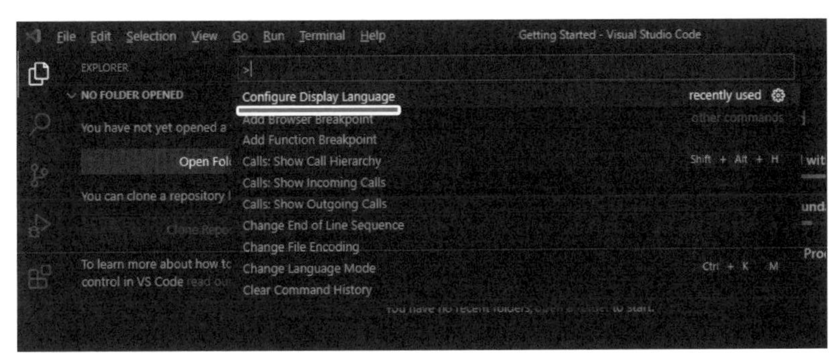

図2-20　**英語表記に戻ってしまったらConfigure Display Languageを実行する**

05 Python 拡張機能をインストールする

まだVS Codeの準備は終わりません。次に、Pythonのコード入力を支援する拡張機能（Python Extension for Visual Studio Code）をインストールします。これをインストールすると、自動インデント、プログラムコードの自動補完（IntelliSense）、より厳密な文法チェック（lint機能）を始めとしたプログラミング支援機能が利用できるようになります。これがあるのとないのとでは、プログラミングの効率が天と地ほど違います。

日本語化のときの要領で、「Python」で拡張機能を検索しましょう。開発元として「Microsoft」が表示されているPython Extension for Visual Studio Codeを選び、インストールします。

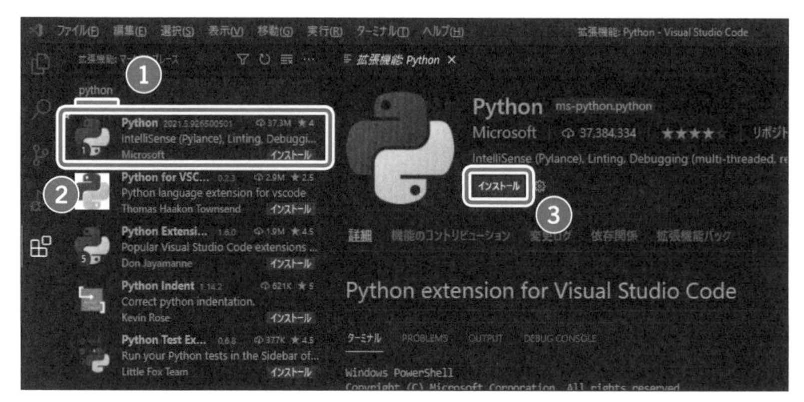

図2-21 **Pythonで検索して一番上に表示されたMicrosoftのPythonを選び、インストールする**

インストールしたら、lint機能が設定されているかを確認しましょう。「ファイル」メニューから「ユーザー設定」→「設定」と選んで、設定画面を開きます。

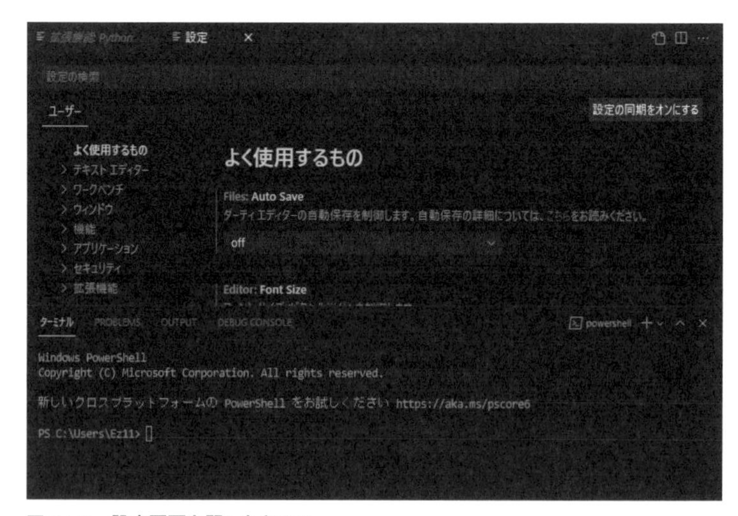

図2-22 **設定画面を開いたところ**

設定項目はたくさんあるので、設定の検索ボックスに「pylint」と入力して検索します。

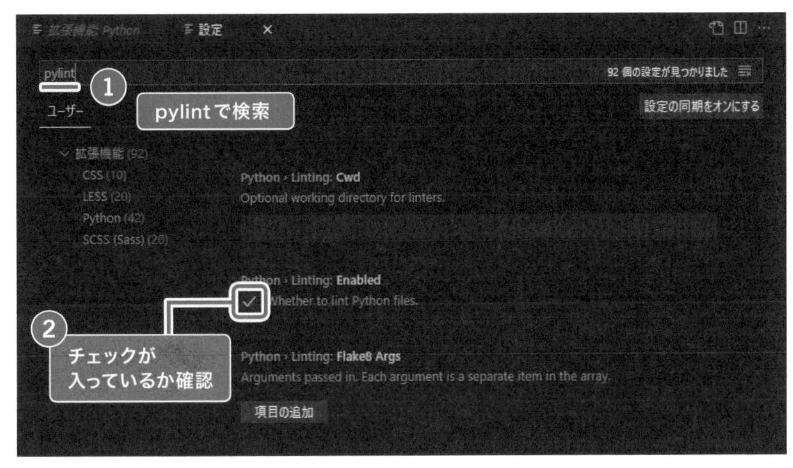

図2-23　**pylintで検索し、「Python > Linting: Enabled」の「Whether to lint…」にチェックが付いていることを確認**

そして、「Python > Linting: Enabled」の「Whether to lint Pyhton files」にチェックが付いていることを確かめます。この項目を見つけるには、pylintで検索後、画面をさらに下にスクロールする必要があるかもしれません。

lintというのは静的コード解析機能です。構文チェックだけでなく、あいまいな記述についても指摘してくれるので、プログラムの実行前に間違いを見つけることが可能になります。

06

openpyxl ライブラリをインストールする

ここまででPythonでプログラミングをするための準備は整いました。でも、Excel×Python的にはもうひと手間、Pythonの外部ライブラリであるopenpyxlのインストールが必要です。これを使うには、pipコマンドを使ってopenpyxlライブラリをインストールしてやる必要があります。この方法は、Pythonならではのインストール手順です。openpyxlだけでなく、Pythonの外部ライブラリの多くは、この方法でインストールします。これを機会に覚えておきましょう。

VS Codeを使っている場合は、「ターミナル」メニューから「新しいターミナル」を開いて、pipコマンドを実行することができます。ターミナルのプロンプトで

```
pip install openpyxl
```

と入力し、Enterキーで実行します。

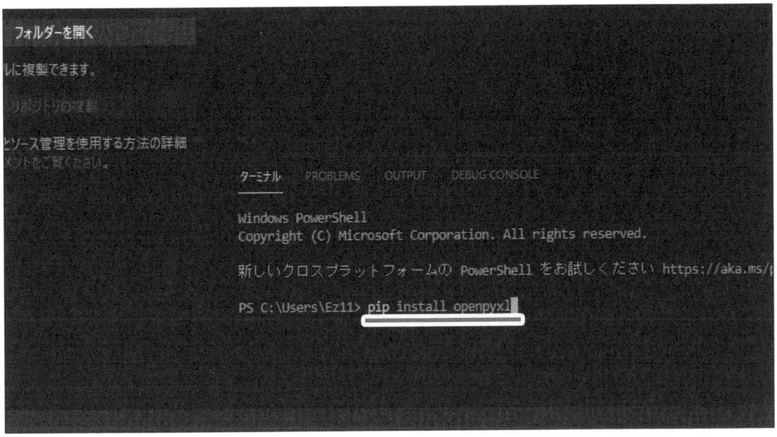

図2-24　ターミナルでpip install openpyxlを実行する

しばらくして、Successfully installedと表示されれば成功です。

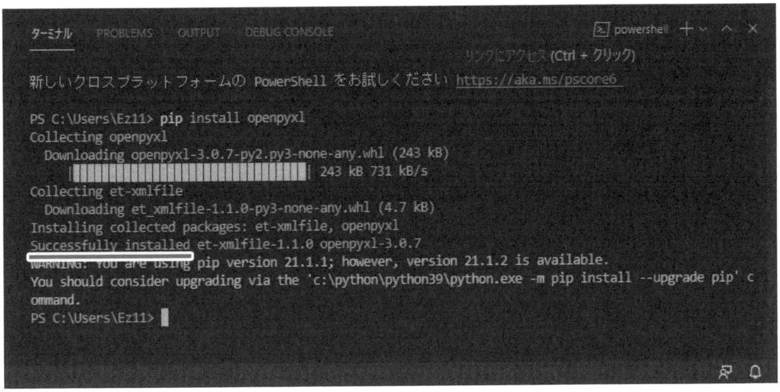

図2-25　Successfully installedと表示されたらインストール完了

その下に表示されている黄色いWARNINGは、「pipコマンドは新しいバージョンが出ているから、pipコマンド自体をアップグレードしたほうが良いよ」というメッセージです。急ぐ必要はありませんが、折りを見てアップグレードしましょう。openpyxlをインストールしたときと同様、VS Codeのターミナルで

```
python -m pip install --upgrade pip
```

と入力してエンターを押せば実行できます。

07 pipコマンドを詳しく知る

pipはPythonのライブラリ管理ツールです。

```
pip install openpyxl
```

のように入力してライブラリをインストールするときだけでなく、インストール済みのライブラリを一覧したり、最新でないライブラリがないか調べたりといったこともできます。もちろん、インストールしたライブラリを最新版にアップデートしたり、逆に削除したりすることもできます。たくさんの外部ライブラリを使うようになると、さまざまな使い方をすることになります。そこで、もう少しpipについて詳しく見ておきましょう。

VS Codeのターミナルでpipの使い方をいろいろと試してみます。

まず

```
pip list
```

を実行してみてください。

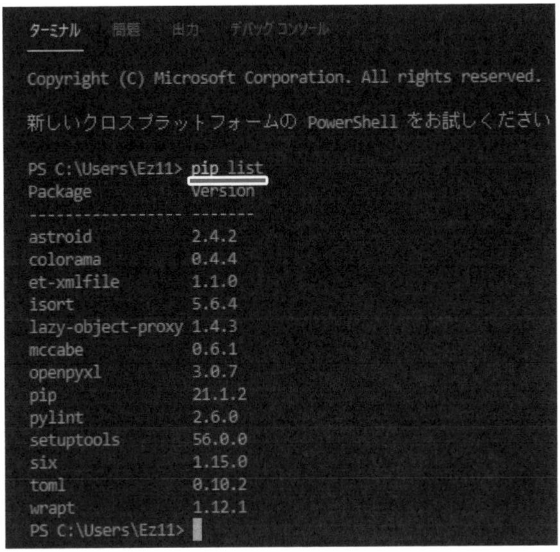

```
ターミナル　問題　出力　デバッグ コンソール

Copyright (C) Microsoft Corporation. All rights reserved.

新しいクロスプラットフォームの PowerShell をお試しください

PS C:\Users\Ez11> pip list
Package           Version
----------------- -------
astroid           2.4.2
colorama          0.4.4
et-xmlfile        1.1.0
isort             5.6.4
lazy-object-proxy 1.4.3
mccabe            0.6.1
openpyxl          3.0.7
pip               21.1.2
pylint            2.6.0
setuptools        56.0.0
six               1.15.0
toml              0.10.2
wrapt             1.12.1
PS C:\Users\Ez11>
```

図2-26　**pip listを実行したところ**

ターミナルにインストールされているライブラリの名前とVersion（バージョン）がまとめて表示されます。openpyxlはバージョンが3.0.7と表示されていますね。

次に

```
pip list --outdated
```

と、「--outdated」を付けて実行すると、最新ではないライブラリだけを表示できます。

```
PS C:\Users\Ez11> pip list --outdated
Package           Version Latest Type
----------------- ------- ------ -----
astroid           2.4.2   2.5.8  wheel
isort             5.6.4   5.8.0  wheel
lazy-object-proxy 1.4.3   1.6.0  wheel
pylint            2.6.0   2.8.3  wheel
setuptools        56.0.0  57.0.0 wheel
six               1.15.0  1.16.0 wheel
PS C:\Users\Ez11>
```

図2-27　**pip list --outdatedで、最新ではないライブラリを一覧表示**

こうして古いバージョンのライブラリを見つけて、必要に応じてアップデートするという使い方が考えられます。

次に画像処理ライブラリPillowを例に、ライブラリのアップグレードとアンインストールを練習してみましょう。それにはまず、インストールしなければなりませんね。インストールするコマンドは、openpyxlと同じで

```
pip install pillow
```

を入力して実行します。

```
PS C:\Users\Ez11> pip install pillow
Collecting pillow
  Downloading Pillow-8.2.0-cp39-cp39-win_amd64.whl (2.2 MB)
     |████████████████████████████████| 2.2 MB 3.3 MB/s
Installing collected packages: pillow
Successfully installed pillow-8.2.0
PS C:\Users\Ez11>
```

図2-28　**pip install pillowを実行**

ダウンロードして、インストールする様子がわかります。

次に

```
pip install --upgrade pillow
```

と入力しアップグレードを試してみましょう。upgradeの前のハイフンは、ふたつ並べる必要があります。インストール直後なので、Requirement already satisfiedと表示されるのみでした。もちろん、新しいバージョンがあれば、これでアップグレードできます。

```
PS C:\Users\Ez11> pip install --upgrade pillow
Requirement already satisfied: pillow in c:\python\python39\lib\site-packages (8.2.0)
PS C:\Users\Ez11>
```

図2-29　pip install --upgrade pillowを実行したところ

インストールしたライブラリを削除するには、

```
pip uninstall pillow
```

と入力して実行します。アンインストールが始まると、削除するフォルダーを表示して

```
Proceed (y/n)?
```

と質問されます。これは「そのまま進めていいか?」という意味なので、yesの先頭文字である「y」を入力します。

```
PS C:\Users\Ez11> pip uninstall pillow
Found existing installation: Pillow 8.2.0
Uninstalling Pillow-8.2.0:
  Would remove:
    c:\python\python39\lib\site-packages\pil\*
    c:\python\python39\lib\site-packages\pillow-8.2.0.dist-info\*
Proceed (y/n)? y
  Successfully uninstalled Pillow-8.2.0
PS C:\Users\Ez11>
```

図2-30　pip uninstall pillowを実行してアンインストール

本書の手順通りにPythonをインストールすれば、VS Codeのターミナルだけでなく、コマンドプロンプトやPowerShellでも同様にpipコマンドを実行できます。

08 サンプルプログラムとフォルダー構成

本書で紹介したコードは、サンプルプログラムとして配布しています。サンプルプログラムは、次のようなフォルダー構成で、PythonのプログラムとExcelのファイルを配置しています。

図2-31　サンプルプログラム、サンプルファイルのフォルダー構成

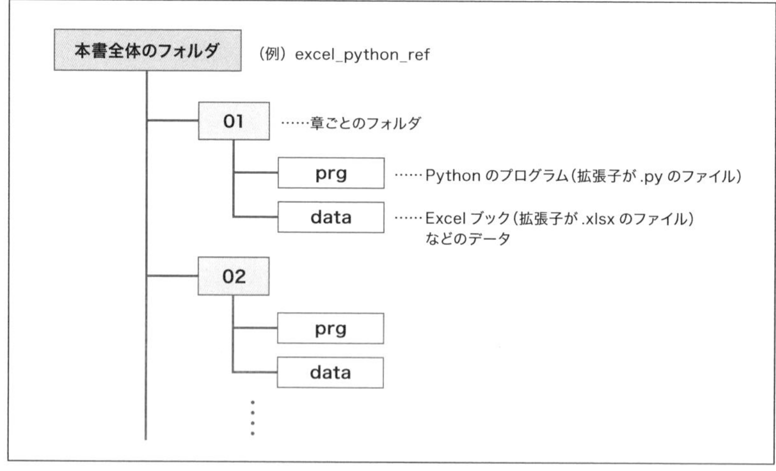

まず、本書全体のフォルダーがあり、その下に各章のフォルダー(01、02、03、04…)があります。ダウンロードしたファイルを展開してみていただく

とわかるように、02（本章）のようにサンプルプログラムがない場合は、フォルダーがあるだけでプログラムやExcelブックなどのファイルはありません。04以降はPythonのプログラムとExcelブックが存在します。

各章のフォルダーにはサブフォルダーとして、prgフォルダーとdataフォルダーを作っています。prgフォルダーにはPythonのプログラムを保存します。Pythonのプログラムは拡張子が.pyのファイルです。

dataフォルダーにはExcelブック形式のファイルがあります。拡張子はいずれも.xlsxです。章によっては、Excelブック以外のファイルもあります。

サンプルプログラムは各章とも、prgフォルダーにあるプログラムからdataフォルダーにあるExcelのファイルに相対パス指定でアクセスするよう設計しています。相対パス指定についてはChapter3であらためて説明します。

本書全体のフォルダーはどこに作成してもらってもかまいません。たとえば、ドキュメントの中に作成してもいいし、C:¥（Cドライブのルート）に作成してもいいでしょう。ダウンロードしたファイルを利用される場合は、zipファイルを展開してできたフォルダーごとお好きな場所に移動してください。

Chapter

3

プログラムの書き方と実行方法

プログラミングが初めてという方のために、プログラムの書き方と実行方法についてまとめました。本来であれば"Pythonの入門書"で勉強することをお薦めしますが、ここでは手っ取り早くプログラムを作って、実行するために必要なことをまとめましたのでお役立てください。

ただし、やはり基礎は重要です。後々、「こういうことできないかな」とアイデアが浮かんだときに、それを実現できるかどうか、実現できるとして簡単にできるかどうか。基礎力はそこに利いてきます。ぜひプログラミングの基礎については別途学ぶことを強くお勧めします。

プログラミングの経験はあるという人であれば、本章はスキップしていただいてもかまいません。でももしかすると、知らなかったテクニックが実はあったり、すっかり忘れていたりしたことなどが見つかるかもしれません。時間があるときに、さっと読んでみてください。

01 VS Codeでプログラムを入力する

Visual Studio Code(VS Code)でプログラムの作成するには、まずプログラムを保存するフォルダーを作成しておいて、そのフォルダーを「フォルダーを開く」で開いてからプログラムファイルを作成します。後々、作成済みのプログラムファイルを開くときも、「フォルダーを開く」操作をせずにいきなりファイルを開くと、プログラムがうまく動かないことがあります。VS Codeでは必ず最初に「フォルダーを開く」手順が必要と覚えてください。

図3-1　VS Codeではまず最初に「フォルダーを開く」をクリック

本書の説明通りにフォルダーを作成した、もしくはダウンロードファイルを展開した場合は、以下のようにフォルダーが作成されているはずです。

図3-2　本書で紹介したプログラムのフォルダー構成

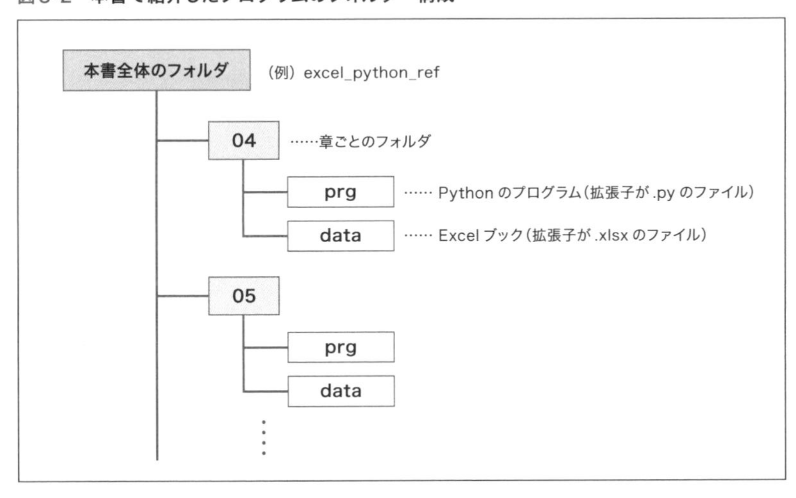

各章のprgフォルダーを、VS Code起動時のウェルカムページにある「フォルダーを開く」や「ファイル」メニューの「フォルダーを開く」で開きます。この手順を踏んだうえで、プログラムファイルを新規に作成するか、すでに保存されているプログラムファイルを選択します。

ファイルを新規作成する場合は、フォルダー名の右側にあるファイルに+記号が付いたアイコンをクリックします。これが新規作成のアイコンです。

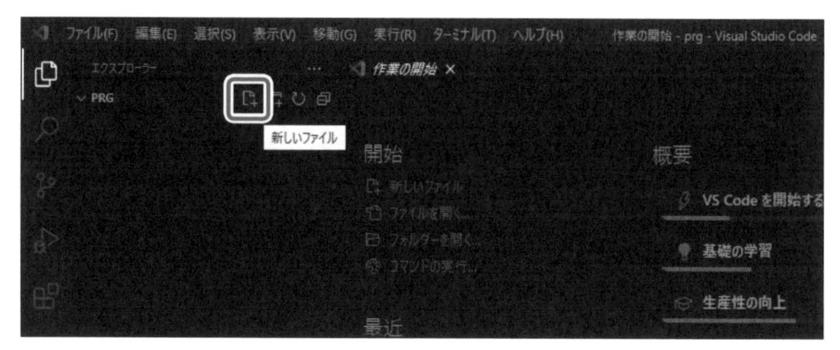

図3-3　**新しいプログラムを作成**

すると、テキストボックスが表示されます。ここにsample01.pyのように拡張子も含めてプログラム名を入力します。

図3-4　**sample01.pyと入力**

そして、右側のエディターにプログラムコードを入力します。試しに

```
print("Bonjour Tristesse")
```

と入力してみましょうか。

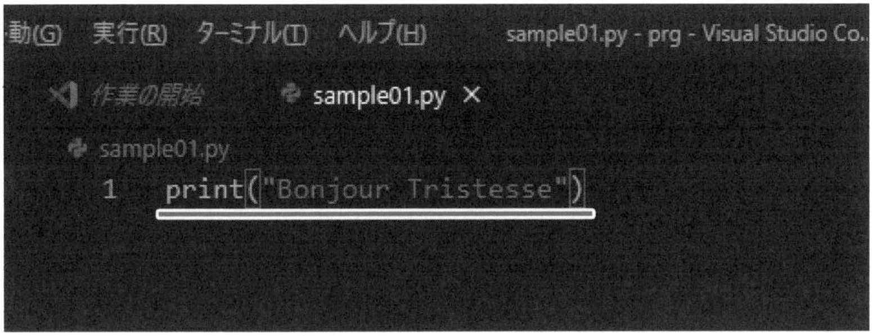

図3-5　print("Bonjour Tristesse")と入力

ダウンロードファイルが保存されている章のprgフォルダーを開いた場合、サイドバーと呼ばれる部分にあるエクスプローラーに、プログラム一覧が表示されます。

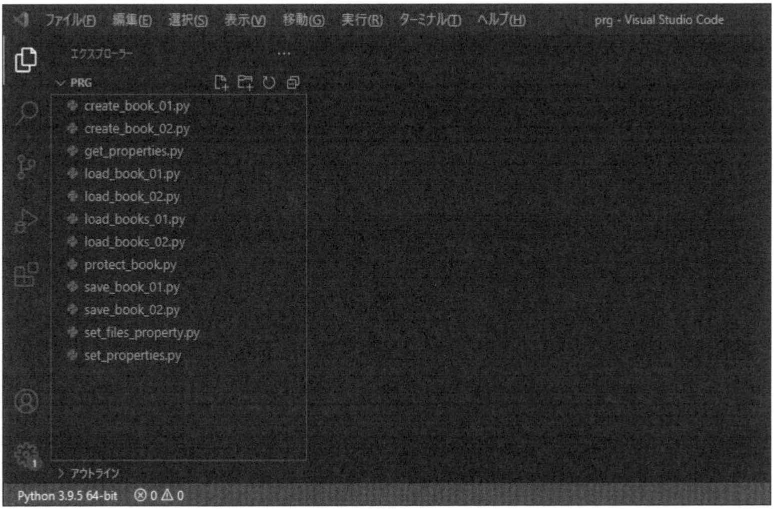

図3-6　エクスプローラーに表示されたプログラム一覧

いずれかのプログラムをクリックして選択すると、ウィンドウ右側のエディターに表示されて、編集できるようになります。

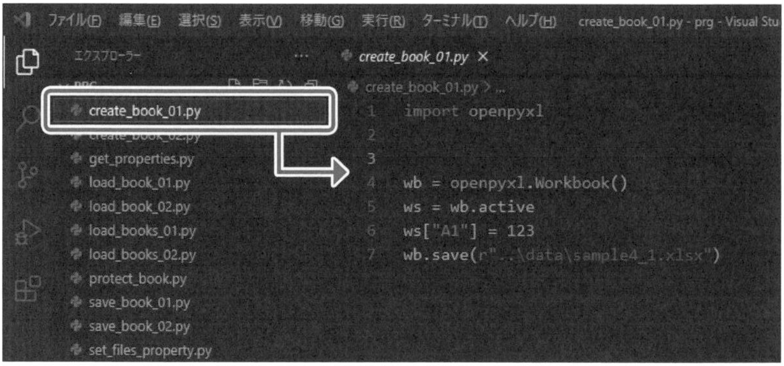

図3-7　create_book_01.pyを選択した

プログラムを作成、編集したあとは、ファイルメニューから保存を選んでプログラムを保存します。

02 Pythonプログラムの書き方を知る

Pythonプログラムを書くときは、インデントと空き行に気を配りましょう。どのように書くかで迷ったときは、pep8-jaのサイトに掲載されているPythonのコードのスタイルガイドが参考になります。たとえば、1行がものすごく長くなって改行したいといったときにどうするかなどで悩んだときです。pep8-jaを調べると、ほとんどの場合、何らかのヒントを見つけることができます。

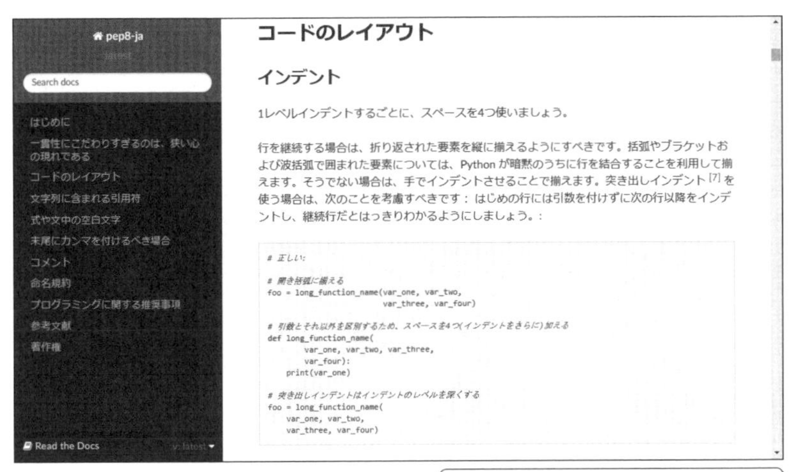

図3-8　pep8-jaに掲載されているインデントの記法

たとえばインデントでは、1レベルのインデントには、スペースを4つ使うと書かれています*1。インデントとは字下げのことです。

load_books_01.pyを例にインデントを見ていきましょう。このプログラムはChapter 4で詳しく解説します。この段階では、細かいところはわからなくてかまいません。このプログラムのインデントについて注目してください。

*1　スペースは半角スペースです。全角スペースがひとつでも含まれていると、インデントとしては認められません。そのままプログラムを実行するとエラーになります。

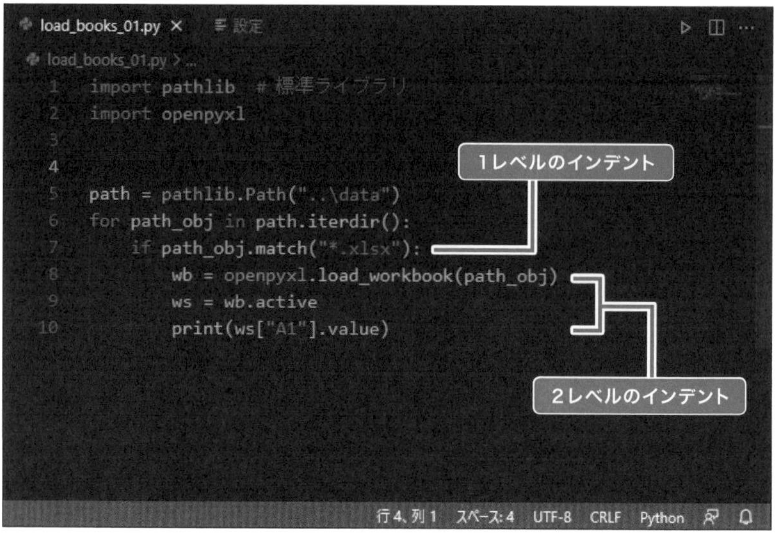

load_books_01.py × 設定

load_books_01.py > ...

```
1  import pathlib  # 標準ライブラリ
2  import openpyxl
3
4
5  path = pathlib.Path("..\data")
6  for path_obj in path.iterdir():
7      if path_obj.match("*.xlsx"):
8          wb = openpyxl.load_workbook(path_obj)
9          ws = wb.active
10         print(ws["A1"].value)
```

1レベルのインデント

2レベルのインデント

行4、列1　スペース: 4　UTF-8　CRLF　Python

図3-9　**forブロックとifブロックに注目**

6行目のforで始まる文の次、つまり7行目のifで始まる文が1レベル（1段階）だけインデントされています。このif文の次には、もう1レベル、さらにインデントされたコードが3行続いています。6行目のfor文から見ると、8〜10行目は2レベルのインデントにあたります。

この6行目のfor文に対して、続く行でインデントされた部分のことを「ブロック」と呼びます。for文は与えられた条件に従って同じ処理を繰り返すことを指示します。このため、for文のブロックの中で処理が繰り返されるわけですね。こういうとき「6行目からのforブロック」といった言い方をします。

同様に7行目からのif文の直後でインデントされている部分をifブロックと呼びます。if文は与えられた条件にマッチするときに、ブロック内の処理を行うことを指示します。このため、7行目のif文が成り立つときに、直後のインデントされている3行のコード（8〜10行目）が実行されるのです。

VS Codeではプログラミングの際、Tabキーを押すことでスペースを使ってインデントすることができます。一般的なアプリケーションソフトではタブコードが入力されますが、VS Codeでは、Tabキーで半角スペース4個が入るように最初から設定されています。

ここでVS Codeの設定を確かめておきましょうか。「ファイル」メニューから「ユーザー設定」→「設定」を選んで、設定画面を開き、「tab」で検索してTabキーの設定を探します。

「Editor: Insert Spaces」という項目の「Tabキーを押すとスペースが挿入されます」にチェックが付いているはずです。

図3-10　**Editor:Insert Spacesで設定を確認**

「Editor: Tab Size」という項目を見ると、ひとつのタブに相当するスペースの数は4に設定されています。

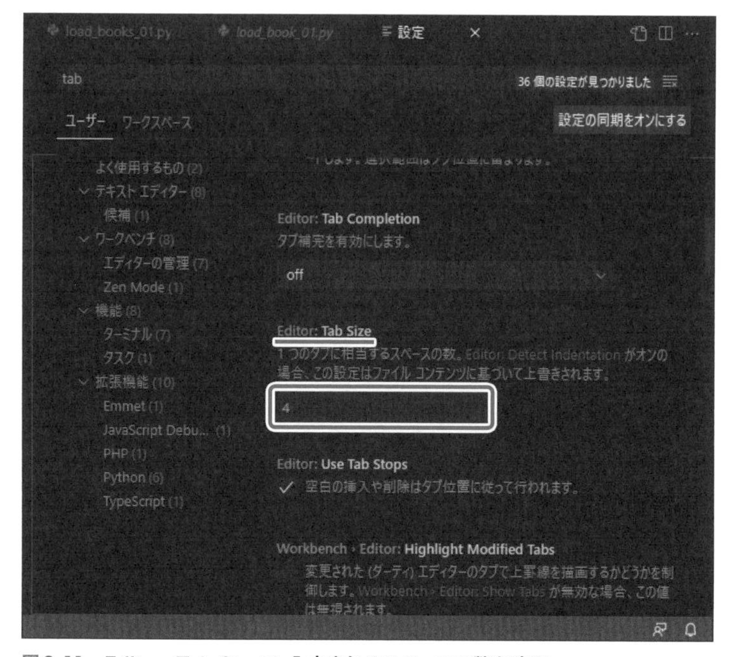

図3-11　**Editor: Tab Sizeで、入力されるスペースの数を確認**

ですから、VS Codeではインデントのレベルに応じて、Tabキーを必要な回数だけ押せば良いのです。もちろん自分でスペースを入力してもいいのですが、Tabキーを使ったり、スペースキーを使ったりと混在させるとインデントのレベルがわからなくなる可能性があり、ミスのもとです。どちらかに統一することを強くお勧めします。

コードの区切りには空き行を入れましょう。はっきり分かれる箇所には2行分、空白行を入れます。これでプログラムがわかりやすくなります。空き行はプログラムの動作には影響しませんが、Pythonプログラミングではわかりやすいプログラムの書き方の作法として定着しています。

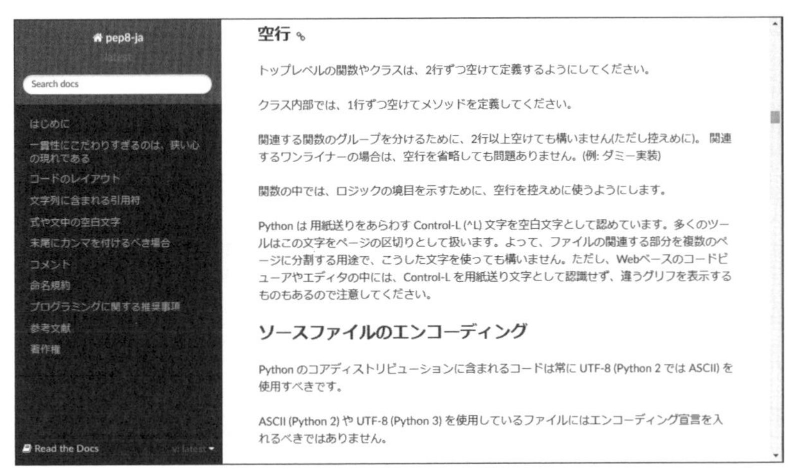

図3-12　pep8-jaに掲載されている空き行とエンコーディングについての説明

実際のプログラムで空き行の使い方を見てください。大きく役割が異なるところで2行空け、処理の趣旨が変わるところで1行空けるといった具合に、空き行を入れています。

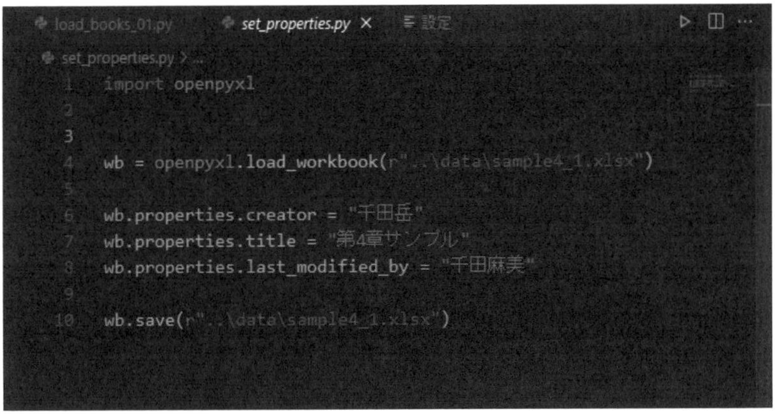

```
load_books_01.py    set_properties.py ×    設定
set_properties.py > ...
1  import openpyxl
2
3
4  wb = openpyxl.load_workbook(r"..\data\sample4_1.xlsx")
5
6  wb.properties.creator = "千田岳"
7  wb.properties.title = "第4章サンプル"
8  wb.properties.last_modified_by = "千田麻美"
9
10 wb.save(r"..\data\sample4_1.xlsx")
```

図3-13　空行を入れたプログラムの例

なお、ソースファイルのエンコーディング（文字コード化方式）はUTF-8

にします。といっても、VS Codeは初期設定でUTF-8に指定してあります。特に設定を変える必要はありません。設定をutfで検索すると、「Files: Encoding」という項目で、設定がUTF-8になっていることがわかります。

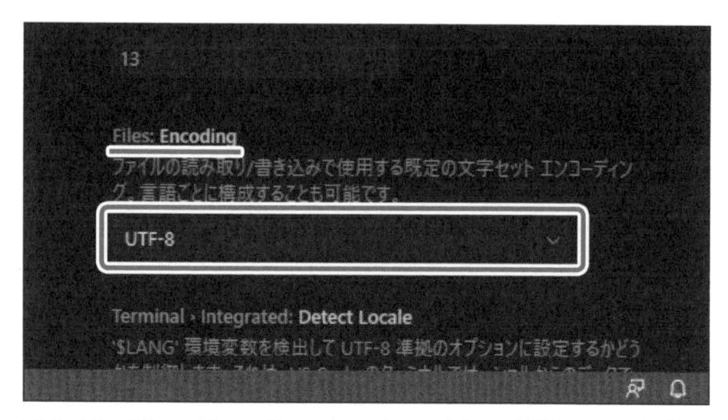

図3-14　Files: Encodingで、エンコーディングがUTF-8になっていることを確認できる

03 コメントの書き方を知る

コメントとは、プログラムの中に残しておくメモです。メモを残しておくことで、プログラムを作った人からプログラムを読む人に向けて伝言することができます。処理内容について説明したり、引数や変数の使い方を補足したりといった使い方が考えられます。

コメントをうまく使うことで、わかりやすいプログラムを作ることができます。プログラムを他の人にも使ってもらったり、大きなプログラムを共同で開発したりするといった場合に、プログラムの内容がどうなっているのかについて補足するのはとても重要です。自分で作ったプログラムでも、時間を置いて後で見直すと「どうしてこういうコードを書いたのかわからない」といったことも“プログラマあるある”です。そんなときもコメントが貴重な情報になります。

Pythonでコメントを入れるには、最初に # を入力します。

```
sample01.py
1  print("Bonjour Tristesse")  # ここからコメント
2  # 1行コメント
3
4  #
5  # たくさんコメントを書きたいときは
6  # #を続けて、書きます
7  #
```

図3-15　**プログラム中に記入したコメントの例**

行の途中では、#を入力したところからコメントです。1行のコメントは先頭に#を入力します。複数行に渡るコメントを書きたいときは、#で始まる行を複数並べます*2。

実は、プログラミング言語によってコメントの書き方はかなり違います。複数の言語を使い分けるプログラマは、コメントのせいで混乱しがちです。

たとえばC言語では、コメントは/*で始め、*/で終わります。

```
/* コメント */

/*
   複数行に渡る
   コメント
*/
```

JavaやRust、Kotlinといった言語では、/* */にくわえて、//でコメントを

*2　まとまった量のコメントを入れたい場合は、ドキュメンテーション文字列を使うという方法もあります（https://pep8-ja.readthedocs.io/ja/latest/#id23）。でも、とりあえず今の段階では「先頭に # を入力する」ことでコメントになると覚えておけば十分です。

始めることができます。

```
println!("Hello, world!");        // ここからコメント
// この行はコメント
```

このように現在主流のプログラミング言語では/* */と//が使えることが多いのですが、VBAではシングルクオーテションでコメントを始めます。

```
' コメント
```

04 VS Codeでプログラムを実行する

VS Codeでプログラムを実行するには、「実行」メニューから「デバッグの開始」もしくは「デバッグなしで実行」を選びます。

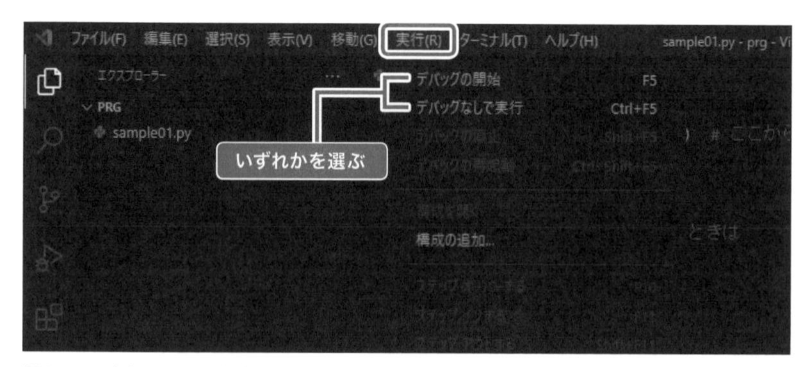

図3-16　実行メニューを開いたところ

「デバッグの開始」を選んだ場合、select a debug configuration（デバッグ設定の選択）が表示されますので、Python Fileを選んでください。

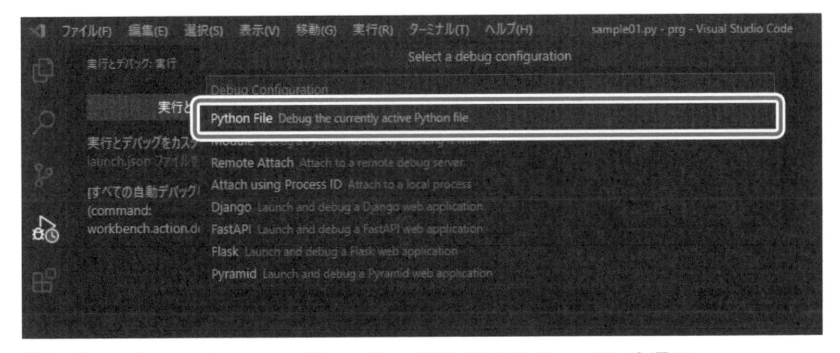

図3-17　**select a debug configurationが開いたらPython Fileを選ぶ**

実行結果はターミナルに表示されます。

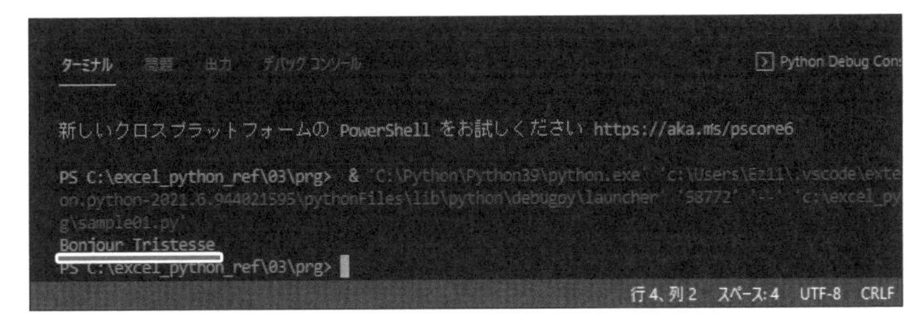

図3-18　**実行結果はターミナルに表示される**

「デバッグなしで実行」を選ぶと、すぐにプログラムが実行されて、結果がターミナルに出力されます。

05

Python IDLEで
プログラムを入力する

スタートメニューから、Python3.9→IDLEと選択してIDLEを起動できることは、Chapter 2でも説明しました。あらためて説明しておくと、IDLEは(Python's) Integrated Development and Learning Environmentを略したものです。

IDLEをスタートメニューで選ぶと、Python3.9.5 Shellが起動します。

```
IDLE Shell 3.9.5
File Edit Shell Debug Options Window Help
Python 3.9.5 (tags/v3.9.5:0a7dcbd, May  3 2021, 17:27:52) [MSC v.19
28 64 bit (AMD64)] on win32
Type "help", "copyright", "credits" or "license()" for more informa
tion.
>>> |
```

図3-19　**IDLE Shell3.9.5が起動したところ**

Shell（シェル）とは、一般にOSがユーザーのためにインターフェイスを提供するソフトウェアのことですが、ここではOSではなくPythonのShellです。>>>をプロンプトといいます。この記号に続けて、ユーザーは何らかの入力をします。ここにPythonのプログラムコードを打ち込んで、Enterキーを押すとそのコードを実行することができます。これをインタラクティブモードといいます。インタラクティブは対話的という意味です。

実際にインタラクティブモードを使ってみましょう。IDLEのプロンプトに続けて

```
print("Hello Python!")
```

と入力してEnterキーを押すと、Hello Python!と表示されます。

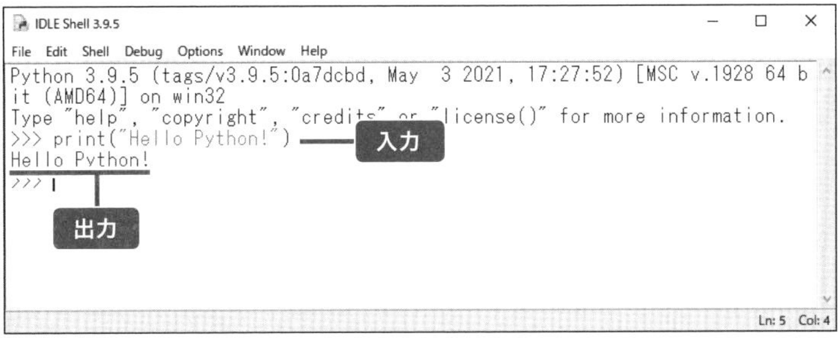

```
IDLE Shell 3.9.5
File  Edit  Shell  Debug  Options  Window  Help
Python 3.9.5 (tags/v3.9.5:0a7dcbd, May  3 2021, 17:27:52) [MSC v.1928 64 bit (AMD64)] on win32
Type "help", "copyright", "credits" or "license()" for more information.
>>> print("Hello Python!")
Hello Python!
>>> |
Ln: 5  Col: 4
```

入力

出力

図3-20　Hello Python!と出力できた

IDLEを終了するときは、「File」メニューから「Exit」を選ぶか、プロンプト(>>>)に続けて

```
exit()
```

と入力します。

IDLEはちょっとしたコードを試したいときに便利です。

06
Python IDLEで プログラムを実行する

IDLEは対話的にコードを実行するだけのツールではありません。Pythonのプログラムファイルを新規に作成したり、作成済みのプログラムファイルを編集して、実行したりすることができます。

New Fileで新しいファイルを作り、コードを入力し、Fileメニューから Saveを選んでSample02.pyの名前で保存しましょう。まず新しいファイルを開きます。

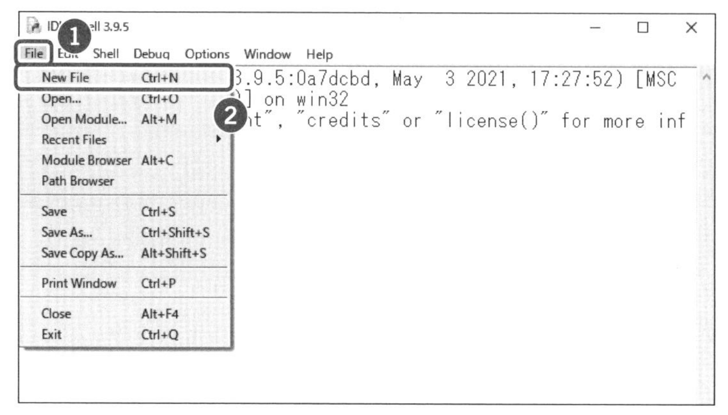

図3-21　New Fileで新しいファイルを作る

保存するときは同じメニューでSaveを選びます。保存するとタイトルバーにファイル名（プログラム名）が表示されます。

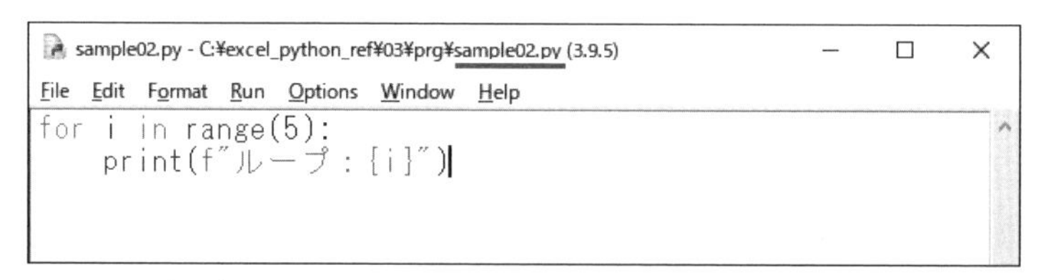

図3-22　プログラムコードを入力し、sample02.pyの名前で保存したところ

RunメニューからRun Moduleを選んで、プログラムを実行することができます。

sample02.py - C:¥excel_python_ref¥03¥prg¥sample02.py (3.9.5)
File Edit Format Run Options Window Help
for i in ra
print(f
Run Module F5
Run... Customized Shift+F5
Check Module Alt+X
Python Shell
1
2

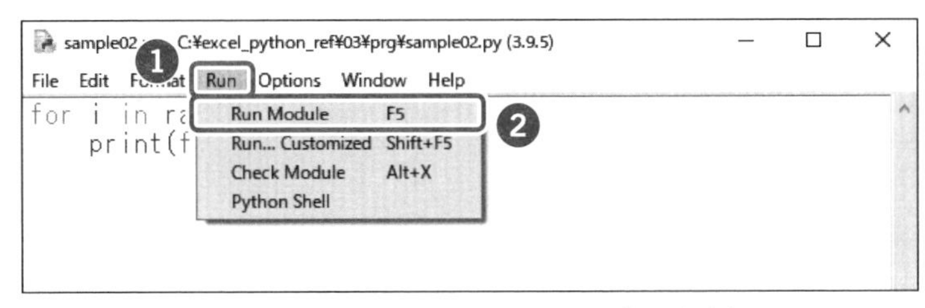

図3-23　「Run」メニューから「Run Module」でプログラムを実行

実行結果はIDLE Shellに出力されます。

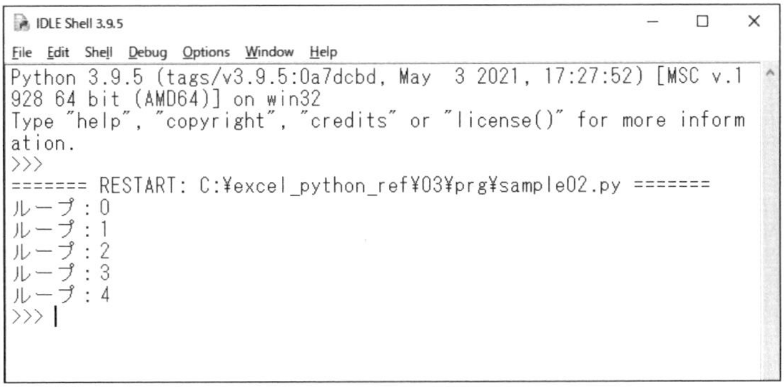

IDLE Shell 3.9.5
File Edit Shell Debug Options Window Help
Python 3.9.5 (tags/v3.9.5:0a7dcbd, May 3 2021, 17:27:52) [MSC v.1928 64 bit (AMD64)] on win32
Type "help", "copyright", "credits" or "license()" for more information.
>>>
======= RESTART: C:¥excel_python_ref¥03¥prg¥sample02.py =======
ループ : 0
ループ : 1
ループ : 2
ループ : 3
ループ : 4
>>>

図3-24　実行結果が出力されたIDLE Shell

07

コマンドプロンプトでプログラムを実行する

スタートメニューから「Windowsシステムツール」を開いたら、コマンドプロンプトを起動してください。プロンプト（ > ）に続けて「python」と入力し、Enterキーを押すと、コマンドプロンプトの中でPythonが立ち上がり、Pythonのプロンプト（ >>> ）が表示されます。

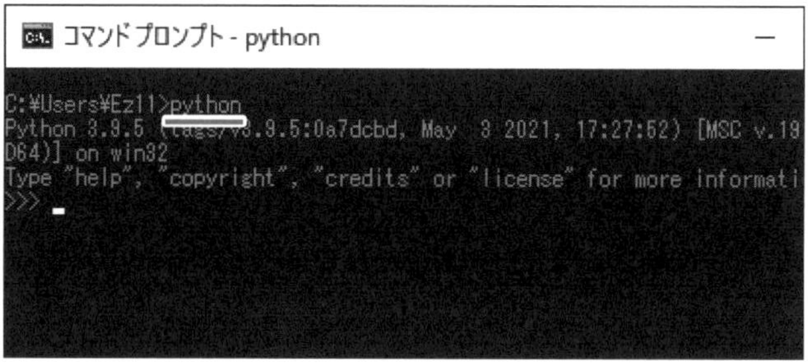

```
コマンドプロンプト - python
C:¥Users¥Ez11>python
Python 3.9.5 (tags/v3.9.5:0a7dcbd, May  3 2021, 17:27:52) [MSC v.19
D64)] on win32
Type "help", "copyright", "credits" or "license" for more informati
>>>
```

図3-25　Windowsのコマンドプロンプトでpythonと入力

ここにプログラムコードを入力すれば、実行することができます。この画面の裏側でPythonシェルが動作しているというイメージです。Pythonを終了してプロンプトを元に戻すには、exit()を入力します。

Chapter 2で解説した手順通りにPythonをインストールした場合、カレントディレクトリ（現在選択中のフォルダー）がどこであろうと、Pythonを実行することができます。

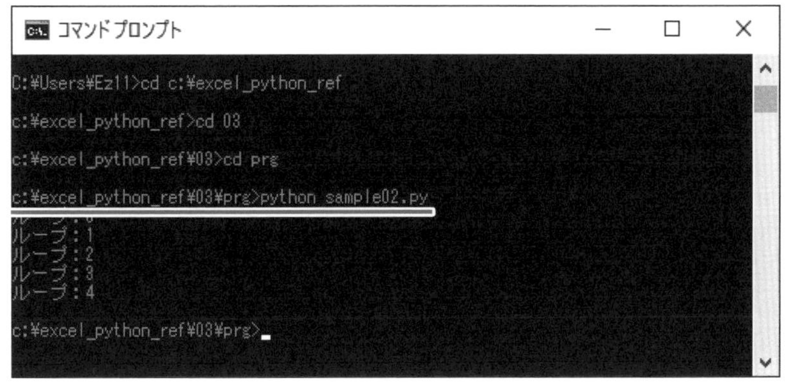

図3-26　**コマンドプロンプトで、sample02.pyのあるディレクトリでプログラムを実行した**

このため、作成したプログラムが存在するディレクトリにディレクトリを移動[*3]し（この例ではc:\excel_python_ref\03\prgに移動している）、「python プログラム名」と入力することで作成したプログラムを実行することができます。

08 PowerShellでプログラムを実行する

もしかするとWindows10ユーザーなら、もうすでにコマンドプロンプトよりもPowerShellを使う機会のほうが多いかもしれませんね。そこで、PowerShellでPythonプログラムを実行する方法も見ておきましょう。

PowerShellは、スタートメニューから「Windows PowerShell」を開き、

＊3　コマンドプロンプトで異なるディレクトリに移動するには、CDコマンドを使います。CDコマンドの使い方はここでは説明しません。プロンプトで「CD /?」と入力し、ヘルプを参照してください。

「Windows PowerShell」をクリックして起動できます。

　コマンドプロンプトのときと同様に、PowerShellのプロンプトでPythonと入力、Enterキーを押すと、Pythonが立ち上がります。

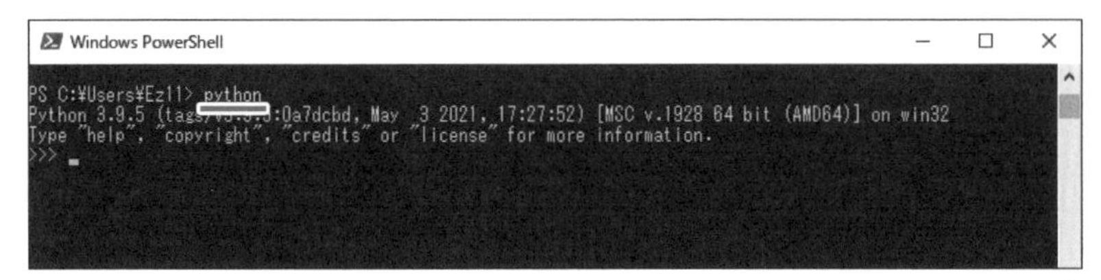

図3-27　**PowerShellでpythonと入力して起動**

　プロンプトが>>>に変わったことで、Pythonが起動したことがわかります。この状態で、プログラムを実行することができます。

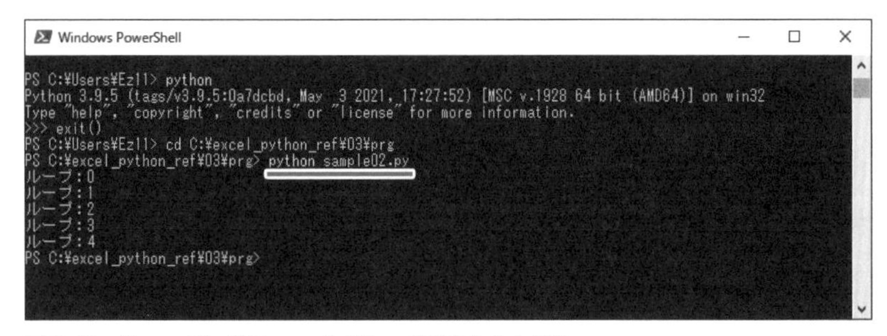

図3-28　**PowerShellでsample02.pyを実行したところ**

　Pythonシェルからは、exit()で抜け出すことができます。

　本書の手順通りにPythonをインストールした場合、カレントディレクトリ（現在、選択中のフォルダー）がどこであろうと、Pythonを実行することができます。

　ですから、作成したプログラムが存在するディレクトリにあらかじめCDコマンドで移動して*4（図3-28の場合はc:\excel_python_ref\03\prg）、

＊4　コマンドプロンプトと同じようにCDコマンドが使えます。

```
python プログラム名
```

と入力することで作成したプログラムを実行することができます。

09 絶対パス指定と相対パス指定の違いを知る

プログラムとプログラムで扱うデータファイルはどこに置くのが良いかについて、もう少し踏み込んで説明します。本書でのプログラムとは拡張子が.pyのPythonのプログラムコードを書いたファイルです。また、本書で扱うデータファイルとは拡張子が.xlsxのファイルです。これはExcelのブック形式のファイルです。

このxxxxx.pyとxxxxx.xlsxはパソコンの中のフォルダー(ディレクトリ)にどのように配置したら、一番便利でしょうか?

まず一番簡単な方法から、説明します。プログラミングを始めたばかりの人はこの方法を使うことが多いようです。

コード3-1 **同じフォルダーにプログラムとファイルを配置した場合のプログラム例**

file_path_01.py

```
01 import openpyxl
02
03
04 wb = openpyxl.load_workbook("sample3_1.xlsx")
05 ws = wb.active
06 print(ws["A1"].value)
```

このプログラム（file_path_01.py）はsample3_1.xlsxをload_workbook()で読み込みます（4行目）。その際にファイル名をsample3_1.xlsxと指定しているだけで、sample3_1.xlsxが存在するフォルダーの情報は記述していません。

このようにフォルダーの指定を省略して、ファイル名だけでファイルにアクセスできるのは、プログラムとExcelファイルが同じフォルダーにあるときです。

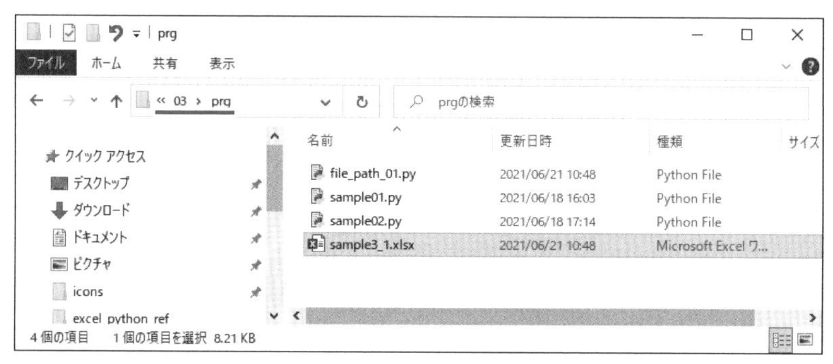

図3-29　**file_path_01.pyとsample3_1.xlsxは同じフォルダーにある**

これが一番簡単なデータファイルの指定方法なので、プログラミングの入門段階の人には使いやすいのかもしれません。

この方法の問題点は、プログラムをたくさん作るようになると、ひとつのフォルダーにたくさんのプログラムとデータが混在してしまうことです。プログラムもデータも全部同じ場所に入れてしまうので、整理がされていない状態になってしまいます。

それに困ったプログラマが次に考えるのは、プログラムとデータは分離したほうが良いだろうということです。プログラムとデータは更新するタイミングが違いますし、更新する人が違うケースも多いでしょう。そこで次に考えがちな方法が絶対パス指定です。

コード3-2　絶対パスでファイルにアクセスするプログラムの例

file_path_02.py

```
01  import openpyxl
02
03
04  wb = openpyxl.load_workbook("c:\data\excel_book\
    sample3_2.xlsx")
05  ws = wb.active
06  print(ws["A1"].value)
```

絶対パス指定は、データファイルのある場所（フォルダー）を固定してしまう方法です。このプログラムでは

```
c:\data\excel_book\sample3_2.xlsx
```

として、読み込むExcelファイルのある場所を「c:\data\excel_book」というフォルダー（ディクレクトリ）に固定しています。\はフォルダーの区切りを示す記号です。

絶対パス指定では、c:\とドライブ文字から始め、途中のフォルダーを一切省略せずにデータファイルのある場所を示します（これをフルパスといいます）。この方法では、データファイルの場所を固定してあるので、プログラムがどこのフォルダーにあってもかまいいません。常にプログラム中に記述したファイルを読み込みます。

この方法の問題点は、自分の作ったプログラムを誰かに利用してもらうときに、「データファイルは必ずc:\data\excel_bookに入れてね」、つまり自分のパソコンと同じようにフォルダーを作って、同じ場所にExcelファイルを置くようにしてもらわないといけない点です。

その人が「Cドライブは空き容量が少ないので、データファイルを置きたくない」と思ったとしても、その要望に応えることができません。相手ごとにその環境に合わせてプログラムを書き換える必要があります。

次に取り得る選択肢が、本書で採用している相対パス指定です。相対パス指定の考え方は慣れるまでは面倒な感じしますが、自由度が高く柔軟です。

コード3-3　**相対パス指定を使ったプログラムの例**

file_path_03.py

```
01  import openpyxl
02
03
04  wb = openpyxl.load_workbook("..\data\sample3_3.
    xlsx")
05  ws = wb.active
06  print(ws["A1"].value)
```

筆者の環境では、sample3_3.xlsxは絶対パス指定で記述すると「c:\excel_python_ref\03\data」にあります。でもこのプログラムでは、ファイルの場所の指定に相対パス指定を使っているので、「..\data\sample3_3.xlsx」としか記述していません。

相対パス指定で重要なのは「.」と「..」です。「.」はカレントディレクトリ（現在のディレクトリ）を指します。「..」は階層がひとつ上のディレクトリを指します。

相対パス指定の基準つまり起点になるのは、自分のカレントディレクトリです。この場合、自分とはプログラム（file_path_03.py）です。file_path_03.pyはc:\excel_python_ref\03\prg」にあります。そこで

```
..\data\sample3_3.xlsx
```

と記述したとき、プログラムはその先頭から読み取り、ファイルの場所を探します。まず「..」でprgフォルダーから1階層上を見ます。すると03フォルダーがあります。03フォルダーの下には、prgフォルダーと並んでdataフォルダーがあります。

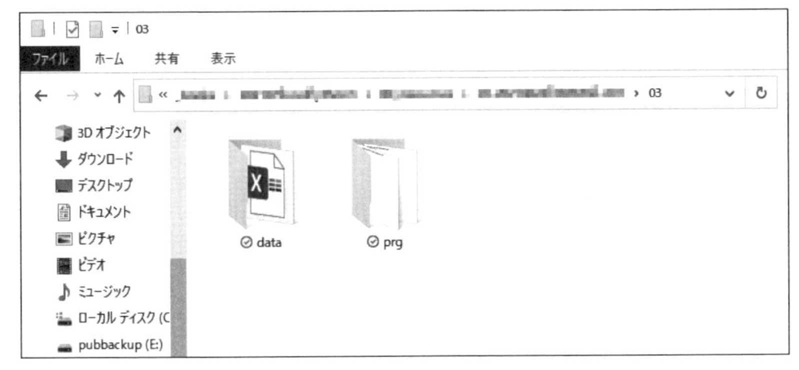

図3-30　**03フォルダーを開いたところ**

そして、dataフォルダーの中を探すと、sample3_3.xlsxがあります。

このように相対パス指定を使えば、プログラムとデータをどのドライブにコピーしてもかまいません。筆者が「c:\excel_python_ref\03\data」を使っていることは、もう関係ありません。必要なのは、03フォルダー（章フォルダー）の下にdataとprgフォルダーがあり、dataにxxxxx.xlsxが存在し、prgフォルダーにxxxxx.pyが存在すること。その構造が守られていれば、03フォルダー自体はどのドライブの、どのフォルダーの下に置いても、プログラムは、ファイルの読み込みという点ではエラーなく動作します。

Chapter

4

ブックを操作する

4-1

新規のブックを作成する

001: create_book_01.py

```
01  import openpyxl
02
03
04  wb = openpyxl.Workbook()
```

ブック、すなわちExcelのワークブックを作成するには、openpyxlライブラリをインポートしてから、Workbookオブジェクトを生成します。上のコードの4行目の

```
Workbook()
```

がそのための記述です。

しかしこの時点では、ブックはまだ変数wbに作成されただけなので、メモリー上のデータに過ぎません。つまり、xlsxの拡張子を持つファイルとして作成されたわけではないのです。次の「4-2 ブックを保存する」で詳しく説明しますが、メモリー上の変数の内容をブックとして保存して初めてExcelファイルとしてディスク上に作成されます。

さて、Chapter3で説明したように、Pythonのライブラリはパッケージもしくはモジュールとして提供されています。おさらいすると、モジュールとはひとつのプログラムファイルで構成されるライブラリです（拡張子は.py）。それに対し、パッケージは複数のモジュールで構成されています。

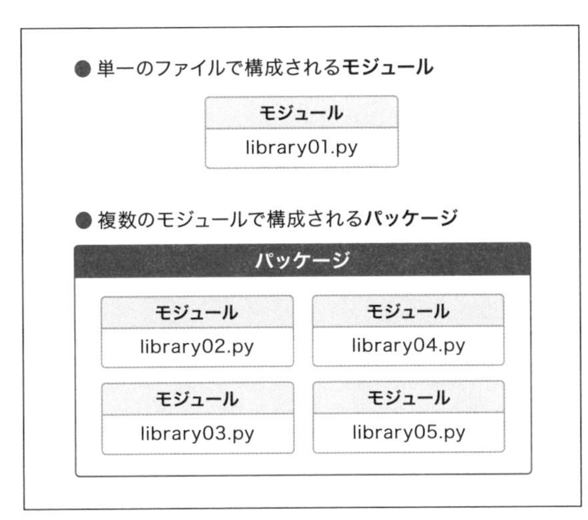

図4-1-1　**ライブラリを構成する要素**

たくさんの機能を持つパッケージの場合、その中身が複数のパッケージやモジュールでできているものもあります。openpyxlライブラリはたくさんのパッケージを含むパッケージです。

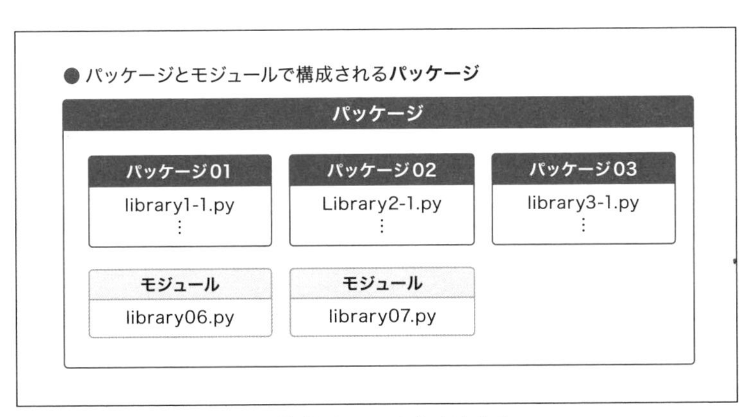

図4-1-2　**複数のパッケージで構成されるライブラリもある**

Workbookパッケージはopenpyxlパッケージに含まれます。ですから、以下のように

```
from openpyxl import Workbook
```

として、openpyxlパッケージから、Workbookパッケージだけをインポートすることができます。

コード4-1-1　Workbookパッケージだけを読み込んだ場合のコード

002：create_book_02.py

```
01  from openpyxl import Workbook
02
03
04  wb = Workbook()
```

このようにすると、ブックの作成時に、

```
openpyxl.Workbook()
```

と書かずに、

```
Workbook()
```

と簡略に記述することができます。

ですが、このような記述でインポートした場合、同じプログラムの中でopenpyxlパッケージに含まれるほかのパッケージを使おうとすると、それらも個別にそれぞれインポートするように記述する必要があります。

4-2

ブックを保存する

003: save_book_01.py

```
01  import openpyxl
02
03
04  wb = openpyxl.Workbook()
05  ws = wb.active
06  ws["A1"] = 123
07  wb.save("sample4_1.xlsx")
```

作成したブックをxlsxの拡張子を持つファイルとして保存するには、Workbookオブジェクトのsaveメソッドを実行します。引数にはファイル名を指定します。ここでは、ファイル名としてsample4_1.xlsxという文字列を指定しています（上のコードの7行目）。Pythonでは文字列を記述する際はシングルクォート（ ' ）で囲むこともできますし、上のコードのようにダブルクォートで囲むこともできます。

saveメソッドの前に記述したコードについても解説しましょう。5行目の

```
wb.active
```

はWorkbookオブジェクトのactiveプロパティで、Excelで選択されているアクティブなシート(Sheet)を返します。

「シートはまだ作っていない」と思う人がいるかもしれませんね。Workbookオブジェクトを生成してブックを作成すると、Excelでブックを新規作成したときと同様に新規のシートがひとつ作成されて自動的にアクティブになります。そのシートをactiveプロパティから取得しています。

6行目でそのシートのセルA1に「123」という数値を代入し、最後にsaveメソッドでファイルとして保存しています。

Excelでsample4_1.xlsxを開いたところを見てみましょう。

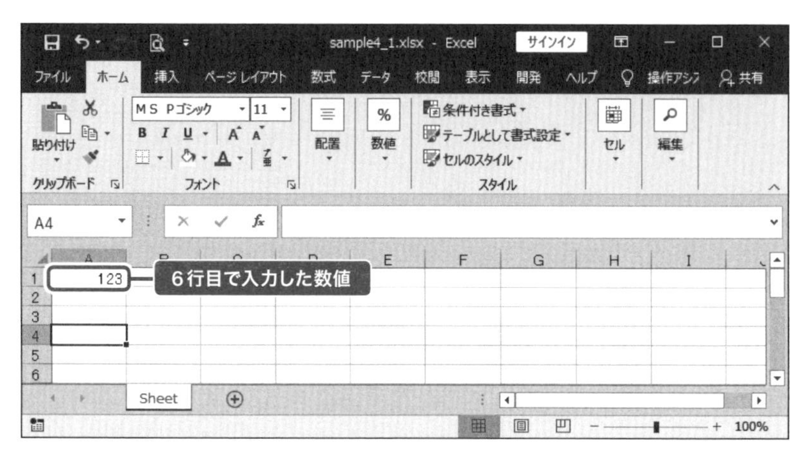

図4-2-1　save_book_01.pyにより作成されたExcelのブック

6行目、7行目の記述が反映されていることがわかります。

相対パス指定と絶対パス指定

7行目で保存するブックのファイル名を指定しました。さまざまな環境で応用が利くように、ここで相対パス指定と絶対パス指定についてもう一度説明しておきましょう。

このサンプルのようにsaveメソッドにファイル名だけを指定した場合、ファイルはカレントディレクトリ（フォルダー）に保存されます。64ページで紹介した操作のように、VS Codeで、「フォルダーを開く」から、各章のprgフォルダーを選択した場合は、そのprgフォルダーがカレントディレクトリになっています。その状態でファイル名のみを指定してsaveすると、sample4_1.xlsxはプログラム（save_book_01.py）と同じフォルダーに保存されます。

save_book_01.pyは、Chapter4に当たる04フォルダーの下のprgにあります。カレントディレクトリがこのprgフォルダーになっているときに04フォルダーのdataフォルダーのほうにsample4_1.xlsxを保存したいとしましょう。そのとき保存するファイル名のパラメータにはふたつの書き方があります。

ひとつが相対パス指定です。saveメソッドに渡すパス文字列*1を以下のようにします。

```
wb.save("..\data\sample4_1.xlsx")
```

記述の途中に出てくる「 . 」(ピリオド)は、ひとつだけ記述した場合はカレントディレクトリを示し、ふたつ並べて「 .. 」とした場合はカレントディレクトリのひとつ上のディレクリを示します。つまり、上のコードの場合はカレントディレクトであるprgのひとつ上、つまり04フォルダーを指します。このため..\dataは04\dataを示します。

「 \ 」はフォルダー名やファイル名の区切りを示します。\は「バックスラッシュ」と呼ばれる記号です。環境によっては「¥」と表示されることもあります。

次に絶対パス指定での記述を説明しましょう。たとえば、「04」などの章ごとのフォルダーがCドライブのexcel_python_refフォルダーにあるとします。絶対パス指定は、以下のようにドライブ文字から、すべてのディレクトリをフルパスで記述する方法です。

```
wb.save(r"c:\execl_python_ref\04\data\sample4_1.
xlsx")
```

絶対パス指定の利点は、カレントディレクトリがどこになっているのか、気にせずに済むところです。カレントディレクトリをはじめ、変動する環境がどうなっているとしても、必ず絶対パスに指定したフォルダーにファイルを保存できます。一方、不便な点は、フォルダー構成を変えようと思ったら、プ

---

*1　パス文字列とは、ファイルの存在する場所をファイル名も含めて表記したものです。

ログラム内の絶対パスの記述をもれなく書き換える必要があるという点です。たとえばサンプルプログラムを保存したフォルダーを前述のc:\execl_python_refではなくc:\sampleに変更したり、データやプログラムをこちらのフォルダーにコピーしたりした場合、プログラム内の絶対パスをc:\sample\04\data\sample4_1.xlsxに書き直す必要があることです。1カ所、2カ所なら書き換えられますが、たくさんのプログラムがあり、その中に何度も絶対パス指定が出てくるような場合は、修正が大変になりますね。

raw文字列

絶対パス指定で記述したコードで

```
r"c:\execl_python_ref\04\data\sample4_1.xlsx"
```

の先頭にあるrを見て「何を示しているんだろう」と思った人はいませんか?ここではこのrについて説明しましょう。

Pythonでは文字列の前にrを付けると、エスケープシーケンスを展開せずに、そのままの値を文字列として扱ってくれます。この文字列をraw文字列と言います。rawとは「生の」という意味です。この場合は「そのままの文字列」とでも解釈すればいいかもしれません。

エスケープシーケンスとは、\t(タブ)や\f(フォームフィード)などといった特別な意味を持つ記述のことを言います。このエスケープシーケンスが文字列中に出現するときに、その特別な意味を無視したいときに指定します。上記の文字列で言うと、ディレクトリの区切りを示す\(¥)の次の文字に数字があります。具体的には「\0」*2です。これがパス指定の途中にあるため、rを指定しておかないと\0が出てきたところでPythonはそれをエスケープシーケンスとして解釈してしまうため、エラーが発生してしまいます。

これはWindowsではフォルダーやファイルの区切りに\(¥)を使うのが

---

*2 \0はnull文字という特殊な値を持つ文字として扱われます。機器制御や文字列の終端を表すときなど、特殊な用途で用いられることが多いエスケープシーケンスです。

根本的な原因です。\が出てきても直後の文字との組み合わせによってはエスケープシーケンスにはならないこともあります。とはいえ、エスケープシーケンスになるのかならないのかを気にしながらコードを書くのはあまり効率的ではありません。Excelファイルを指定するときはもちろん、コードの中でフォルダーやファイルを記述するときには必ずrを付けてraw文字列として取り扱うことを習慣にするといいでしょう。

4-3

ブックを開く

004: load_book_01.py

```
01  import openpyxl
02
03
04  wb = openpyxl.load_workbook(r"..\data\sample4_1.
    xlsx")
05  ws = wb.active
06  print(ws["A1"].value)
```

作成済みのExcelブックをプログラムが読み込むには、load_workbook関数を使います。load_workbook関数の引数に、読み込みたいファイルのパスを指定します。

このサンプルでは04\data\にあるsample4_1.xlsxを読み込んでいます。sample4_1.xlsxにはシート（Sheet）がひとつしかないので、ブックを開くとそのシートが自動的にアクティブになります。これをwb.activeで変数wsに取得しています。シート上のセルの値は

```
ws["A1"].value
```

のようにセル番地（A1）を指定し、valueプロパティで取得することができます。

このプログラムをVS Code上でメニューバーから「実行」→「デバッグなしで実行」で実行し、ターミナルで実行結果を確認したところ「123」と出力されました。

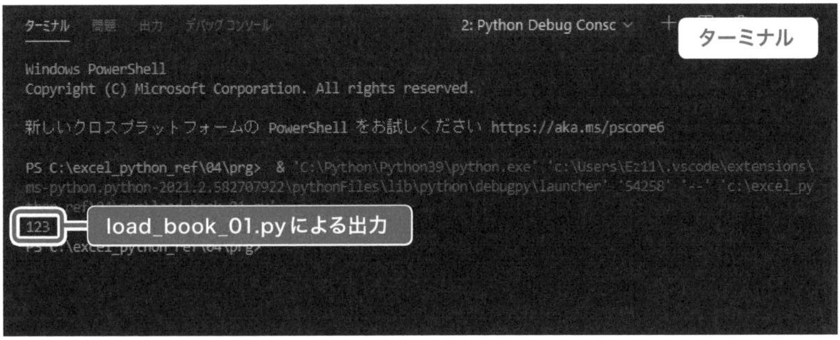

図4-3-1　ターミナルに表示された実行結果

このサンプルのように、ブックを開く目的が読み込み専用の場合は、以下のようにread_only引数にTrueを指定し、読み込み専用で開くことができます。

```
wb = openpyxl.load_workbook(r"..\data\sample4_1.
xlsx",read_only=True)
```

なお、read_only引数のデフォルト値はFalseなので、記述を省略すると編集可能な状態で開きます。

また、次のコードのようにimportすることにより、openpyxlからload_workbook関数を直接指定してインポートすることができます。

コード4-3-1　load_workbookの記述を簡素化するようにインポートした例

005: load_book_02.py

```
01  from openpyxl import load_workbook
02
03
04  wb = load_workbook(r"..\data\sample4_1.xlsx")
05  ws = wb.active
06  print(ws["A1"].value)
```

1行目でload_workbookを単体でインポートした形になるため、4行目の

```
wb = load_workbook()
```

のように簡素な記述でload_workbookを利用することもできます。何度も特定の関数を使うような場合のために、こうしたインポート方法もあると覚えておくとよいでしょう。

4-4

ブックを上書き保存する

コード4-4-1　編集したブックを上書き保存する

006: save_book_02.py

```
01  import openpyxl
02
03
04  wb = openpyxl.load_workbook(r"..\data\sample4_1.
    xlsx")
05  ws = wb.active
06  ws["A1"].value = 456
07  wb.save(r"..\data\sample4_1.xlsx")
```

読み込んだブックに加えた変更を保存するには、ブックを上書き保存します。具体的には

```
load_workbook()
```

を使ってブックを読み込んだときと同じパスを指定してsaveメソッドを実行します。Excelのように「上書き保存」する関数やメソッドがあるわけではなく、ファイルを保存するsaveメソッドを実行する際、「同じ場所にある同じファイル名」を指定します。イメージとしては「名前を付けて保存するときに、同じファイル名を指定する」ように記述すると考えてください。

上記のサンプルでは、

```
ws["A1"].value = 456
```

で、A1セルの値を123から456に変更しました。これが編集にあたります。実際のプログラムでは、自分の環境で必要な処理を記述してください。編集後の処理として、

```
..\data\sample4_1.xlsx
```

をsaveメソッドの引数に指定して保存しています。

プログラム実行後にExcelでsample4_1.xlsxを開くとA1セルの値が123から456に変わっていることがわかります。

図4-4-1　**プログラム実行後のsample4_1.xlsx**

ただし、編集対象のブックをExcelで開いたままの状態でプログラムを実行すると、PermissionErrorになり、実行できません。必ずブックを閉じた状態でプログラムを実行してください。また、アクセス権限のないフォルダーに書き込もうとする場合も同様のエラーになります。

```
ターミナル　問題　出力　デバッグ コンソール　　　　　　　　　　2: Python Debug C
Traceback (most recent call last):
  File "c:\excel_python_ref\04\prg\save_book_01.py", line 7, in <module>
    wb.save(r"..\data\sample4_1.xlsx")
  File "C:\Python\Python39\lib\site-packages\openpyxl\workbook\workbook.py", line
    save_workbook(self, filename)
  File "C:\Python\Python39\lib\site-packages\openpyxl\writer\excel.py", line 291,
    archive = ZipFile(filename, 'w', ZIP_DEFLATED, allowZip64=True)
  File "C:\Python\Python39\lib\zipfile.py", line 1239, in __init__
    self.fp = io.open(file, filemode)
PermissionError: [Errno 13] Permission denied: '..\\data\\sample4_1.xlsx'
PS C:\excel_python_ref\04\prg>
```

図4-4-2　PermissionErrorになった場合のターミナルの表示

4-5

ブックを別名で保存する

007: save_book_03.py

```
01  import openpyxl
02
03
04  wb = openpyxl.load_workbook(r"..\data\sample4_1.
    xlsx")
05  ws = wb.active
06  ws["A1"].value = 456
07  wb.save(r"..\data\sample4_1_変更後.xlsx")
```

読み込んだブック（sample4_1.xlsx）のセルA1の値を変更して、違うファイル名を付けて保存するプログラムです。ws["A1"].value = 456で、セルA1の値を123から456に変更して、「sample4_1_変更後.xlsx」という新しいファイル名で保存しています。

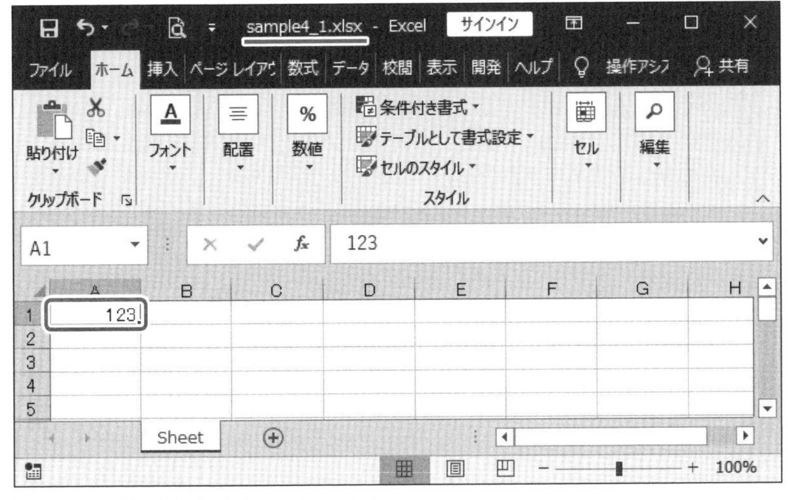

図4-5-1　**編集前のブック（sample4_1.xlsx）**

プログラムを実行後にsample4_1_変更後.xlsxをExcelで開くとセルA1の値が456に書き換わっていることを確認できます。当然ですが、変更後のブックに別名を付けて保存しているので、sample4_1.xlsxには何の編集も加えられていません。

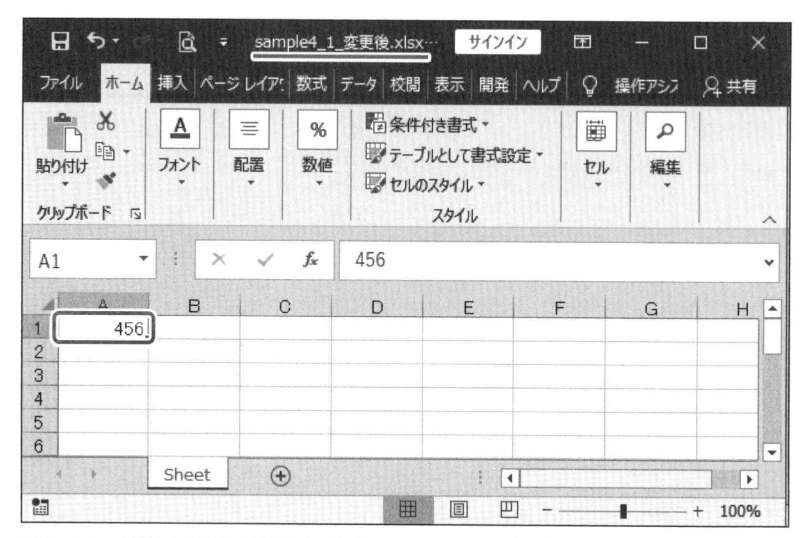

図4-5-2　**編集後に別名で保存したブック（sample4_1_変更後.xlsx）**

なお、このサンプルでわかるように、openpyxlでは日本語のファイル名も扱うことができます。

4-6

フォルダーにあるブックをすべて開く①

追加で使用するライブラリ：pathlib

008: load_book_01.py

```
01  import pathlib
02  import openpyxl
03
04
05  path = pathlib.Path(r"..\data")
06  for path_obj in path.iterdir():
07      if path_obj.match("*.xlsx"):
08          wb = openpyxl.load_workbook(path_obj)
09          ws = wb.active
10          print(ws["A1"].value)
```

あるフォルダーに存在するExcelブックをすべて開くコードを見てみましょう。このコードでは、そうして開いた各ブックにはそれぞれ1枚だけシートがある状態です。各シートのセルA1に入力されている値を出力するような処理をしています。

まず1行目の

```
import pathlib
```

で標準ライブラリのpathlibをインポートします。pathlibを使うと、ファイルやフォルダーのパスをオブジェクトとして操作できるため、プログラム内で直接取り扱えるようになります。

5行目の

```
pathlib.Path()
```

はPathオブジェクトを生成します。引数に..\dataフォルダーを指定しているので、親フォルダー（サンプルプログラムの場合は04）のサブフォルダーであるdataフォルダーを指します。

このdataフォルダーには、拡張子がxlsxであるExcelブックのほかに、Wordのファイル（拡張子はdocx）やPDFファイル（拡張子はpdf）も存在します。その中から、拡張子がxlsxのファイルを読み込みたいわけです。

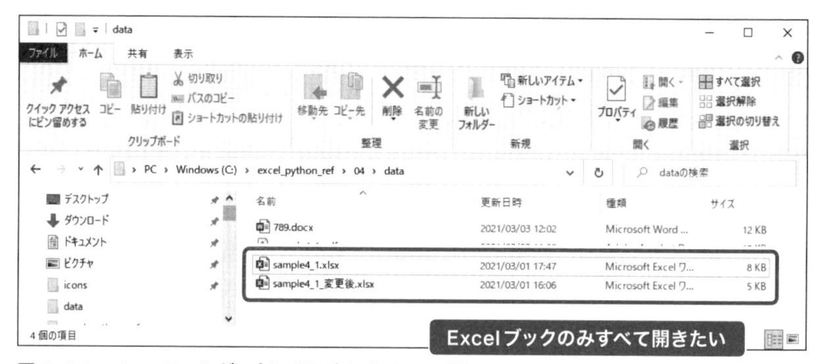

図4-6-1　dataフォルダー（04配下）にあるファイル

ファイルを選んで読み込む処理が6行目から始まります。6行目に出てくる

```
path.iterdir()
```

はパスがフォルダーを指している場合、そのフォルダー内にあるファイルとフォルダーをパスオブジェクトとして繰り返し取得します。それをひとつずつ見てExcelブックかどうかを調べるようというのが、その次の7行目です。

この行目の

```
pass_obj.match()
```

は現在のパスが引数として与えられたパターンと一致したらTrue を、一致しなければFalseを返します。ここでは、パターンとして「*.xlsx」を与えています。「 * 」(アスタリスク)はワイルドカードと呼ばれ、長さ0文字以上の任意の文字列にマッチします。つまり、パターンとして「*.xlsx」を指定したことにより、拡張子がxlsxであるExcelブックでpass_obj.match()の結果がTrueになり、Excelブックすべてを処理の対象にできるというわけです。

Excelブックを見つけたら、8行目の

```
load_workbook()
```

で読み込みます。これを繰り返すことで、指定したフォルダー内のすべてのExcelブックに対して同じ処理をすることができます。プログラムとしては、

❶ 指定したフォルダー内のファイルをひとつ取り上げる
❷ そのファイルがExcelブックかどうかを調べる
❸ そのファイルがExcelブックだったら、プログラムで記述した通りに処理する

という順番で処理を進めていきます。この①〜③をひとつのサイクルとして、取り上げていないファイルがなくなるまで繰り返します。

このサンプルプログラムでは、Excelブックを見つけた場合の処理を9行目、10行目に記述しています。簡単に説明しておきましょう。サンプルとして用意したファイルの場合、各Excelブックにはシートが1枚だけ存在するので、

```
wb.active
```

で取得し、A1セルの値を出力しています。

実行結果を見ると、123と456のふたつの数字が出力されています。

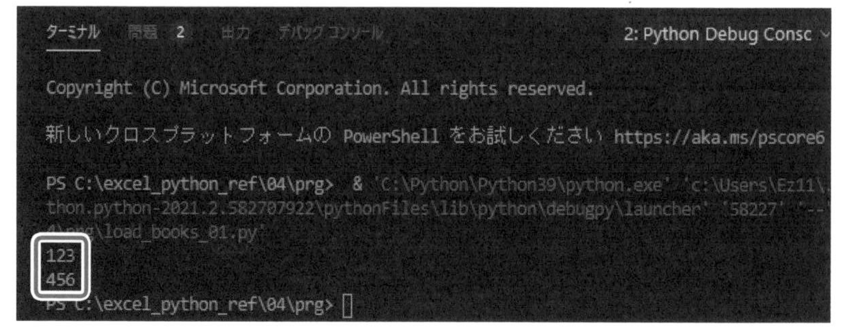

図4-6-2　**ターミナルに表示された実行結果**

5行目で指定したフォルダーや、9行目、10行目の処理は、自分の業務に合わせて適宜書き換えて使ってください。

なおワイルドカードについて少し補足しておくと、たとえば「10*.xlsx」のように指定することで、ファイル名が「10」で始まり（10のみの場合も含む）、拡張子がxlsxであるファイルを対象とします。ワイルドカードは使いこなせるようになると、それだけでもいろいろなプログラムを作れるようになります。本書ではあまり深く説明できませんが、ぜひご自分でいろいろ調べてみてください。

4-7

フォルダーにあるブックをすべて開く②

追加で使用するライブラリ：pathlib

009: load_books_02.py

```
01  import pathlib
01  import openpyxl
01
01
01  path = pathlib.Path(r"..\data")
01  for path_obj in path.glob("*.xlsx"):
01      wb = openpyxl.load_workbook(path_obj)
01      ws = wb.active
01      print(ws["A1"].value)
```

4-6では、pathlibのiterdirメソッドで繰り返し指定したフォルダーのファイルを取得し、同様にpathlibのmatchメソッドで、パターン「*.xlsx」に一致するかを判断してExcelブックを選び出して処理しました。最初はそのほうがプログラムの動作をイメージしやすいと思ったので、まずはそうした設計のプログラムを見てもらいました。でも、pathlibのglobメソッドを使うともっと簡潔にプログラムを記述できます。globメソッドは引数に指定したパターンに一致するファイルだけを取得します。このため、4-6のload_books_01.pyのようにif文を使って拡張子がxlsxかどうかを調べる処理が不要になります。

実行結果は前ページのプログラムと同様で123と456のふたつの数字が出力されています。

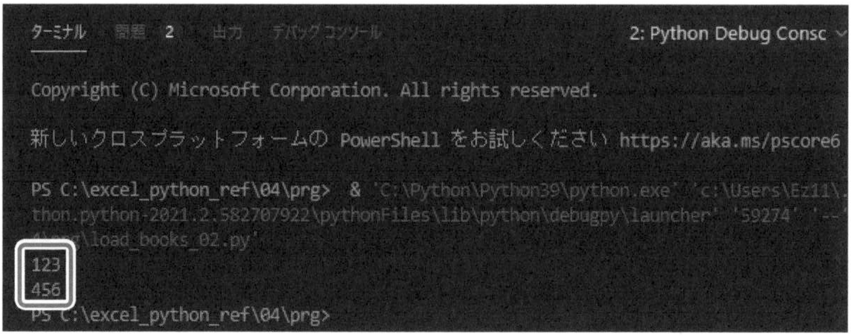

図4-7-1　ターミナルに表示された実行結果

4-8 ブックの情報を取得する

010: get_properties.py

```
01  import openpyxl
02
03
04  wb = openpyxl.load_workbook(r"..\data\sample4_1.
    xlsx")
05  print(wb.properties.creator)
06  print(wb.properties.title)
07  print(wb.properties.last_modified_by)
```

ブックのタイトルや作成者、最終更新者、最終更新日などの情報が必要になったら、Workbookオブジェクトのpropertiesを使いましょう。

もちろんExcelでブックを開き、ファイルメニューから情報を選択するとプロパティが表示されます。ブックのタイトルや作成者、最終更新者などが表示されています。

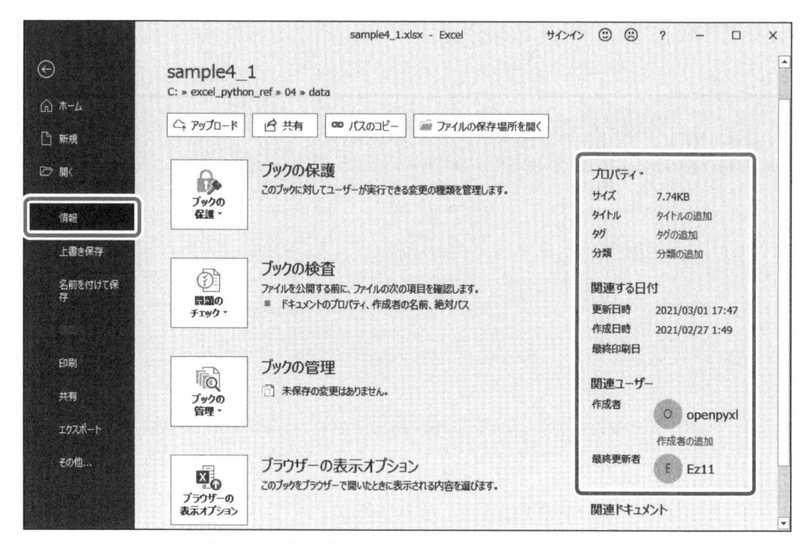

図4-8-1　Excelでブックの情報を参照したところ

でも、前述のpropertiesを使うと、Excelでブックを開かなくても、Pythonプログラムから直接ブックのプロパティ参照できます。たとえば、作成者はWorkbookオブジェクトのproperties.creatorで取得できます。

このプログラムを実行してみましょう。

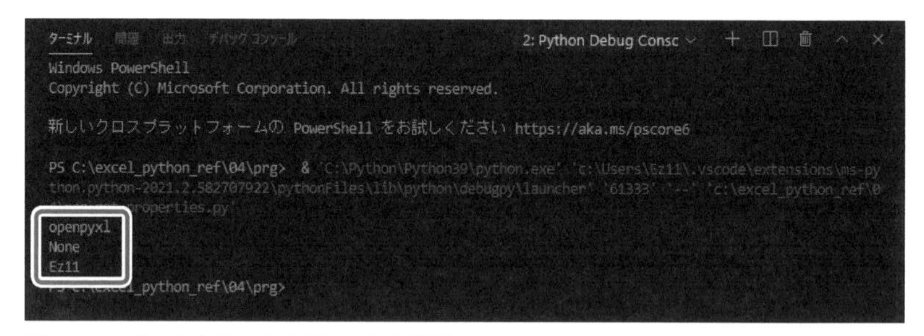

図4-8-2　ターミナルに表示された実行結果

最初に出力されるcreatorは5行目の処理です。実行した結果、openpyxlと表示されています。これはopenpyxlライブラリを使ってPythonで作成したブックだからですね。

2番目に出力されるtitleは6行目の処理で、結果はNoneと出力されています。このブックのタイトルは設定されていないからですね。最後に出力されたlast_modified_by（7行目）は最終更新者のことで、Ez11[*1]と出力されています。

こうして取得したブックの各情報は、プログラム内で値として利用することができます。

＊1　環境により最終更新者は異なる場合があります。

4-9

ブックの情報を変更する

011: set_properties.py

```
01  import openpyxl
02
03
04  wb = openpyxl.load_workbook(r"..\data\sample4_1.
    xlsx")
05
06  wb.properties.creator = "千田岳"
07  wb.properties.title = "第4章サンプル"
08  wb.properties.last_modified_by = "千田麻美"
09
10  wb.save(r"..\data\sample4_1.xlsx")
```

ブックの情報は参照するだけでなく、編集も可能です。Workbookオブジェクトのpropertiesで各要素を設定し直すコードも紹介しましょう。

このプログラムではcreator（作成者）を「千田岳」に（6行目）、title（タイトル）を「第4章サンプル」に（7行目）、last_modified_by（最終更新者）を「千田麻美」に変更して（8行目）、saveメソッドで保存しています。これで変更が保存されます（10行目）。

プログラム実行後にExcelでブックの情報を表示すると、プログラムで記述した通りの情報に書き換わっていることがわかります。

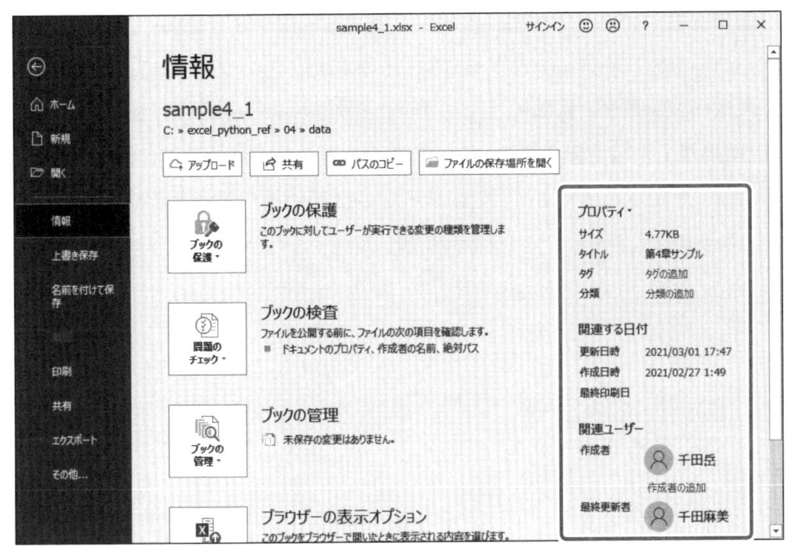

図4-9-1　**プログラム実行後に各項目が書き換わった**

次に、あるフォルダーに複数存在するExcelブックの作成者をすべて変更するプログラムを紹介します。ここまで紹介したコードの応用で、一括変更ができてしまいます。

コード4-9-1　**フォルダー内のブックの作成者を一括変更するプログラム**

012: set_files_property.py

```
01  import pathlib
02  import openpyxl
03
04
05  path = pathlib.Path("..\data")
06  for path_obj in path.glob("*.xlsx"):
07      wb = openpyxl.load_workbook(path_obj)
08      wb.properties.creator = "千田麻美"
09      wb.save(path_obj)
```

冒頭のコードと、「4-7 フォルダーにあるブックをすべて開く②」で取り上げたコードをベースにプログラミングしました。このプログラムを実行すると、dataフォルダーにあるExcelブック（拡張子がxlsx）の作成者をすべて「千田麻美」に書き換えます。Excelで一つひとつ作業することを考えれば、Pythonを使うことで比べものにならないほど効率化できることが実感してもらえると思います。

4-10

ブックを保護する

013: protect_book.py

```
01  import openpyxl
02  from openpyxl.workbook.protection import
    WorkbookProtection
03
04
05  wb = openpyxl.load_workbook(r"..\data\sample4_1.
    xlsx")
06
07  wb.security = WorkbookProtection(
08      workbookPassword="sengaku", lockStructure=True
09  )
10
11  wb.save(r"..\data\sample4_1.xlsx")
```

Excelには不意に必要な情報が書き換わってしまわないように、ブックを保護する機能があります。これを使うには、「ファイル」タブを開いて「情報」を選び、「ブックの保護」から「ブック構成の保護」を選びます。

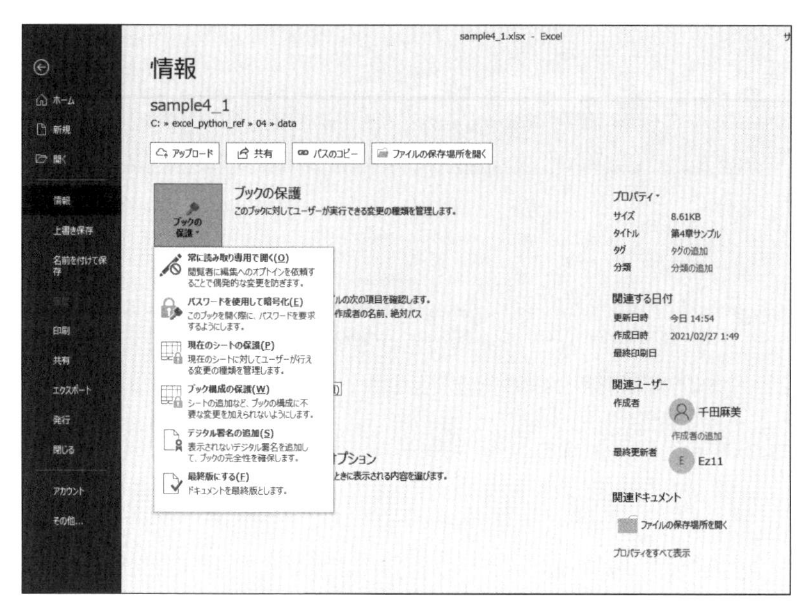

図4-10-1 **「ファイル」タブの「情報」を選ぶ**

すると、パスワードを入力するダイアログが表示されるので、任意のパスワードを設定し、OKボタンをクリックするとブックの保護が有効になります*1。ブックの保護をかけると、シートの移動、削除、追加などの操作ができなくなります。

---

*1 パスワードを省略して保護することもできますが、そうすると保護の解除が簡単になりすぎるので、省略しないほうが良いでしょう。

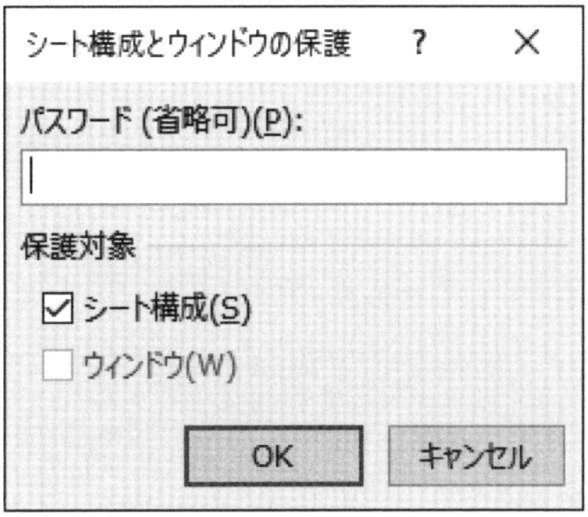

図4-10-2　**この画面でパスワードを設定してブックを保護**

このブックの保護もopenpyxlで可能です。保護したいブックがいくつもあり、いっぺんに保護の設定をするような場合に使えるコードがあります。

それでは冒頭のプログラムを順に見ていきましょう。openpyxlをインポートしたあとの2行目で、

```
from openpyxl.workbook.protection import
WorkbookProtection
```

と記述することにより、別途openpyxl.workbook.protectionからWorkbookProtectionだけをインポートしています。すでにopenpyxl全体をインポートしているわけですから、WorkbookProtectionをわざわざインポートし直す必要はないのですが、このようにインポートしておくと、7行目から9行目のようにWorkbookProtectionオブジェクトを生成し、wb.securityプロパティに代入するとき、WorkbookProtectionと簡単に記述することができます。

```
07  wb.security = WorkbookProtection(
08      workbookPassword="sengaku", lockStructure=True
09  )
```

workbookPasswordにはパスワードを設定します。続けてlockStructureをTrueにすることで、ブックの保護が有効になります。もちろん、最後に読み込んでいるブックをsaveメソッドで保存することが必要です。

ここで、2行目のimport文である

```
from openpyxl.workbook.protection import
WorkbookProtection
```

を記述しなかった場合に、WorkbookProtectionオブジェクトを生成するコードがどうなるか見てみましょう。

```
wb.security = openpyxl.workbook.protection.
WorkbookProtection(
    workbookPassword="sengaku", lockStructure=True
)
```

そのときはWorkbookProtectionを呼び出すために、openpyxlからいちいち記述し始めなくてはなりません。少し、いやかなり面倒ですね。プログラム中で何度も出てくるようならば、今回のコードのように重複してインポートするというワザで記述をシンプルにすると便利です。

なおブックの保護を解除するには、対象のExcelブックを読み込み、以下のようにlockStructureをFalseに設定します。

```
wb.security = WorkbookProtection(
    workbookPassword="sengaku", lockStructure=False
)
```

また、以下のようにopenpyxlからload_workbookだけをインポートするようにすれば、同じ処理をよりスッキリと記述することができます。

```
01  from openpyxl import load_workbook
02  from openpyxl.workbook.protection import
    WorkbookProtection
03
04
05  wb = load_workbook(r"..\data\sample4_1.xlsx")
06
07  wb.security = WorkbookProtection(
08      workbookPassword="sengaku", lockStructure=True
09  )
10
11  wb.save(r"..\data\sample4_1.xlsx")
```

Chapter

5

シートを操作する

5-1

シートを取得する

014: get_sheet_01.py

```
01  import openpyxl
02
03
04  wb = openpyxl.load_workbook(r"..\data\sample5_1.
    xlsx")
05  ws = wb["Sheet1"]
06  print(ws["A1"].value)
```

複数のシート上のデータを扱うときなどには、シート名でシート（ワークシート）を選択する必要があります。そのためのコードを説明しましょう。

ご存じのようにExcelで新規にブックを作成すると、Sheet1という名前でシートが1枚作成されます。上のコードの動作を確認するために、実際に新規にブックを作成し、Sheet1のセルA1に「シート1」と入力しました。

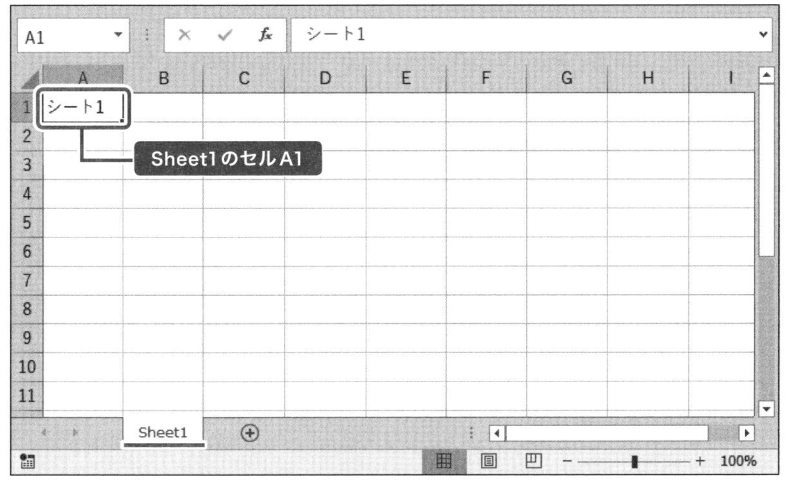

図5-1-1　**新規ブックのSheet1でセルA1に「シート1」と入力**

複数シートからシートを選択する処理を説明したいので、次にシート名の右横の＋（新しいシート）アイコンをクリックして、新規のシートを追加しておきます。もちろん、実際の業務にプログラムを落とし込むときには、対象のブックにはすでに複数のシートが作られていると思いますが、ここではリファレンスコードの動作確認用に、新規のブックに2枚目のシートを追加するという手順で複数のシートを用意します。その上で、Sheet2のセルA1に「シート2」と入力します。

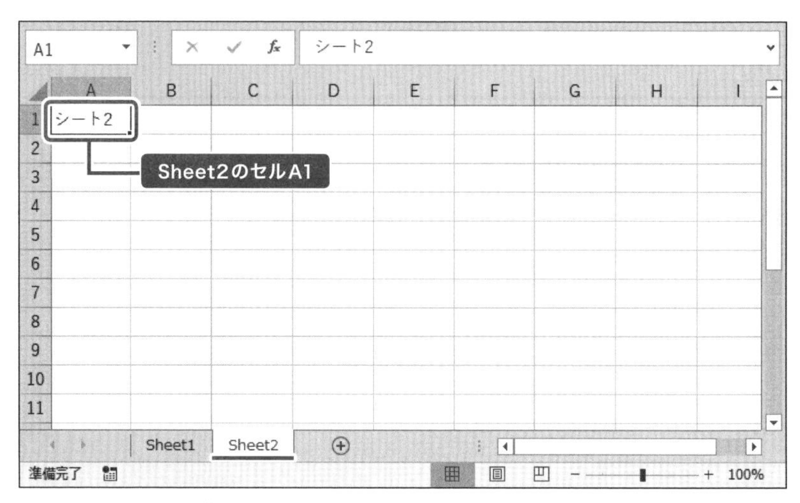

図5-1-2　**Sheet2を作って、セルA1に「シート2」と入力**

Sheet2という名前でシートが追加されるので、A1セルに「シート2」と入力しました。このブックは、Chapter5用のフォルダー「05」配下の「data」フォルダーに「sample5_1.xlsx」という名前で保存してあります。

では、シート名でシートを取得するプログラムについて見ていきましょう。シートを取得するにはWorksheetオブジェクトを使います。上記のコードでは、4行目でWorksheetオブジェクトをwbとして取得しました。このオブジェクトに対して、5行目に記述した

```
wb["Sheet1"]
```

のようにシート名を指定することで、シートそのものを取得できます。上記のプログラムでは、このように取得したシートに対して、さらにセルA1を取得して表示するようにしています（6行目）。これを実行すると、ターミナルに「シート1」と出力されました。

```
ターミナル　問題　出力　デバッグ コンソール

Windows PowerShell
Copyright (C) Microsoft Corporation. All rights reserved.

新しいクロスプラットフォームの PowerShell をお試しください https:

PS C:\excel_python_ref\05\prg>  & 'C:\Python\Python39\python.exe'
ython-2021.2.625869727\pythonFiles\lib\python\debugpy\launcher' '
_sheet_01.py'
シート1
PS C:\excel_python_ref\05\prg>
```

図5-1-3　**get_sheet_01.pyの出力結果**

ここで5行目を

```
ws = wb["Sheet2"]
```

と、シート名にSheet2を指定するように変更すると、Sheet2をWorksheetオブジェクト変数ws*1に取得することができます。

```
ターミナル　問題　出力　デバッグ コンソール

Windows PowerShell
Copyright (C) Microsoft Corporation. All rights reserved.

新しいクロスプラットフォームの PowerShell をお試しください https:

PS C:\excel_python_ref\05\prg>  & 'C:\Python\Python39\python.exe'
ython-2021.2.625869727\pythonFiles\lib\python\debugpy\launcher' '
_sheet_01.py'
シート2
PS C:\excel_python_ref\05\prg>
```

図5-1-4　**今度はシート2と出力された**

＊1　wbやwsは変数名にすぎませんので、任意の変数を付けることができます。

ひとつのブックの中で、あるシートから別のシートに転記したいとか、あるシートに入力された値を集計して、結果を別のシートに書き込むといった使い方が考えられますが、そのようなケースではWorksheetオブジェクト変数を複数作成すると良いでしょう。

コード5-1-1　複数のシートを同時に扱う場合のコード

015: get_sheets_01.py

```
01  import openpyxl
02
03
04  wb = openpyxl.load_workbook(r"..\data\sample5_1.
    xlsx")
05  ws1 = wb["Sheet1"]
06  ws2 = wb["Sheet2"]
07  print(ws1["A1"].value)
08  print(ws2["A1"].value)
```

このようにふたつのWorksheetオブジェクト変数（ws1、ws2）を作ることで複数のシートを操作することができます。

また、シート名だけでなくシートのインデックスを使って、シートを取得することもできます。

コード5-1-2　インデックスを使ってシートを取得するコード

016: get_sheet_02.py

```
01  import openpyxl
01
01
01  wb = openpyxl.load_workbook(r"..\data\sample5_1.
    xlsx")
01  ws = wb.worksheets[0]
```

```
01  print(ws["A1"].value)
```

5行目のように、Workbookオブジェクトのworksheetsプロパティにインデックス番号を指定することでWorksheetオブジェクトを取得することができます。

これを実行してみましょう。インデックス番号は0から始まるので、Sheet1が取得されました。

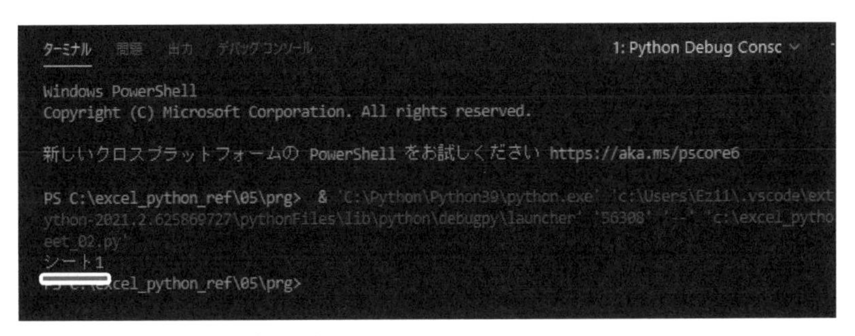

図5-1-5 **「シート1」と出力された**

5-2

シートを追加する

017: create_sheet_01.py

```
01  import openpyxl
02
03
04  wb = openpyxl.load_workbook(r"..\data\sample5_2.
    xlsx")
05  ws_new = wb.create_sheet()
06  wb.save(r"..\data\sample5_2.xlsx")
```

ブックに新しいシートを追加するには、Workbookオブジェクトのcreate_sheetメソッドを使います。

4行目の

```
load_workbook()
```

で読み込んだWorkbookオブジェクトに対して、6行目の

```
create_sheet()
```

でシートを追加し、save()で変更を保存する（7行目）というのが、このプログラムです。

これを実行すると、sample5_1.xlsxのSheet2の右側に「Sheet」という名前でシートが追加されました。

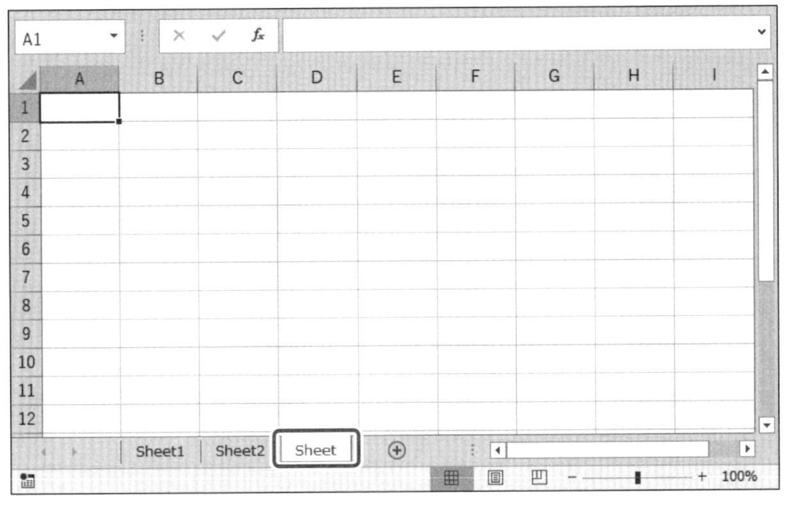

図5-2-1　**新しいシート「Sheet」が追加された**

このシート名「Sheet」はcreate_sheetメソッドが付けた名前です。これを任意のシート名にするには、create_sheet()の引数にシート名を指定します。このとき引数は「title=シート名」のような記述をします。この場合の7行目は、

```
ws_new = wb.create_sheet(title="追加したシート")
```

となります。これを実行してみましょう。実行後のブックを開いて確認すると、今度は「追加したシート」という名前でシートが追加されました。

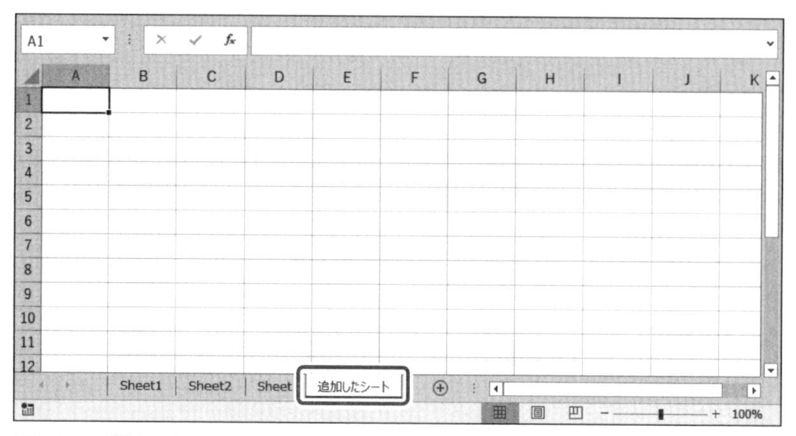

図5-2-2　「追加したシート」という名前で新しいシートが追加された

5-3

シート名を取得する

018: get_sheet_name_01.py

```
01  import openpyxl
02
03
04  wb = openpyxl.load_workbook(r"..\data\sample5_3.
    xlsx")
05  ws = wb.worksheets[0]
06  print(ws.title)
```

5行目の

```
ws = wb.worksheets[0]
```

で、Workbookオブジェクトから最初のWorksheetオブジェクトを取得し、変数wsに代入しています。このオブジェクトに対して、6行目ではtitleプロパティを出力する処理です。このtitleプロパティがシート名を表します。

上のコードを実行してみましょう。

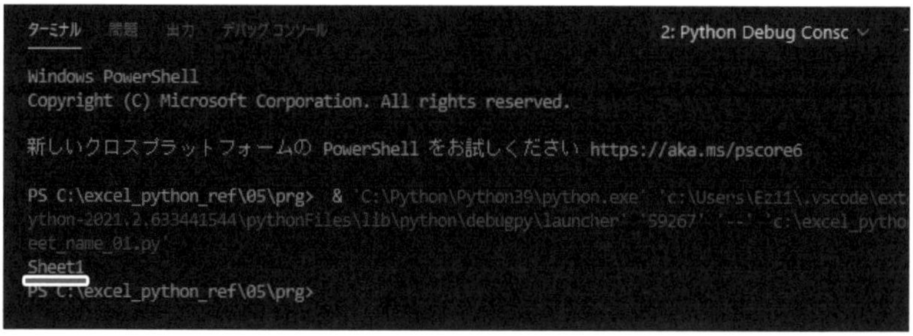

```
ターミナル  問題  出力  デバッグ コンソール                    2: Python Debug Consc
Windows PowerShell
Copyright (C) Microsoft Corporation. All rights reserved.

新しいクロスプラットフォームの PowerShell をお試しください https://aka.ms/pscore6

PS C:\excel_python_ref\05\prg> & 'C:\Python\Python39\python.exe' 'c:\Users\Ez11\.vscode\ext
ython-2021.2.633441544\pythonFiles\lib\python\debugpy\launcher' '59267' '--' 'c:\excel_pytho
eet_name_01.py'
Sheet1
PS C:\excel_python_ref\05\prg>
```

図5-3-1 **「Sheet1」と出力された**

サンプルファイルのsample5_1.xlsxでは、インデックス番号が0のシートの名称はSheet1です。これが正しく出力されていることが確認できました。

でも、シート名を取得するという点では、むしろブック内のすべてのシート名を取得するといったケースが多そうですね。その場合のコードも見ておきましょう。

コード5-3-1 **ブック内のすべてのシート名を取得する**

019: get_sheets_name_01.py

```
01  import openpyxl
02
03
04  wb = openpyxl.load_workbook(r"..\data\sample5_3.
    xlsx")
05  print(wb.sheetnames)
06  print(wb.sheetnames[3])
```

ブックに含まれるすべてのシート名はWorkbookオブジェクトのsheetnamesプロパティで取得できます（5行目）。また、sheetnamesはリストなのでインデックス番号で個々のシート名を取得することもできます。インデックス番号は0から始まります。ここで用いるサンプルファイルのsample5_3.xlsxには4枚のシートがあります。6行目のwb.sheetnames[3]では4枚目のシート名を呼び出します。

get_sheets_name_01.pyを実行すると、sample5_3.xlsxに含まれているシート名の４項目が表示され、それに続けて４枚目のシート名が出力されます。

図5-3-2　**まず4つのシート名が表示され、続けて４枚目のシート名「追加したシート」が表示される**

5-4 シート名を変更する

020: change_sheet_name_01.py

```
01  import openpyxl
02
03
04  wb = openpyxl.load_workbook(r"..\data\sample5_4.
    xlsx")
05  ws = wb["Sheet1"]
06  ws.title="表1"
07  wb.save(r"..\data\sample5_4.xlsx")
```

Worksheetのtitleプロパティを変更すれば、シート名を変更することができます。そのコードを詳しく見ていきましょう。

4行目のload_workbook()で読み込んだWorkbookオブジェクトから、「Sheet1」というシート名を指定してWorksheetオブジェクトを変数wsに取得します（5行目）。このオブジェクトのtitleプロパティに「表1」を代入すると、シート名を変更できます（6行目）。saveメソッドで保存することで、シート名が変更したブックを保存します（7行目）。

このchange_sheet_name_01.pyを実行したあと、sample5_4.xlsxを開いて確認すると、最初のシートの名称が「表1」になっていることを確認できます。

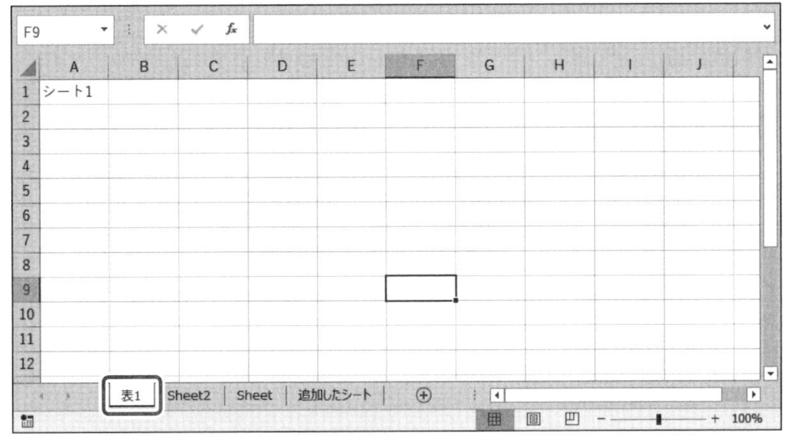

図5-4-1　最初のシートが「表1」になっている

5-5

シートを削除する

021: delete_sheet_01.py

```
01  import openpyxl
02
03
04  wb = openpyxl.load_workbook(r"..\data\sample5_5.
    xlsx")
05  ws = wb["表1"]
06  wb.remove(ws)
07  wb.save(r"..\data\sample5_5.xlsx")
```

シートの削除はWorkbookオブジェクトのremoveメソッドで可能です。このメソッドに渡す引数で、シートを指定します。

上のコードでは、Workbookオブジェクトをまず変数wbに格納し（4行目）、次にこのwbのWorksheetオブジェクトを、シート名「表1」を指定して変数wsに代入しました（5行目）。これをremoveメソッドの引数に指定することで、シートを削除しています（6行目）。最後に7行目で、saveメソッドを使って変更後のブックを保存します。

このdelete_sheet_01.pyを実行後にsample5_5.xlsxをExcelで開くと、シート「表1」が削除されていることがわかります。

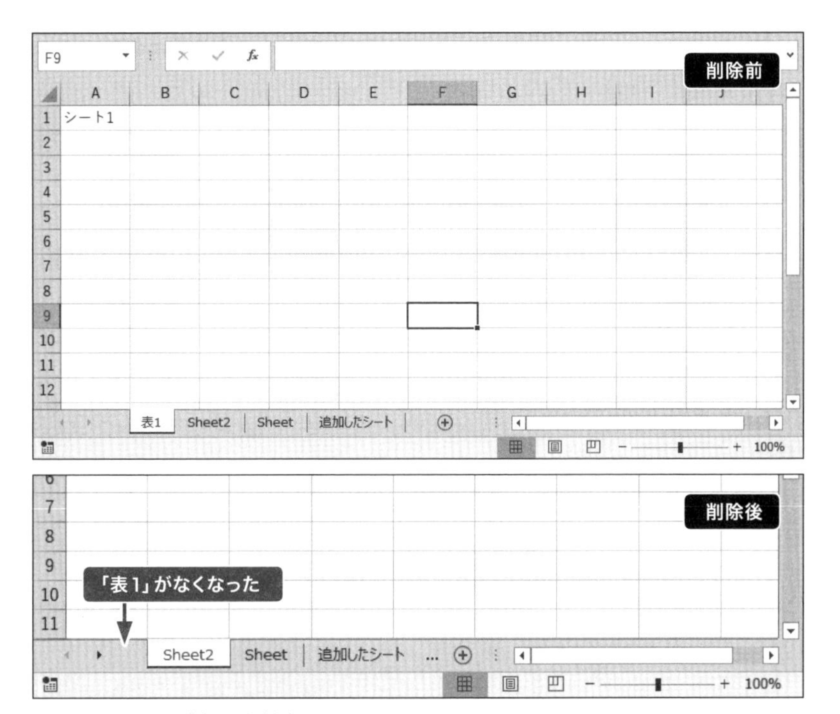

図5-5-1　**シート「表1」を削除した**

また、このコードのようにWorksheetオブジェクト変数を事前に作成する記述をしなくても、シートを削除することができます。

コード5-5-1　**引数にオブジェクトを直接記述する**

022: delete_sheet_02.py

```
01  import openpyxl
02
03
04  wb = openpyxl.load_workbook(r"..\data\sample5_5.
    xlsx")
05  wb.remove(wb["Sheet"])
06  wb.save(r"..\data\sample5_5.xlsx")
```

delete_sheet_02.pyの5行目のようにWorkbookオブジェクトにシート名を指定して削除することができます。

これを実行して、プログラムで追加したシート「Sheet」が削除されていることを確認しましょう。

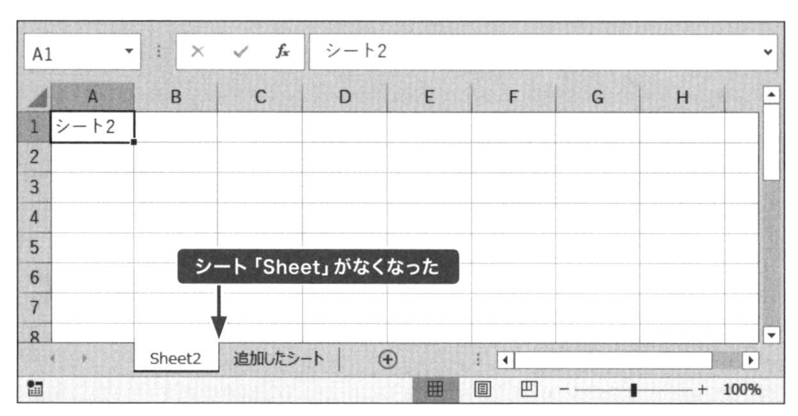

図5-5-2　シート「Sheet」を削除した

削除するシートを指定するには、「5-3 シート名を取得する」と同じようにインデックス番号も使えます。

コード5-5-2　インデックス番号を使って削除するシートを指定

023: delete_sheet_03.py

```
01  import openpyxl
02
03
04  wb = openpyxl.load_workbook(r"..\data\sample5_5.
    xlsx")
05  wb.remove(wb.worksheets[0])
06  wb.save(r"..\data\sample5_5.xlsx")
```

ここでは5行目で引数に

```
wb.worksheets[0]
```

と、シートのインデックス番号を指定して削除しています。

インデックス番号に0を指定したので、最初のシートが削除されます。この節のコードを順々に実行してきた場合、このdelete_sheet_02.pyを実行する直前の段階で最初のシートは「Sheet2」でした。実行後は、このシートが削除されています。

図5-5-3　**先頭のシート「Sheet2」を削除した**

5-6

シート数を取得する

024: count_sheets_01.py

```
01  import openpyxl
02
03
04  wb = openpyxl.load_workbook(r"..\data\sample5_6.
    xlsx")
05  print(wb.sheetnames)
06  print(len(wb.sheetnames))
```

ブックに何枚のシートが含まれるかは、Workbookオブジェクトのsheetnamesで調べることができます。sheetnamesはブックに含まれるシートをリストとして返してくれるので、len関数で要素の数を取得すれば、シート数がわかるというわけです。

上のコードでは、sheetnamesの扱い方がわかるよう、5行目で取得したシート名のリストを表示し、6行目で要素数を表示するという処理をしています。

print関数の出力結果を見ると、sample5_6.xlsxにはシートが3枚あるので、リストとして['Sheet1','Sheet2','Sheet3']とシート名が3つ出力され、len関数は3を返しました。

図5-6-1　**シート名のリストと、要素数を出力**

5-7

ブックの全シートを操作する

025: update_all_sheets_01.py

```
01  import openpyxl
02
03
04  wb = openpyxl.load_workbook(r"..\data\sample5_7.
    xlsx")
05
06  i = 1
07  for ws in wb:
08      ws["B2"].value = i * 100
09      i += 1
10
11  wb.save(r"..\data\sample5_7.xlsx")
```

ブックに含まれるすべてのシートをいっぺんに操作する方法を説明しましょう。

sample5_7.xlsxにはシートが3枚あります。上のコードは、このブックを読み込んで、すべてのシートのセルB2に

```
i * 100
```

の計算結果を書き込むという処理をプログラムにしたものです。iは1から始まり、1ずつ大きくなります（5行目および8行目）。

Pythonでは、for文の中でin演算子を使うとイテラブルオブジェクトから要素をひとつずつ取り出すことができます。イテラブルオブジェクトとはリス

トのように要素を取り出すように、順番に取り出すことができるオブジェクトのことです。このプログラムでのイテラブルオブジェクトはWorkbookオブジェクトです。Workbookオブジェクト変数wbからWorksheetオブジェクトをひとつずつ変数wsに取得し（6行目）、B2セルのvalueプロパティに計算値を代入しています（7行目）。

最後にsaveメソッドでブックを保存します。このプログラムを実行後に、Excelでsample5_7.xlsxを開いて確認してみましょう。

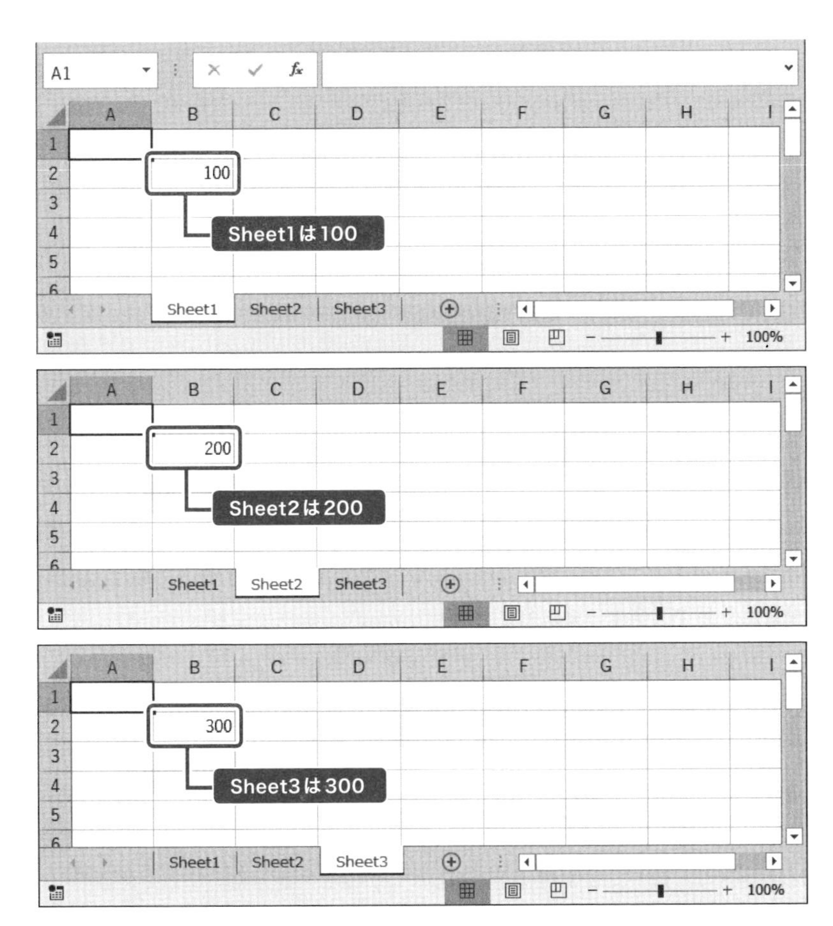

図5-7-1　**各シートのセルB2の値に注目**

それぞれのシートのB2セルに値が書き込まれていますね。何枚目のシートかに応じて、その100倍の数値が書き込まれています。このようにしてブックに含まれるシートに対して順々に操作することができます。

次のコードはシートのセルではなく、各シートのシート名を変更するプログラムです。

コード5-7-1

026: pdate_all_sheets_02.py

```
01  import openpyxl
02
03
04  wb = openpyxl.load_workbook(r"..\data\sample5_7.
    xlsx")
05
06  for i,ws in enumerate(wb):
07      ws.title = f"表{i+1}"
08
09  wb.save(r"..\data\sample5_7.xlsx")
```

今度は、for文の中でenumerate関数を使っています。enumerate関数はイテラブルオブジェクトからインデックス番号と要素をひと組ずつ取り出すことができます。要素はこの場合、Worksheetオブジェクトです。このコードでは6行目でenumerate関数を使っています。

シート名は、Worksheetオブジェクトのtitleプロパティを参照するんでしたね。そこで、Worksheetのオブジェクト変数であるwsのtitleプロパティであるシート名を順に表1、表2、表3のように変更します（7行目）。そのためにf文字列（フォーマット文字列＝f-strings）を使っています。f文字列では{}の中に変数や式を記述できます。インデックス番号は0から始めるので、そのまま使うとシート名は「表0」から始まってしまいます。これを「表1」「表2」「表3」と書き換えるために、「表」に続ける数値にはiに1を加えるようにしています。f文字列では文字列リテラルの前にfまたはFを置き、シングルクォート（ ' ）もしくはダブルクォート（ " ）で文字列を囲みます。文字列のformatメソッドより簡潔に記述できるようになっていますが、利用できるのはPython 3.6以降です。

　このプログラムを実行して、シート名が「表1」、「表2」、「表3」に変わることを確認しましょう。

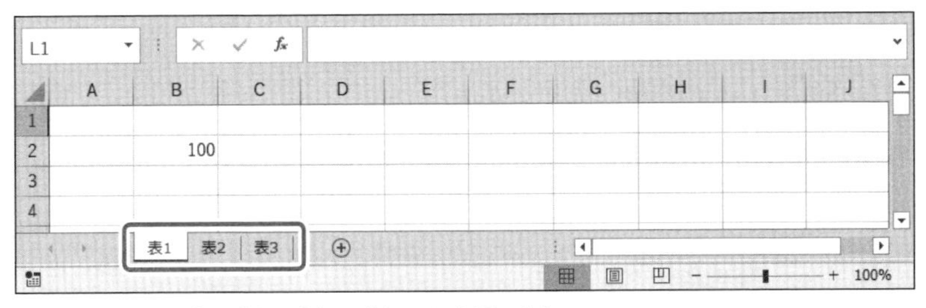

図5-7-2　**シート名が「表1」「表2」「表3」に変更できた**

5-8

シートを移動する

027: move_sheet_01.py

```
01  import openpyxl
02
03
04  wb = openpyxl.load_workbook(r"..\data\sample5_8.xlsx")
05  wb.move_sheet("表1", offset=1)
06  wb.save(r"..\data\sample5_8.xlsx")
```

ブックの中で、シートの位置を移動するには、Workbookオブジェクトのmove_sheetメソッドを使います。引数offsetに移動する数を指定します。

最初に、このコードで読み込むsample5_8.xlsxのシート構成を見ておきましょう。

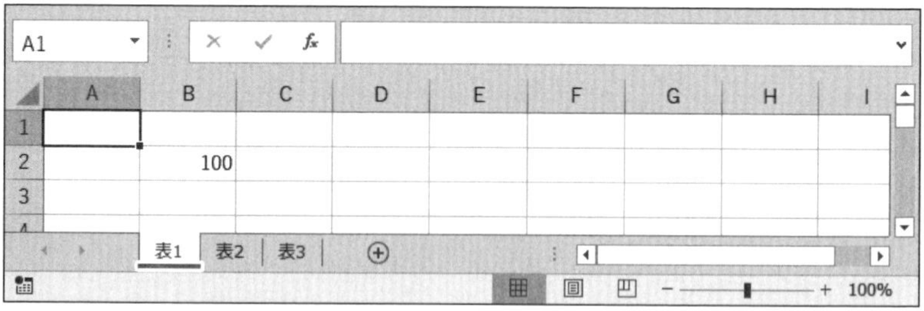

図5-8-1 **「表1」は最初のシート**

このブックのシート「表1」をひとつ後ろ（シート「表2」の右）に移動したいので、offsetに1を指定しました（5行目）。

プログラムを実行すると、シート「表1」が「表2」のすぐ右に移動しました。

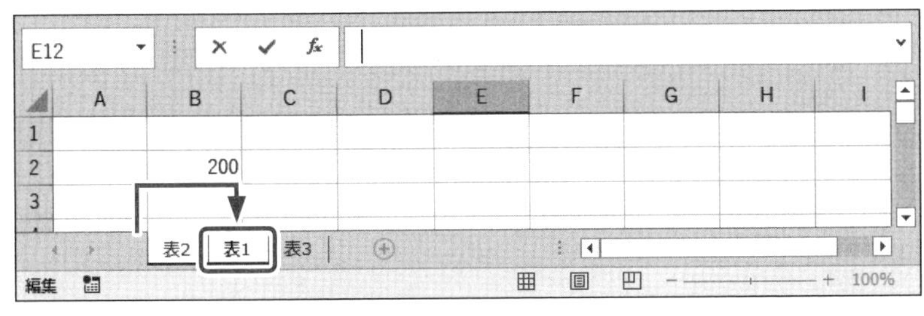

図5-8-2 **「表1」がひとつ後ろに移動した**

逆にひとつ前に移動するには以下のように、offsetに-1を指定します。

```
05  wb.move_sheet("表1", offset=-1)
```

5行目をこのように書き換えてプログラムを実行すると、表1が表2の前に移動しました。

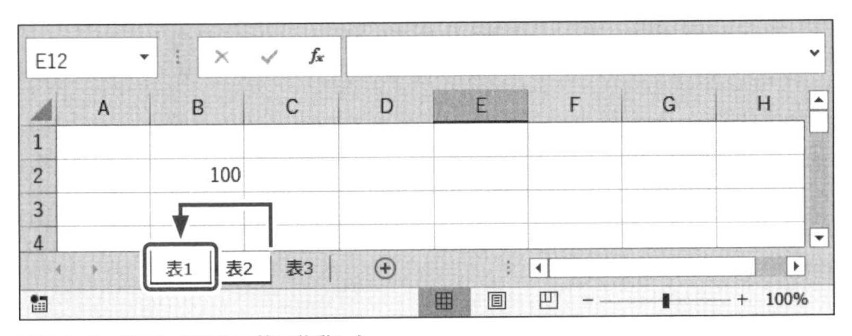

図5-8-3 **「表1」がひとつ前に移動した**

この項の処理のように、move_sheetメソッドで先頭のシートなどアクティブなシートを移動すると、シートがグループ化されてしまいます。

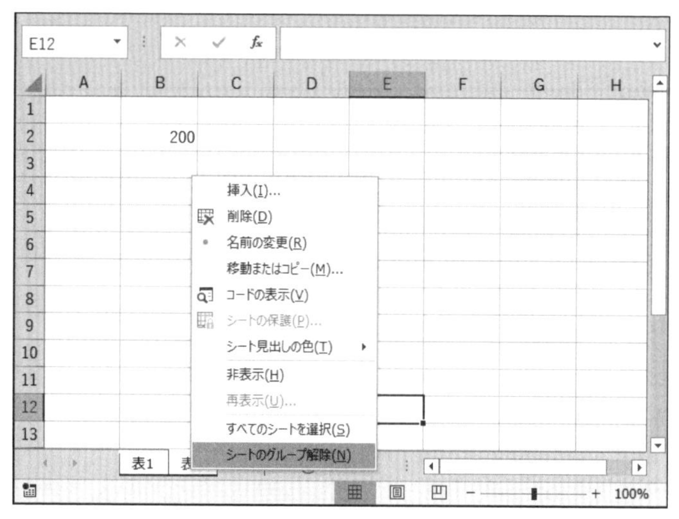

図5-8-4　**アクティブシートを移動したらシートがグループ化されてしまった**

move_sheet_01.pyを実行後のsample5_8.xlsxを見ると、表1と表2がグループ化されていることがわかります。

Excel上でシートのグループ化を解除することもできますが、どうせならプログラムでシートのグループ化が発生しないようにシートを移動させたいですね。それには、次のように記述しましょう。

コード5-8-1　**グループ化せずにアクティブシートを移動**

028: move_sheet_02.py

```
01  import openpyxl
02
03
04  wb = openpyxl.load_workbook(r"..\data\sample5_8.
    xlsx")
05
06  for ws in wb:
07      ws.sheet_view.tabSelected = None
08
```

```
09  wb.move_sheet(wb["表1"], offset=1)
10
11  wb.active = 0
12
13  wb.save(r"..\data\sample5_8.xlsx")
```

ポイントとなるところを見ていきましょう。Workbookオブジェクト変数wbからWorksheetオブジェクトを順に変数wsに取得し、tabSelectedをNoneにします（6〜7行目）。そして、move_sheetメソッドでシートを移動してから、11行目で最初のシート（この場合は「表2」）をアクティブにします。

move_sheet_02.pyの実行結果を確認すると、グループ化されていないことがわかります。

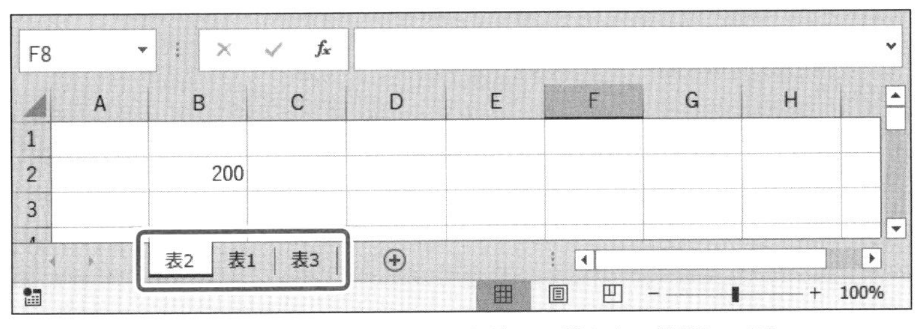

図5-8-5　シート「表1」を移動し、かつシートをグループ化しない状態にできた

5-9

シートをコピーする

029: copy_sheet_01.py

```
01  import openpyxl
02
03  wb = openpyxl.load_workbook(r"..\data\sample5_9.
    xlsx")
04
05  ws_copy = wb.copy_worksheet(wb["表1"])
06  ws_copy.title = "表1のコピー"
07
08  wb.save(r"..\data\sample5_9.xlsx")
```

新たなシートを作る際に、同じブックにある既存のシートをもとにする――。そんなときは同じブックの中でシートをコピーしましょう。それにはWorkbookオブジェクトのcopy_worksheetメソッドを使います。

上のコードでは、5行目でcopy_worksheetメソッドにwb["表1"]としてWorksheetオブジェクトを指定し、シート「表1」をコピーしました。ws_copy変数にコピーしたWorksheetオブジェクトを代入し、次の6行目でtitleプロパティに「表1のコピー」を代入し、シート名を指定しています。

このプログラムを実行すると、シート「表1のコピー」がシートの末尾に作成されています。そして、セルB2セルの値が100なので、シート「表1」がコピーされたとわかります。このように、copy_worksheetメソッドでシートをコピーすると、コピー先のシートはブックの末尾に作成されます。

図5-9-1　**末尾に作られたシート「表1のコピー」**

次に、コピー元のシートを扱うWorksheetオブジェクト変数を作成してから、コピーする例を紹介します。

コード5-9-1　**コピー元の変数ws_origを作成したプログラム**

030: copy_sheet_02.py

```
01  import openpyxl
02  
03  
04  wb = openpyxl.load_workbook(r"..\data\sample5_9.
    xlsx")
05  
06  ws_orig = wb["表2"]
07  ws_copy = wb.copy_worksheet(ws_orig)
08  ws_copy.title = ws_orig.title + "のコピー"
09  
10  wb.save(r"..\data\sample5_9.xlsx")
```

6行目で変数ws_origにシート「表2」のWorksheetオブジェクトを代入し、copy_worksheetメソッドでコピーしています（7行目）。シート名は「ws_orig.title + "のコピー"」として、Worksheetオブジェクト変数ws_origからtitleを取得し、文字列「のコピー」と連結して作成しました（8行目）。

　このプログラムを実行すると、今度はシート「表２のコピー」が作成されました。

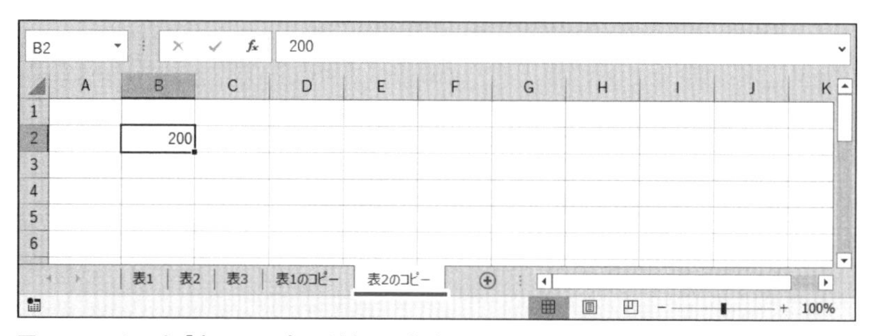

図5-9-2　**シート「表２のコピー」が末尾に作成された**

5-10

シートの表示／非表示を調べる、変更する

031: show_sheet_state_01.py

```
01  import openpyxl
02
03
04  wb = openpyxl.load_workbook(r"..\data\sample5_10.
    xlsx")
05  for ws in wb:
06      print(ws.sheet_state)
```

Excelで少し複雑な処理をするときに、計算用に用意したシートなどを非表示にすることはよくあるのではないでしょうか。こうしたシートの表示／非表示もPythonで制御できます。それにはWorksheetオブジェクトのsheet_stateプロパティを使います。このプロパティで、表示状態を調べたり、変更したりすることができます。

上のコードは、ブックに含まれるすべてのシートのsheet_stateを表示するプログラムです。5行目で対象のブック（ここではsample5_10.xlsx）を読み込み、6〜7行目で1枚ずつシートをオブジェクトとして読み込み、各シートの状態を順に表示しします。

この節で使うsample5_10.xlsxには、「表1」、「表2」、「表3」の3つのシートがありますが、「表1」をExcelで非表示にしてあります。

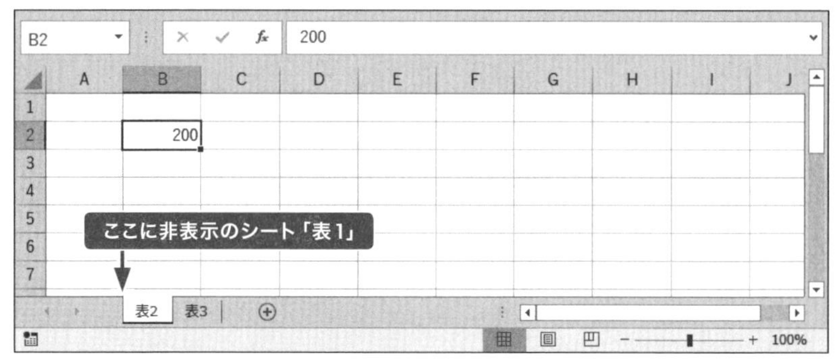

図5-10-1　**非表示のシートがあるブック**

このブックを対象に冒頭のプログラムを実行し、Worksheetオブジェクトのsheet_stateプロパティを出力してみました。すると、順にhidden（非表示）、visible（表示）、visible（同）と表示されました。

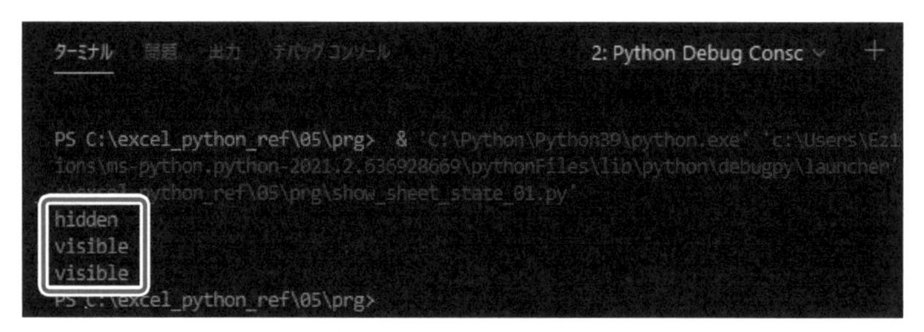

図5-10-2　**sheet_stateを出力したところ**

次にsheet_stateプロパティを変更して、非表示のシートを表示するプログラムを見てみましょう。

コード5-10-1　**非表示のシートを表示に変更する**

032: change_sheet_state_01.py

```
01  import openpyxl
02
03
04  wb = openpyxl.load_workbook(r"..\data\sample5_10.
```

```
    xlsx")
05  for ws in wb:
06      if ws.sheet_state == ws.SHEETSTATE_HIDDEN:
07          ws.sheet_state = ws.SHEETSTATE_VISIBLE
08
09  wb.save(r"..\data\sample5_10.xlsx")
```

hidden、visibleはWorksheetクラスに定数SHEETSTATE_HIDDEN、SHEETSTATE_VISIBLEとして宣言されているので、それを使って表示状態を切り替えるようにします。具体的には、5行目のfor文の中でオブジェクト変数wsに代入した各シートの状態を、6行目のif文で

```
ws.sheet_state
```

とすることで取り出します。これがSHEETSATE_HIDDENだった場合に、これをSHEET_VISIBLEに切り替えるように記述します（7行目）。

Workbookオブジェクトのsaveメソッドで保存することで表示状態も保存できます（8行目）。

このプログラムを実行すると、非表示だった1枚目のシートが表示状態になりました。

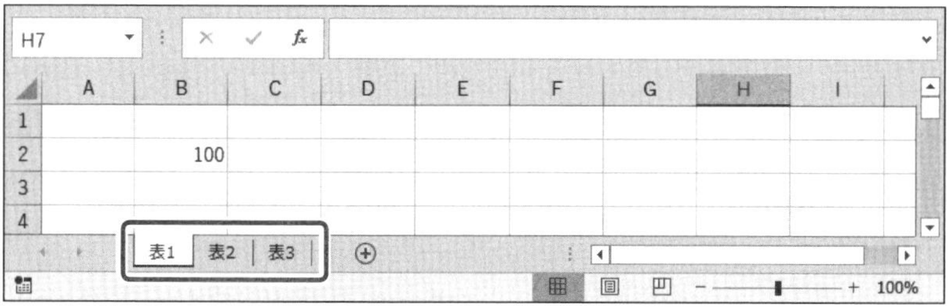

	A	B	C	D	E	F	G	H	I
1									
2		100							
3									
4									

表1 表2 表3

図5-10-3　すべてのシートが表示状態になった

5-11

シートを保護する

033: protect_sheet_01.py

```
01  from openpyxl import load_workbook
02  from openpyxl.styles import Protection
03
04  wb = load_workbook(r"..\data\sample5_11.xlsx")
05
06  ws = wb["表1"]
07  ws["B2"].protection = Protection(locked=False)
08  ws.protection.password ="sengaku"
09  ws.protection.enable()
10
11  wb.save(r"..\data\sample5_11.xlsx")
```

Excelでシートの保護をすると、どのセルにも値を入力したり、変更したりすることができなくなります。ブックに複数のシートがあり、このシートは参照だけで、入力してある値の変更を制限するといった目的でシート全体を保護することもあるかとは思いますが、より一般的な用途としては、シートの一部に穴をあけておいて、それ以外の部分を保護してしまう使い方です。「穴をあける」という言い方をしましたが、シートの一部の入力を求めるセルだけを入力可能にして、それ以外の部分を入力できなくするわけです。

Excel上でシートの保護を設定するには、シート名を右クリックし、表示されたメニューから「シートの保護」を選びます。

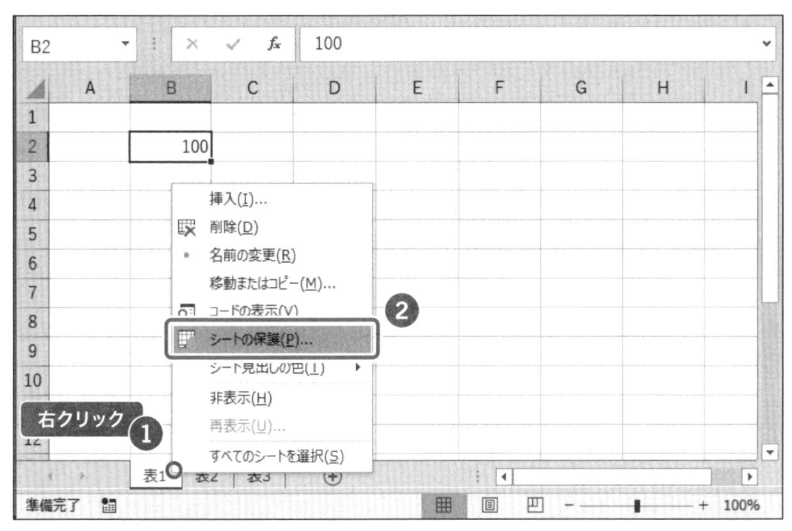

図5-11-1　**シートを保護する**

特定のセルや範囲で入力を許可するには、対象のセルもしくはセル範囲の書式設定ダイアログボックスを開き、「保護」タブの「ロック」をオフに切り替えます。これにより、シート全体は保護されていても、当該のセルもしくはセル範囲だけは入力可能になります。

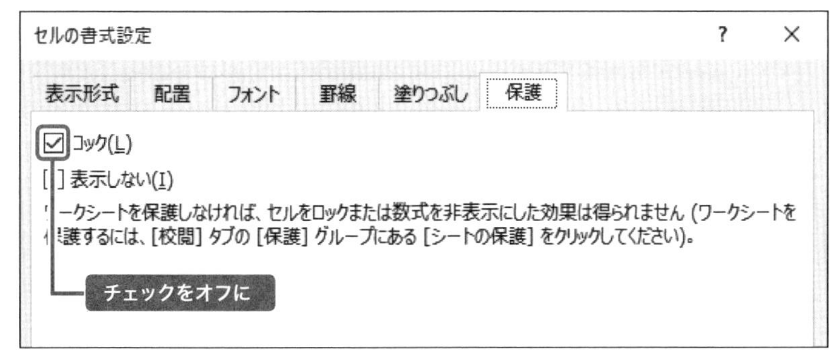

図5-11-2　**セルやセル範囲のロックを解除しておくとシート保護でも入力可能に**

ただし、シートの保護を設定してしまうと、セルやセル範囲の書式設定を変更できなくなります。このため、順序としては先に入力したいセルのロックをオフにしておき、それからシートの保護を掛けることになります。

これをPythonプログラムで実行するにはどうなるのか、冒頭のコードを見ていきましょう。

まず1〜2行目のimport文ですが、なるべくプログラムの書き方が簡潔になるようにopenpyxlからload_workbookを、openpyxl.stylesからProtectionを個別にインポートしています。

ロックを解除し、シートを保護する処理を見ていきましょう。ブックを読み込んだあと、6行目でワークシート「表1」をWorksheetオブジェクト変数wsに取得します。この変数wsのセルB2に対して、protectionプロパティを書き換えます。具体的には、locked引数をFalseに指定したProtectionオブジェクトをprotectionプロパティに代入しています。これで、セルB2が入力可能になるわけです。

次に8行目でWorksheetオブジェクトのprotection.passwordに保護を解除するためのパスワード「sengaku」を指定し、9行目のprotection.enable()でシートを保護します。

このプログラムを実行後に、lockedをFalseにしていないセル（この場合はB2以外のセル）に何らかの入力をしようとした場合、次のようなダイアログが表示されます。

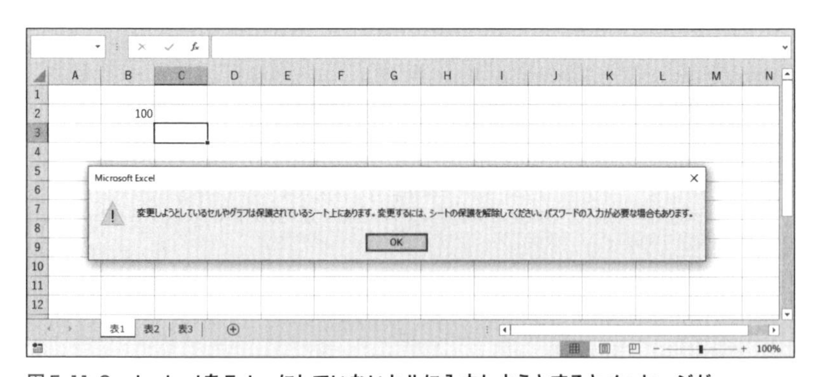

図5-11-3　lockedをFalseにしていないセルに入力しようとするとメッセージが……

少し実際の使用例に踏み込んでみましょう。たとえば、売上伝票では計算式や決まった値を入力してあるセルは入力不可にして、数量や単価を入力するセルだけを入力可能にします。「数量×単価＝金額」という計算式や消費税率の値などを間違って変更したり、削除したりしてしまうのを避けるためです。通常、1枚の売上伝票には複数の明細行がありますので、セル範囲に穴をあけておく必要があります。ここでは、その明細を入力する範囲だけを許可するようにするプログラムを見ていきましょう。

コード5-11-1　**指定したセル範囲のみしか入力できないようにするプログラム**

034: protect_sheet_02.py

```
01  from openpyxl import load_workbook
02  from openpyxl.styles import Protection
03
04  wb = load_workbook(r"..\data\sample5_11.xlsx")
05
06  ws = wb["表1"]
07  for row in ws["B2:D6"]:
08      for cell in row:
09          cell.protection = Protection(locked=False)
10
11  ws.protection.password ="sengaku"
12  ws.protection.enable()
13
14  wb.save(r"..\data\sample5_11.xlsx")
```

処理の流れとしては冒頭のprotect_sheet_01.pyと大きな違いはありませんが、7行目からが入力可能なセル範囲を作るためのコードになります。ここで、入力可能にしたいセル範囲を確認しておきましょう。

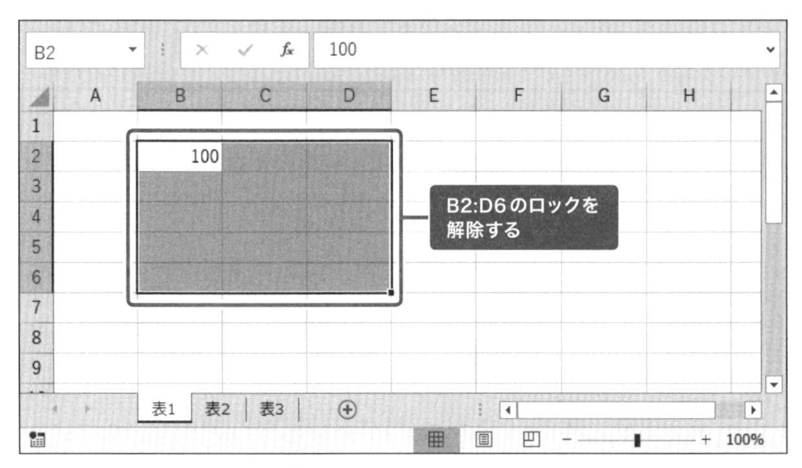

図5-11-4　**入力可能にするセル範囲**

上図のセル範囲を7行目からのfor文で取得していきます。

まず7行目では、ws["B2:D6"]の中からrow（行）を取得し、次の8行目のfor文でrowからcell（セル）を取得します。そして、セルのprotectionにlocked引数をFalseに指定したProtectionオブジェクトを代入します。動作としては、まず2行目のB列からD列まで1セルずつロックを解除します。これを6行目まで繰り返します。これでws["B2:D6"]の範囲が入力可能になるわけです。

セル範囲の指定の詳細については、Chapter7で解説しますので、ここでは概略だけを理解してください。

Chapter

6

行と列を操作する

6-1

行を挿入する

035: insert_row_01.py

```
01  import openpyxl
02
03
04  wb = openpyxl.load_workbook(r"..\data\sample6_1.
    xlsx")
05
06  ws = wb.active
07  ws.insert_rows(40)
08
09  wb.save(r"..\data\sample6_1.xlsx")
```

Worksheetオブジェクトのinsert_rowsメソッドを使うと、ワークシートに行を挿入することができます。

以下のように、都道府県ごとのデータを記録したシートがあります。そして、全国の合計をセルC48で「=SUM(C1:C47)」の数式で計算しています。

B1 北海道

	A	B	C	D	E	F	G
1	1	北海道	78				
2	2	青森県	3				
3	3	岩手県	4				
4	4	宮城県	5				
5	5	秋田県	10				
6	6	山形県	1				
7	7	福島県	22				
8	8	茨城県	25				
9	9	栃木県	45				
10	10	群馬県	16				
11	11	埼玉県	66				
12	12	千葉県	67				
13	13	東京都	156				
14	14	神奈川県	89				
15	15	新潟県	1				

Sheet1 100%

図 6-1-1　**都道府県別にデータを並べたシート**

B35 山口県

	A	B	C	D	E	F	G
35	35	山口県	7				
36	36	徳島県	6				
37	37	香川県	7				
38	38	愛媛県	8				
39	39	高知県	9				
40	40	福岡県	34				
41	41	佐賀県	1				
42	42	長崎県	5				
43	43	熊本県	0				
44	44	大分県	0				
45	45	宮崎県	2				
46	46	鹿児島県	4				
47	47	沖縄県	22				
48		合計	989				
49							

Sheet1 100%

図 6-1-2　**図 6-1-1 のシートの末尾**

このシートの40行目に行を挿入するようにしたのが、冒頭で示したinsert_row_01.pyです。6行目までは、ここまで読み進めてこられた皆さんには、すでにおなじみのコードでしょう。ポイントは7行目です。引数が、行を挿入する位置です。

このプログラムを実行すると、次の図のように行が追加されます。

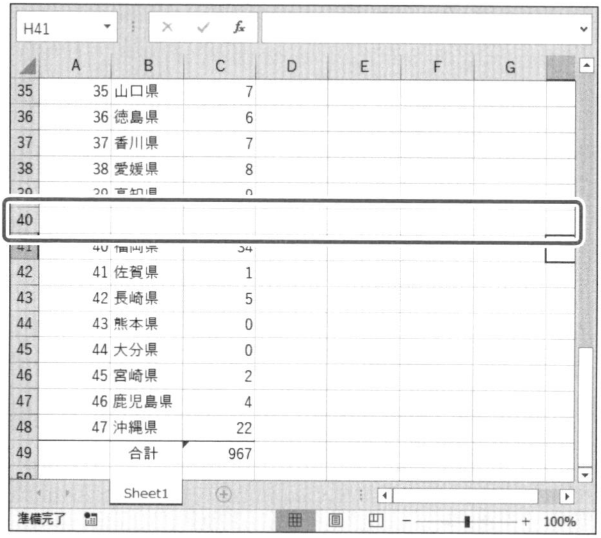

	A	B	C	D	E	F	G
35	35	山口県	7				
36	36	徳島県	6				
37	37	香川県	7				
38	38	愛媛県	8				
40							
42	41	佐賀県	1				
43	42	長崎県	5				
44	43	熊本県	0				
45	44	大分県	0				
46	45	宮崎県	2				
47	46	鹿児島県	4				
48	47	沖縄県	22				
49		合計	967				

図6-1-3 **プログラムで挿入した行**

ただし、Excelで行を追加した場合とふるまいに違いがあります。特に、挿入した行を含むセル範囲で計算するような式を作っている場合は注意が必要です。

図6-1-2と図6-1-3で合計の値が22違っています。Excelのシート上で同じ位置に行を挿入すると、セルC49の式は自動的に「=SUM(C1:C47)」から「=SUM(C1:C48)」に変わるのですが、insert_rowsメソッドで行を挿入した場合は、この関数式は変わりません。「=SUM(C1:C47)」のままです。このため、沖縄県の数値22が抜けてしまいます。

正しく合計を計算するには、セルC49のSUM関数を使った式を変更する必要があります。これに対応したコードを見てみましょう。

コード6-1-1　行挿入に伴う関数式の修正も実装したプログラム

036: insert_row_01.py（修正後）

```
01  import openpyxl
02
03
04  wb = openpyxl.load_workbook(r"..\data\sample6_1.
    xlsx")
05
06  ws = wb.active
07  ws.insert_rows(40)
08  ws["C49"].value = "=sum(C1:C48)"
09
10  wb.save(r"..\data\sample6_1.xlsx")
```

8行目が合計を計算するセルに正しい式を入力する記述です。このようにセルC49の数式をC1:C48の範囲を合計（sum）するように変更してやる必要があります。セルに対する値の書き替えについては、Chapter7でじっくり解説しますので、行挿入に伴って調整する必要があるデータもある点について頭に入れておいてください。

sample6_1.xlsxを行挿入前の正しい状態（セルC48の数式が=SUM(C1:C47)の状態）に戻してから、修正後のプログラムを実行してみましょう。行を挿入し、なおかつ計算結果も正しいことが確認できました（次ページへ）。

図6-1-4　修正後のプログラムを実行したシートの状態

6-2 行を削除する

037: delete_row_01.py

```
01  import openpyxl
02  
03  
04  wb = openpyxl.load_workbook(r"..\data\sample6_2.
    xlsx")
05  
06  ws = wb.active
07  ws.delete_rows(40)
08  ws["C48"].value = "=sum(C1:C47)"
09  
10  wb.save(r"..\data\sample6_2.xlsx")
```

Worksheetオブジェクトのdelete_rowsメソッドを使うと、ワークシートの行を削除することができます。

前節で行を挿入した状態のファイルsample6_2.xlsxがあります。

図6-2-1　40行目に空白行が挿入されているシート

このシートに対して、40行目の行を削除するプログラムが冒頭のプログラムです。

7行目の

```
ws.delete_rows(40)
```

が、行を削除する記述です。引数の「40」が「40行目」を意味します。この行を削除したあと、セルC48にC1:C47を合計（SUM）する式を設定しています（8行目）。このプログラムを実行して、動作を確認しましょう。

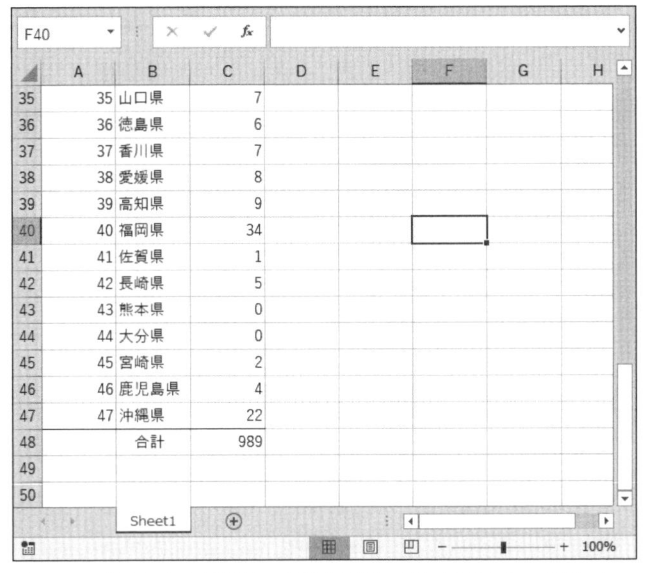
F40

	A	B	C	D	E	F	G	H
35	35	山口県	7					
36	36	徳島県	6					
37	37	香川県	7					
38	38	愛媛県	8					
39	39	高知県	9					
40	40	福岡県	34					
41	41	佐賀県	1					
42	42	長崎県	5					
43	43	熊本県	0					
44	44	大分県	0					
45	45	宮崎県	2					
46	46	鹿児島県	4					
47	47	沖縄県	22					
48		合計	989					
49								
50								

図 6-2-2　**指定した行を削除し、影響を受ける関数式も変更した状態のシート**

これでワークシートは行挿入前の状態に戻りました。

6-3

列を挿入する

038: insert_col_01.py

```
01  import openpyxl
02
03
04  wb = openpyxl.load_workbook(r"..\data\sample6_3a.
    xlsx")
05
06  ws = wb.active
07  ws.insert_cols(3)
08
09  wb.save(r"..\data\sample6_3a.xlsx")
```

列を挿入するには、Worksheetオブジェクトのinsert_colsメソッドを使います。

上のコードは、次のようなシートに対して3列目に列を挿入するような処理を記述したものです。

図6-3-1　sample6_3a.xlsxのSheet1で3列目に列を挿入したい

では、冒頭のコードを詳しく見ていきましょう。列を挿入する記述は7行目です。この

```
ws.insert_cols(3)
```

では、insert_cols()メソッドの引数に3を指定しているので、オブジェクト変数ws、つまりアクティブシートに新しい3列目が挿入されました。初期状態の3列目以降は、1列ずつ後ろにずれています。

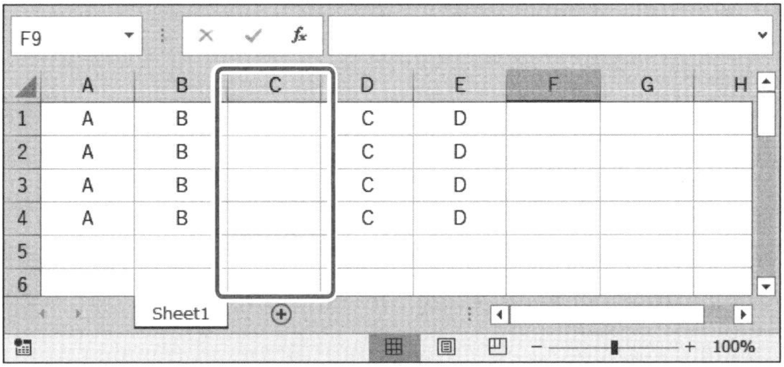

図6-3-2　**3列目に新しい列が挿入された**

さて、行の挿入とときにも触れましたが、列を挿入したことにより計算結果が変わってしまうセルがあるようなら、それに合わせてプログラムで式を修正する必要があります。元のデータが以下のようなシートだったとしましょう。

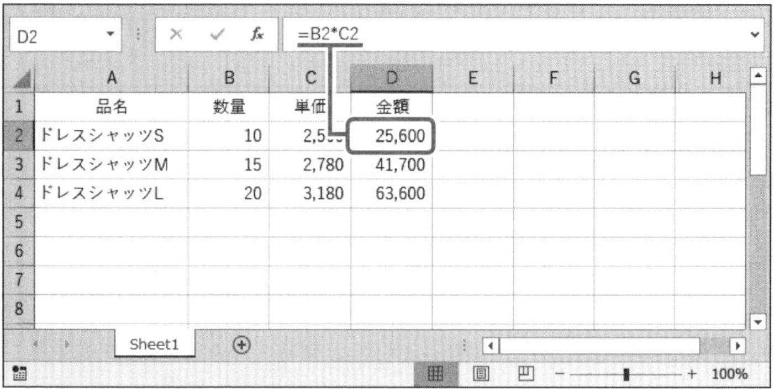

D2 | =B2*C2

	A	B	C	D
1	品名	数量	単価	金額
2	ドレスシャッツS	10	2,5[illegible]	25,600
3	ドレスシャッツM	15	2,780	41,700
4	ドレスシャッツL	20	3,180	63,600

Sheet1

図6-3-3　**D列に計算式が入力されているシート**

セルD2に「=B2*C2」と入力されているように、各行のD列には同じ行のB列（数量）とC列（単価）を掛けて金額を求める計算式が入力されています。修正しなければならないセルは複数にわたります。

この計算式について配慮せずにinsert_cols(3)を実行すると、次の図のようにB列（数量）と、新しく挿入したために何も入力されていなC列の掛け算で金額を求める計算式になってしまいます。

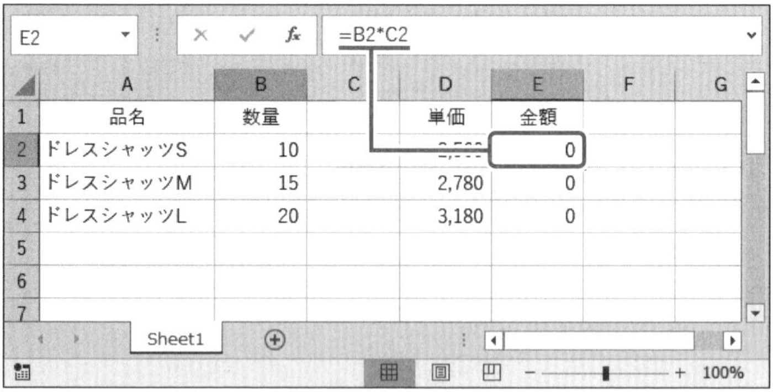

E2 | =B2*C2

	A	B	C	D	E
1	品名	数量		単価	金額
2	ドレスシャッツS	10		[illegible]	0
3	ドレスシャッツM	15		2,780	0
4	ドレスシャッツL	20		3,180	0

Sheet1

図6-3-4　**insert_colsメソッドだけを実行した結果**

これを解決するには、セル範囲に対して、計算式を設定し直す必要があります。そのプログラムを見てください。

コード6-3-1　**列挿入に伴い、セル範囲に対して計算式を修正する**

039: insert_col_02.py

```
01  import openpyxl
02
03
04  wb = openpyxl.load_workbook(r"..\data\sample6_3b.
    xlsx")
05
06  ws = wb.active
07  ws.insert_cols(3)
08
09  for row in ws.iter_rows(min_row=2):
10      row[4].value = f"=B{row[0].row}*D{row[0].row}"
11
12  wb.save(r"..\data\sample6_3b.xlsx")
```


insert_col_02.pyでは、7行目でinsert_colsメソッドを使って列を挿入しています。その次に、9行目から始まる繰り返し処理で、まずfor文の中で、Worksheetオブジェクトのiter_rowsメソッドで繰り返し行を取得します。ここではmin_rowでどの行から処理をするかを指定しています。これにより、2行目から順々にすべての計算式を修正し終わるまで、1行ごとに処理を進めていきます。

修正する処理を記述したのが10行目です。左辺の

```
row[4].value
```

で、対象となっている行のどの列のセルを変更するかを指定します。右辺では、

```
f"=B{row[0].row}*D{row[0].row}"
```

と、f文字列を使って記述しました。左辺の「4」や右辺の「0」は、それぞれ列や行の位置を示しています。この場合は、「0」から始まる番号で指定するため、左辺のrow[4]は5番目の列、右辺のrow[0].rowは最初の行であることを示します。

この記述は1行ずつ順に処理している繰り返し処理の中なので、row[0].rowつまり「最初の行」は「1行ずつ取り出した、ただいま処理中の行」そのものです。このため、row[0].rowで当該行を示します。

このプログラムを実行すると、例えば「2」行目の場合、E列は「=B2*D2」、「3」行目なら「=B3*D3」になるというわけです。

iter_rowsメソッドについてもう少し詳しく見ておきましょう。このメソッドはmin_row、max_row、min_col、max_colを引数に指定することができます。これを組み合わせることにより、繰り返し処理の対象となるシート内の行や列の範囲を設定することができます。

具体的な使い方をinsert_col_02.pyで見てみましょう。9行目でiter_rows()の引数をmin_row=2としている理由は、ヘッダーを読み飛ばすためです。前述の通り、f文字列内で使っているrow[0].rowは行番号を表します。もちろん、row[1].rowやrow[2].rowの値もrow[0].rowと同じです。列は違っても同じ行のセルなので、row（行）プロパティの値は同じだからです。

iter_rowsメソッドの便利なところは、max_row、max_colを省略すると、データの入っている範囲を自動的に判断して、自動的に操作対象にしてくれるところです。

このinsert_col_02.pyを実行してみましょう。新しくC列を挿入しても、E列には適切な計算式が入力されていることが確認できます。

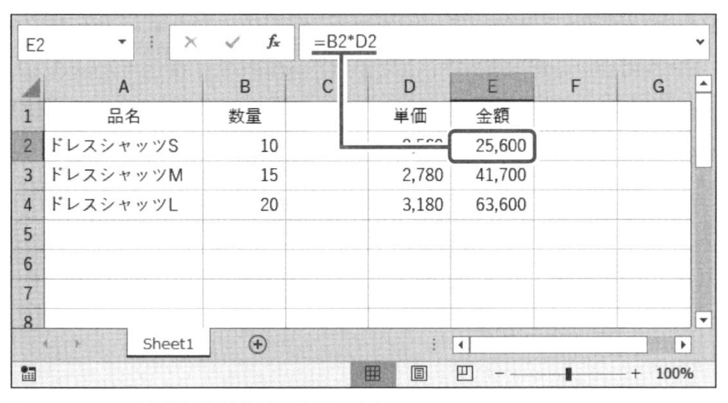

図6-3-5　E列を適切な計算式に変更できた

ここまで列を挿入した分だけ、計算式をずらすプログラムを紹介しましたが、計算には必ずしもExcelの数式を使わなければいけないわけではありません。Pythonのプログラムで計算してもかまいませんね。その場合は次のようにプログラムを変更します。

コード6-3-2　Excelの計算式を使わずに計算はPythonで実行する

040: insert_col_03.py

```
01  import openpyxl
02
03
04  wb = openpyxl.load_workbook(r"..\data\sample6_3c.
    xlsx")
05
06  ws = wb.active
07  ws.insert_cols(3)
08
09  for row in ws.iter_rows(min_row=2):
10      row[4].value = row[1].value * row[3].value
11
12  wb.save(r"..\data\sample6_3c.xlsx")
```

10行目を見てください。コード6-3-1ではExcel用の計算式をセルに入力するようにしていたところを、ここではPythonで計算を済ましてしまい、その結果の値を入力するように記述しました。これを実行して、処理結果を確かめておきましょう。

E2 | 25600

	A	B	C	D	E	F	G
1	品名	数量		単価	金額		
2	ドレスシャッツS	10		[illegible]	25,600		
3	ドレスシャッツM	15		2,780	41,700		
4	ドレスシャッツL	20		3,180	63,600		
5							
6							
7							

Sheet1

図6-3-6　**E列には計算結果が入力されている**

この節で紹介したコードでは、いずれの場合でもmin_rowは設定しましたが、max_rowは指定していません。それでもiter_rowsメソッドを使って、入力されている範囲だけを計算することができます。このように、シート上で何行まで、あるいは何列までデータが入力されているかわからないときでも、iter_rowsメソッドを使うと特別な記述をすることなく処理することができます。

6-4

列を削除する

041: delete_col_01.py

```
01  import openpyxl
02
03
04  wb = openpyxl.load_workbook(r"..\data\sample6_4.
    xlsx")
05
06  ws = wb.active
07  ws.delete_cols(3)
08
09  for row in ws.iter_rows(min_row=2):
10      row[3].value = f"=B{row[0].row}*C{row[0].row}"
11
12  wb.save(r"..\data\sample6_4.xlsx")
```

列を削除するには、Worksheetオブジェクトのdelete_colsメソッドを使います。

次のようなシートがあるとします。

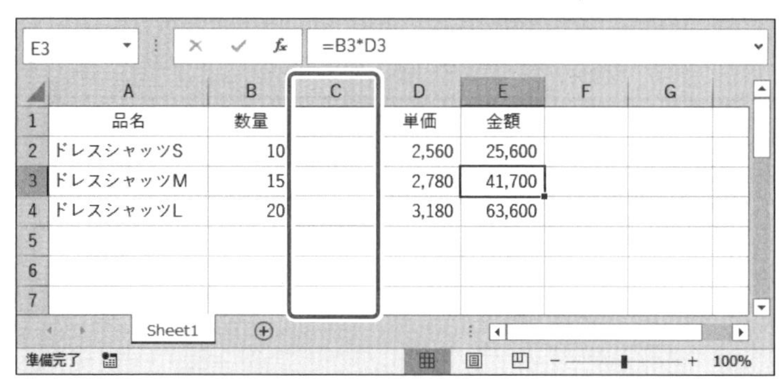

図6-4-1　**C列に空白のセルが残ってしまったシート**

このC列つまり3列目を削除し、計算式を元に戻すようなプログラムが、冒頭のコードです。

列を削除するのは、7行目のdelete_colsメソッドです。引数で削除する列を指定します。この値はシート上で何番目の列かを示します。

9行目、10行目は、3列目を削除することにより影響を受けるセルの計算式を修正するコードです。for文の中でiter_rowsメソッドを使って各行の計算式を設定し直しています。

6-5

最終行・最終列を取得する

042: get_max_row_col_01.py

```
01  import openpyxl
02
03
04  wb = openpyxl.load_workbook(r"..\data\sample6_5.
    xlsx")
05
06  ws = wb.active
07  print(ws.max_row, ws.max_column)
```

繰り返し処理をどこまでやればいいのかを取得するといったときに、シートのどこまで値が入っているか、つまり、データが入力されている最終端を知りたくなることがあります。そんなときは、Worksheetオブジェクトのmax_row、max_columnプロパティを使うことができます。これによりそれぞれ、最終行、最終列を取得できます。

こんな不規則にデータが入力されたシートがあるとしましょう。

H3　H

	A	B	C	D	E	F	G	H	I
1	A	B	C	D		F			
2	A	B	C	D					
3	A	B	C	D				H	
4	A	B	C	D					
5									
6									
7				D					
8									
9		B							
10									

Sheet1

図6-5-1　行では9行目、列では8列目までデータが入力されている

データが入力されている最も下の行は9行目で、最も右の列はE列（8列目）です。このシートを対象にmax_row、max_columnプロパティを出力するプログラムが、冒頭のコードです。

見ていただきたいのは7行目です。print関数でmax_rowおよびmax_columnの各プロパティを出力します。

このプログラムを実行すると、9と8と出力されました。ちなみにデータが入力されている最小の行、最小の列はそれぞれmin_row, min_columnで知ることができます。

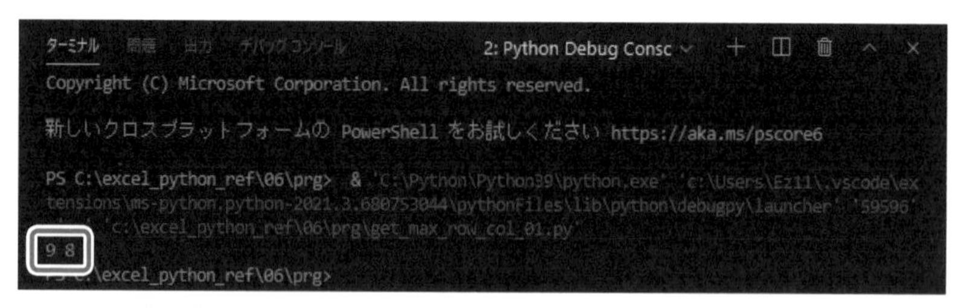

図6-5-2　プログラムの実行結果。「9　8」と出力されている

max_row、max_columnプロパティを使う目的は多くの場合、データが入力されているセル範囲を漏れなく操作することです。どんな飛び飛びの

データでも、何らかの入力があるすべてのセルを処理するようなプログラムを考えてみました。

コード6-5-1　**データのあるすべてのセルを含む範囲でデータを読み出す**

043: get_max_row_col_02.py

```
01  import openpyxl
02
03
04  wb = openpyxl.load_workbook(r"..\data\sample6_5.
    xlsx")
05
06  ws = wb.active
07  for row in range(1, ws.max_row+1):
08      for col in range(1, ws.max_column+1):
09          print(ws.cell(row,col).value)
```

7行目から9行目は、for文にrange関数を組み合わせて、データが入力されているセル範囲の値を出力するコードです。Worksheetオブジェクトwsのcell（セル）の値をrow、col変数を指定して取得・出力します。range関数には開始値と終了値を指定しています。range関数は

```
開始値 ≦ i < 終了値
```

の値を返します。終了値をmax_row、max_coluumnだけにしてしまうと、終了値未満のところで止まってしまい、最終行、最終列は処理されません。それぞれ「+1」を書き足しているのは、そのためです。

このプログラムを実行すると、最終行、最終列までのセルの値が漏れなく出力されます。

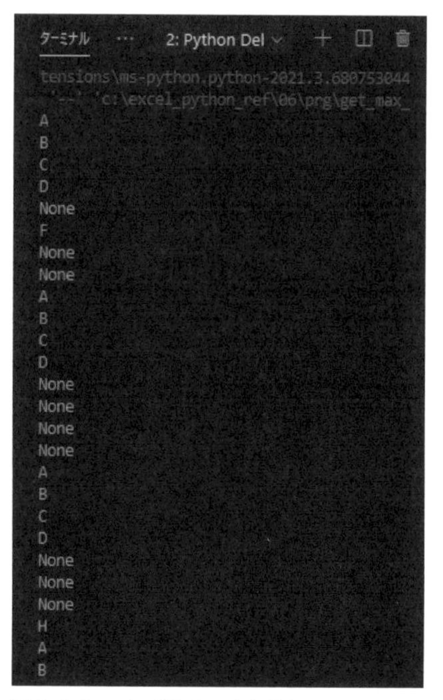

図6-5-3 **プログラムの実行結果**

max_row、max_cloumnで指定したセル範囲の中には、データが入力されていないセルがあるかもしれません。そうしたセルには値がないので、「None」と表示されます。

6-6 行の高さを揃える

044: set_row_height_01.py

```
01  import openpyxl
02
03
04  wb = openpyxl.load_workbook(r"..\data\sample6_6.
    xlsx")
05
06  ws = wb.active
07  ws.row_dimensions[1].height = 24
08
09  wb.save(r"..\data\sample6_6.xlsx")
```

行の高さが不揃いなシートは見にくいだけでなく、操作しづらいものです。

D6

	A	B	C	D	E	F	G
1	品名	数量	単価	金額			
2	ドレスシャッツS	10	2,560	25,600			
3	ドレスシャッツM	15	2,780	41,700			
4	ドレスシャッツL	20	3,180	63,600			
5							
6							
7							
8							

Sheet1　100%

図6-6-1　**行の高さがバラバラなシート**

こんなシートでも、Worksheetオブジェクトのrow_dimensionsのheightプロパティを使うと、プログラムから行の高さを変更することができます。

冒頭のプログラムでは、7行目でrow_dimensionsを使っています。row_dimensionsではrow_dimensions[1]のように行を指定します。ここでは、

```
ws.row_dimensions[1].height = 24
```

のようにheightプロパティに24を代入する記述をしているので、行の高さを24に増やすことができました。

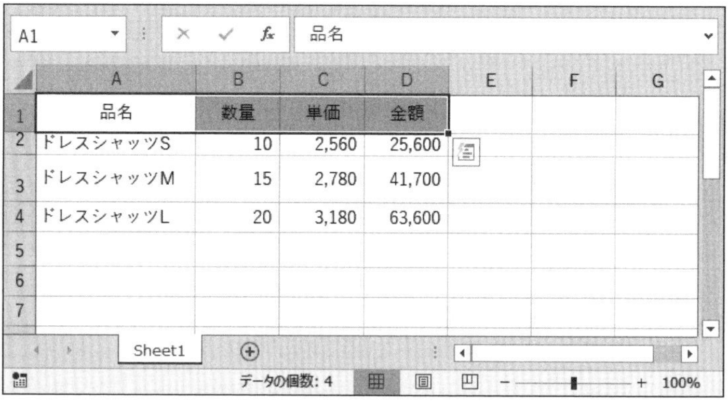

	A	B	C	D	E	F	G
1	品名	数量	単価	金額			
2	ドレスシャッツS	10	2,560	25,600			
3	ドレスシャッツM	15	2,780	41,700			
4	ドレスシャッツL	20	3,180	63,600			
5							
6							
7							

図6-6-2　ヘッダー行の高さが24になった

このコードで変更した1行目は表のヘッダー行（見出し行）です。このため、高くしています。明細行にあたる2行目以降は高さを揃えたいですね。複数行の高さを一気に変更するコードにしてみましょう。

コード6-6-1　**指定した範囲の高さを一括で変更する**

045: set_row_height_02.py

```
01  import openpyxl
02
03
```

```
04  wb = openpyxl.load_workbook(r"..\data\sample6_6.
    xlsx")
05
06  ws = wb.active
07  for i in range(2, 8):
08      ws.row_dimensions[i].height = 20
09
10  wb.save(r"..\data\sample6_6.xlsx")
```

複数の行の高さを設定するために、繰り返しを行うfor文の中でrange関数を使いました（7行目）。

```
for i in range(2, 8):
```

とすることで、range関数によりiの値を2から7（8の直前）まで変化させています。これにより、シートの2行目から7行目まで1行ずつ、それぞれ行の高さを20に変える設定をしています（8行目）。

set_row_height_02.pyを実行すると、明細行の高さが一定に揃って見やすくなりました。

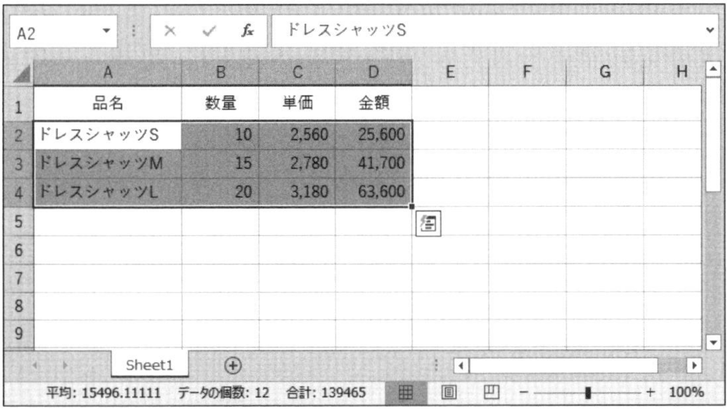

A2 ドレスシャッツS

	A	B	C	D	E	F	G	H
1	品名	数量	単価	金額				
2	ドレスシャッツS	10	2,560	25,600				
3	ドレスシャッツM	15	2,780	41,700				
4	ドレスシャッツL	20	3,180	63,600				
5								
6								
7								
8								
9								

Sheet1

平均: 15496.11111　データの個数: 12　合計: 139465　100%

図6-6-3　**明細行の高さが20になった**

6-7

列の幅を揃える

046: set_col_width_01.py

```
01  import openpyxl
02
03
04  wb = openpyxl.load_workbook(r"..\data\sample6_7.
    xlsx")
05
06  ws = wb.active
07  ws.column_dimensions["A"].width = 28
08
09  wb.save(r"..\data\sample6_7.xlsx")
```

列の幅はWorksheetオブジェクトのcolumn_dimensionsのwidthプロパティで設定することができます。

次のような表を考えてみましょう。見やすさを考えると、品名が入力されているA列の幅を広げたいところです。今回は、列幅を28に広げてみましょう。

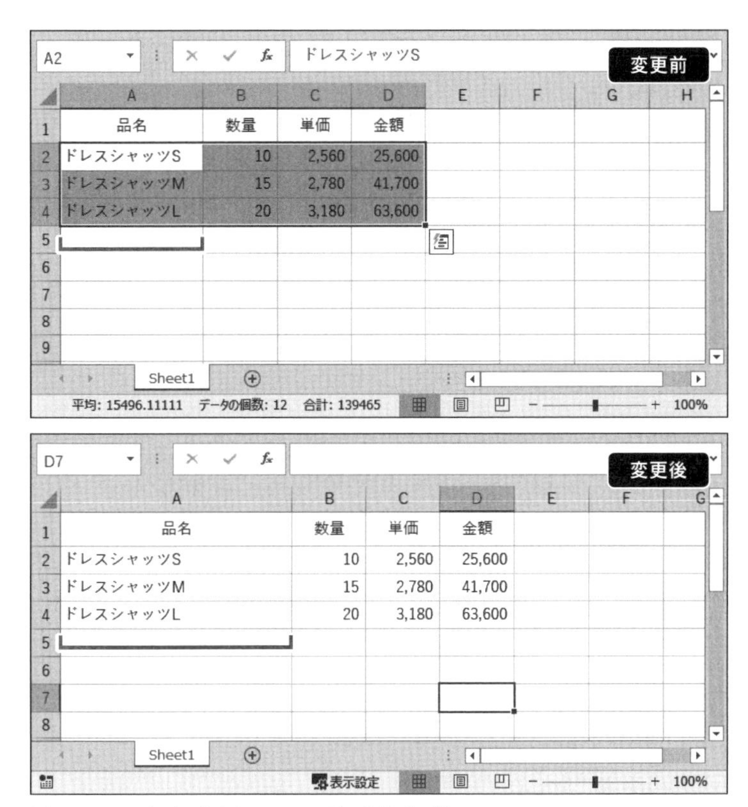

図6-7-1　品名が入力されているA列の幅を広げたい

どの列を対象にするかは、

```
column_dimensions["A"]
```

のように列は、文字列としてA、B、C…のように指定します。

このように列を文字列で指定するので、複数列の幅を設定したいときには少し工夫が必要です。それにはいくつかの方法がありますが、次のプログラムでは複数の列を対象にするためにリストを使っています。リストは他のプログラム言語では「配列」と呼ばれることもあるデータ形式で、複数のデータを記録し、順に取り出すことができます。

では、リストを使って、複数の列で幅を変えるプログラムを見てみましょう。

コード6-7-1　**複数の列をまとめて操作する**

047: set_col_width_02.py

```
01  import openpyxl
02
03
04  wb = openpyxl.load_workbook(r"..\data\sample6_7.
    xlsx")
05
06  ws = wb.active
07  cols = ["B","C","D"]
08  for col in cols:
09      ws.column_dimensions[col].width = 10
10
11  wb.save(r"..\data\sample6_7.xlsx")
```

8行目で列名をリストとしたcolsを宣言しました。続く9行目のfor文で、colsから列名をひとつずつ取り出し、10行目でそれぞれの列の幅を10に設定していきます。

プログラムの実行結果を見てみましょう。見やすいシートになりましたね。

D6

	A	B	C	D	E	F
1	品名	数量	単価	金額		
2	ドレスシャッツS	10	2,560	25,600		
3	ドレスシャッツM	15	2,780	41,700		
4	ドレスシャッツL	20	3,180	63,600		
5						
6						
7						
8						

Sheet1　表示設定　100%

図6-7-2　**B、C、Dの各列について幅を10に広げた**

6-8

ウィンドウ枠（行・列）を固定する

048: set_freeze_panes_01.py

```
01  import openpyxl
02
03
04  wb = openpyxl.load_workbook(r"..\data\sample6_8.
    xlsx")
05  ws = wb.active
06
07  ws.freeze_panes = "B2"
08
09  wb.save(r"..\data\sample6_8.xlsx")
```

「ウィンドウ枠の固定」は、縦横にたくさんのデータを持つ表をExcelで扱うときには便利な機能です。行や列をスクロールしたときでも、常に行見出し（ヘッダー行）や列見出しを表示した状態にできます。便利に使っている人も多いのではないでしょうか。

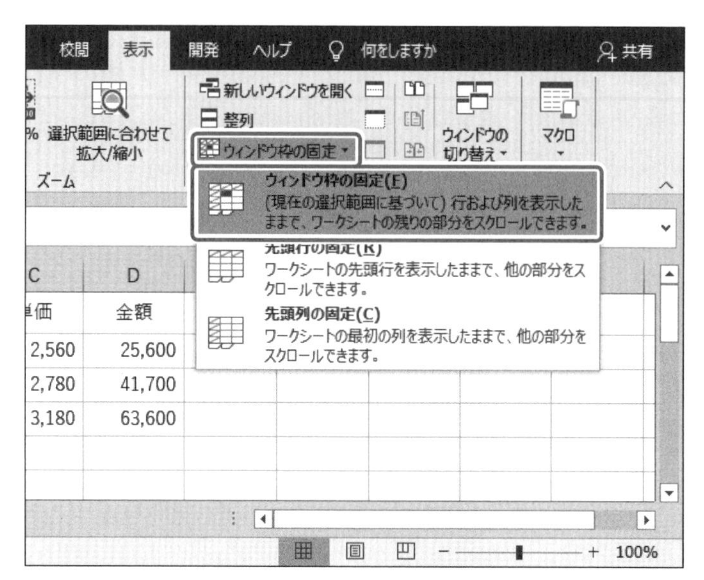

図6-8-1　Excelで「ウィンドウ枠の固定」を実行

これをPythonプログラムで設定するには、Worksheetのfreeze_panesプロパティを使います。冒頭のプログラムでは、7行目で

```
ws.freeze_panes = "B2"
```

と記述しました。これでアクティブシートでウィンドウ枠を固定することができます。ここではfreeze_panesにB2セルを指定したことにより、行では1行目、列ではA列が固定されます。

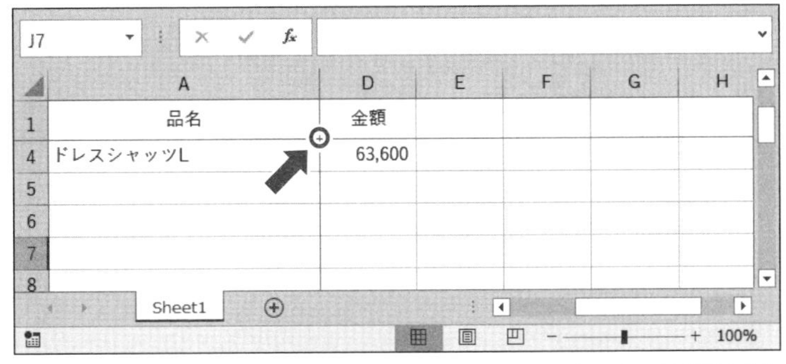

図6-8-2　freeze_panesに"B2"を指定したことにより、1行目とA列が固定された

固定したウィンドウ枠を解除するにはfreeze_panesにA1セルを設定すれば良いのですが、openpyxl3.0.6では、一度、freeze_panesプロパティを設定したあとに再度設定しようとすると、次のような障害が発生しました[*1]。

図6-8-3　freeze_panesの再設定でブックに障害発生

これに対してExcelでウィンドウ枠の固定を解除した状態にしておけば、またfreeze_panesの設定が可能になることは確認できました。

ちなみに行方向だけ固定する場合はfreeze_panesにA2のように指定します。列方向だけの場合は、B1のように指定します。

＊1　2021年6月末に確認

6-9

行の表示・非表示を設定する

049: set_row_hidden_01.py

```
01  import openpyxl
02
03
04  wb = openpyxl.load_workbook(r"..\data\sample6_9.
    xlsx")
05
06  ws = wb.active
07  ws.row_dimensions[3].hidden = True
08
09  wb.save(r"..\data\sample6_9.xlsx")
```

Worksheetオブジェクトのrow_dimensionsのhiddenプロパティで行を非表示にすることができます。単一の行を非表示にするコードは上のようになります。このコードの7行目で

```
ws.row_dimensions[3].hidden = True
```

とすることにより、アクティブシートの3行目のhiddenプロパティをTrueにしました。これを実行することで、シートの3行目が非表示になります。

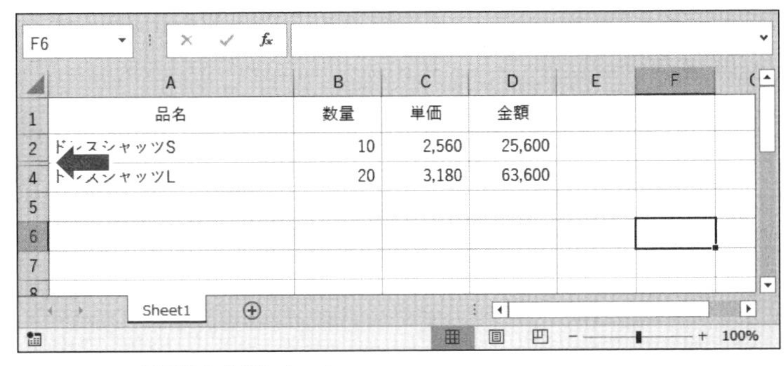

図6-9-1　3行目が非表示になった

非表示にした行を再表示するには、hiddenプロパティをFalseにします。

```
ws.row_dimensions[3].hidden = False
```

複数行をまとめて非表示するコードも紹介しておきましょう。

コード6-9-1　**複数行をまとめて非表示にする**

050: set_row_hidden_02.py

```
01  import openpyxl
02
03
04  wb = openpyxl.load_workbook(r"..\data\sample6_9.
    xlsx")
05
06  ws = wb.active
07  for i in range(2, 5):
08      ws.row_dimensions[i].hidden = True
09
10  wb.save(r"..\data\sample6_9.xlsx")
```

7行目のfor文の中でrange関数を使い、2以上5未満の行のhiddenプロパティをTrueにしています。これを実行すると2行目から4行目が非表示になりました。

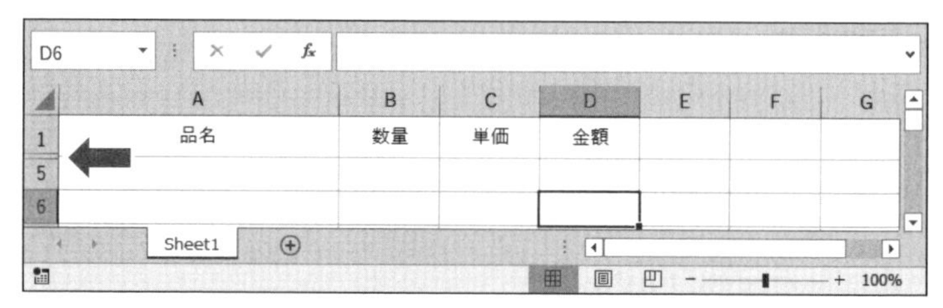

図6-9-2　**2行目から4行目が非表示になった**

これを再表示するには、1行単位で制御したときと同様にhiddenプロパティをFalseにします。

6-10

列の表示・非表示を設定する

051: set_col_hidden_01.py

```
01  import openpyxl
02
03
04  wb = openpyxl.load_workbook(r"..\data\sample6_10.
    xlsx")
05
06  ws = wb.active
07  ws.column_dimensions["A"].hidden = True
08
09  wb.save(r"..\data\sample6_10.xlsx")
```

Worksheetオブジェクトのcolumn_dimensionsのhiddenプロパティで列を非表示にすることができます。単一の列を非表示にするコードは、上のようになります。

このプログラムでは、7行目でA列のhiddenプロパティをTrueにしています。これによりA列が非表示になります。

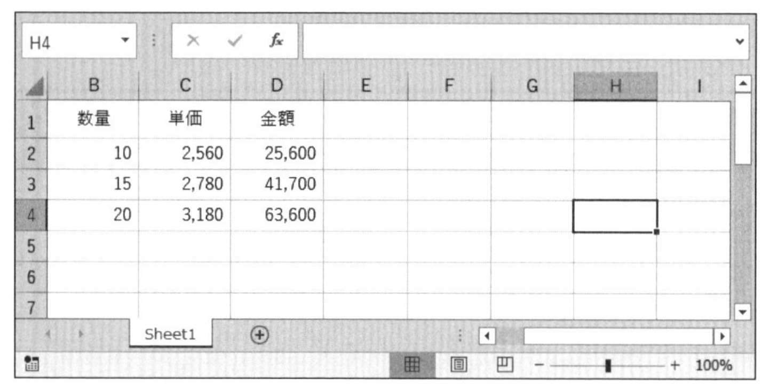

図6-10-1　**プログラムを実行するとA列が非表示に**

再表示するには

```
ws.column_dimensions["A"].hidden = False
```

のように、hiddenプロパティをFalseにします。

次に複数列をまとめて、非表示するコードを紹介しましょう。

コード6-10-1　**複数の列をまとめて非表示に**

052: set_col_hidden_02.py

```
01  import openpyxl
02
03
04  wb = openpyxl.load_workbook(r"..\data\sample6_10.
    xlsx")
05
06  ws = wb.active
07  cols = ["C","D"]
08  for col in cols:
09      ws.column_dimensions[col].hidden = True
10
11  wb.save(r"..\data\sample6_10.xlsx")
```

このプログラムはC列とD列のhiddenプロパティをTrueにして非表示にします。

このプログラムを実行することで、C列とD列が非表示になりました。

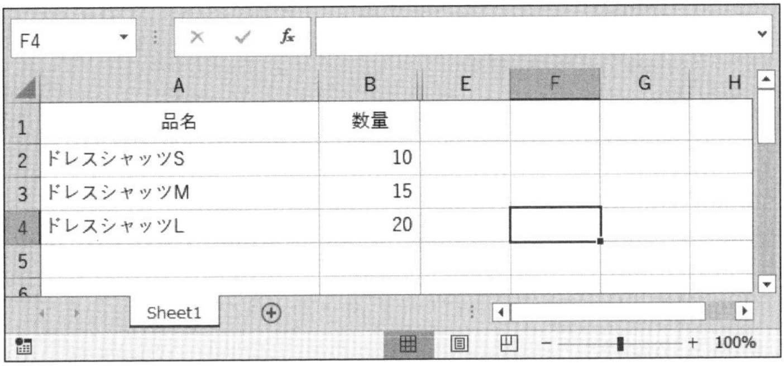

図6-10-2　C列とD列が非表示になった

再表示するには同様にhiddenプロパティをFalseにします。

これまでのサンプルでは、上記のプログラムのようにC列とD列を非表示にしたり、列幅のサンプルでのB、C、D列のように、操作したい列名があらかじめわかっていました。しかし、場合によっては、値が入っている列をすべて表示状態にしたいとか、値が入っている列すべての列幅を揃えたいといったニーズもあるかもしれません。そのような場合はCellオブジェクトのcolumn_letterプロパティを使います。

先のサンプルプログラムでsample6_10.xlsxのSheet1のC列とD列のhiddenプロパティをTrueにして非表示にしましたが、C列以降の値の入力されている列をすべて表示にするプログラムは以下のようになります。

コード6-10-2　C列以降の非表示列をすべて表示する

053: set_col_hidden_03.py

```
01  import openpyxl
02
03
04  wb = openpyxl.load_workbook(r"..\data\sample6_10.
```

```
    xlsx")
05
06  ws = wb.active
07  for col_no in range(3, ws.max_column+1):
08      col_letter = ws.cell(row=1,column=col_no).
        column_letter
09      ws.column_dimensions[col_letter].hidden = False
10
11  wb.save(r"..\data\sample6_10.xlsx")
```

7行目を見てください。for文とともに使っているrange関数の中で、最小値を3、最大値をmax_column+1と指定しているので、C列から値の入力されている最終列までが繰り返し処理の対象となります。

8行目の

```
ws.cell(row=1,column=col_no).column_letter
```

で列番号（変数col_no）が示す列のcolumn_letter（列名）を取得します[*1]。そして、9行目ではその列名を指定して、その列のhiddenプロパティをFalseにしているので、値の入っている列が表示状態になります。

このset_col_hidden_03.pyを実行すると、C列とD列が表示状態になります。

＊1　便宜上rowには1を指定しています。

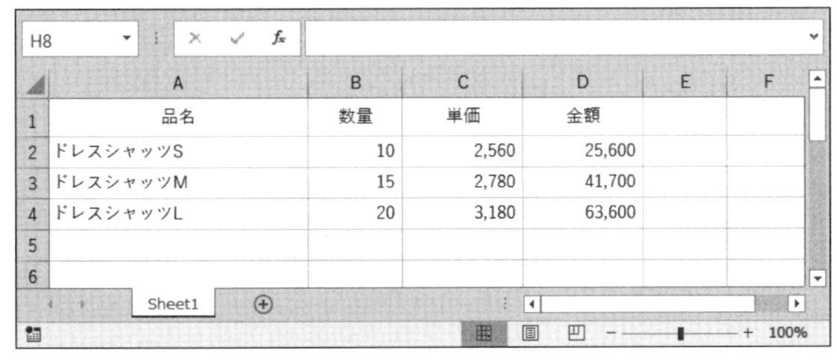

図6-10-3　C列とD列が表示された

Chapter

7

セルを操作する

7-1

セルの値を読み込む

054: get_cell_value_01.py

```
01  import openpyxl
02
03
04  wb = openpyxl.load_workbook(r"..\data\ぶどうとももの消
    費金額ランキング.xlsx")
05  ws = wb.active
06  print(ws["C2"].value)
```

Excelのデータをプログラムで取り扱う以上、セルの読み書きは最も頻繁に使う処理になるでしょう。それにはWorksheetオブジェクト変数を使います。この変数にセル番地を指定することで該当セルの値を取得することができます。セル番地はA列1行目なら「A1」のように指定します。普段、Excelでセルの位置を考えるときと同じですね。

ここではリファレンスとして、「ぶどうとももの消費金額ランキング」という架空のデータを登録したブックを扱います。このブックのセルC2を読むようにしたのが、上のプログラムです。

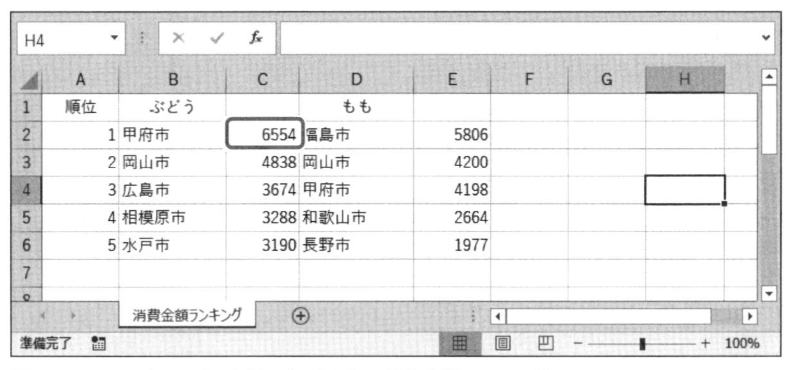

	A	B	C	D	E	F	G	H
1	順位	ぶどう		もも				
2	1	甲府市	6554	福島市	5806			
3	2	岡山市	4838	岡山市	4200			
4	3	広島市	3674	甲府市	4198			
5	4	相模原市	3288	和歌山市	2664			
6	5	水戸市	3190	長野市	1977			
7								

図7-1-1　**サンプルのブック「ぶどうとももの消費金額ランキング」**

　これまでのサンプルプログラムと同様に、プログラム本体と同じ階層にある「data」フォルダーに、「ぶどうとももの消費金額ランキング.xlsx」が保存してあるという想定でプログラムを作っています。このファイルからセルの値を取得してみましょう。

　このブックには「消費金額ランキング」という名前のシートがひとつあるだけなので、このブックを開けば自動的にこのシートがアクティブになります。このため、Workbookオブジェクト変数wbのactiveプロパティで取得することができます（5行目）。もちろん、ws = wb["消費金額ランキング"]としてシート名で取得することもできます。

　続く6行目のprint関数の引数で

```
ws["C2"].value
```

と記述することで、C列、2行目、つまりセルC2の値を取得しています。セル番地は文字列で指定するので、ws["C2"]やws['C2']のよう記述で指定します。

　print関数でws["C2"].valueを出力しているので、ターミナルに6554と表示されました。

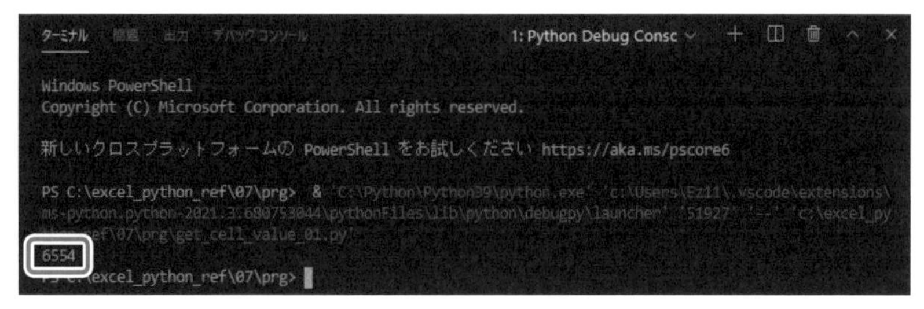

図7-1-2　get_cell_value_01.pyの実行結果

7-2

セルの値を行列番号で読み込む

055: get_cell_value_02.py

```
01  import openpyxl
02
03
04  wb = openpyxl.load_workbook(r"..\data\ぶどうとももの消
    費金額ランキング.xlsx")
05  ws = wb.active
06
07  print(ws.cell(row=2, column=3).value)
```

前節の「7-1 セルの値を読み込む」では、セル番地をExcelのような表記で扱いました。これを数値で指定することもできます。その方法を見てみましょう。PythonでExcelデータを扱う場合には、そのほうが便利な場面があります。

具体的には、上のプログラムの7行目のように、

```
ws.cell(row=2, column=3).value
```

といった記述になります。これでWorksheetのCellの指定した行、列の値を取得できます。

このコードをブック「ぶどうとももの消費金額ランキング」に対して処理した結果は、下図のようになります。

	A	B	C	D	E	F	G	H
1	順位	ぶどう		もも				
2	1	甲府市	6554	福島市	5806			
3	2	岡山市	4838	岡山市	4200			
4	3	広島市	3674	甲府市	4198			
5	4	相模原市	3288	和歌山市	2664			
6	5	水戸市	3190	長野市	1977			
7								
8								

C2　6554

消費金額ランキング

図7-2-1　**読み込み元のブック「ぶどうとももの消費金額ランキング」**

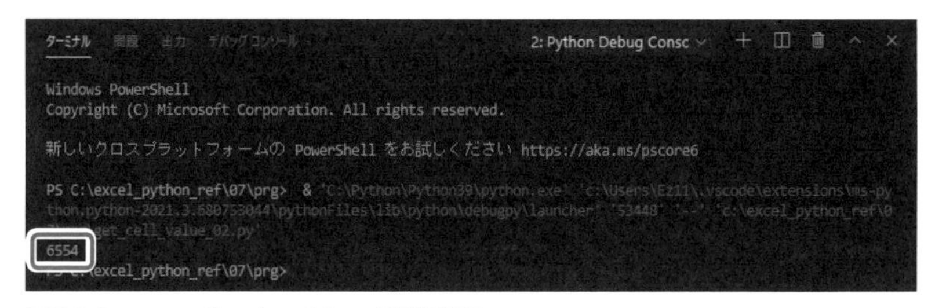

図7-2-2　**get_cell_value_02.pyの実行結果**

前節のプログラム（get_cell_value_01.py）と同様に、セルC2の値6554を出力していますね。

でも、注意してほしい点がふたつあります。

まずひとつは引数の順番です。必ず「row（行番号）、column（列番号）」の順に記述します。例えば

```
ws.cell(2, 3).value
```

といった記述になります。一方、冒頭のプログラムの7行目のように、

```
ws.cell(row=2, column=3).value
```

と、それぞれの数値が何を表しているかを記述して指定すれば、以下のよう

に順番を逆に記述しても問題はありません。

```
print(ws.cell(column=3, row=2).value)
```

row=、column=を省略する場合は、必ず

```
print(ws.cell(2, 3).value)
```

のように、数値をrow（行番号）、column（列番号）の順で記述する必要があります。

もうひとつの注意点は、row（行番号）、column（列番号）はどちらも1から始まるということです。このため

```
(row=1, column=1)
```

がセルA1を指します。

7-3

セルに値を書き込む

056: set_cell_value_01.py

```
01  import openpyxl
02
03
04  wb = openpyxl.load_workbook(r"..\data\ぶどうとももの消費金額ランキング.xlsx")
05  ws = wb["書き込み用"]
06
07  ws["A1"] = "みかん"
08  ws["B1"] = 7685
09
10  wb.save(r"..\data\ぶどうとももの消費金額ランキング.xlsx")
```

セルに値を書き込むには

```
ws[セル番地] = 設定したい値
```

と記述します。

操作する「ぶどうとももの消費金額ランキング.xlsx」にはシート「書き込み用」が用意されています。

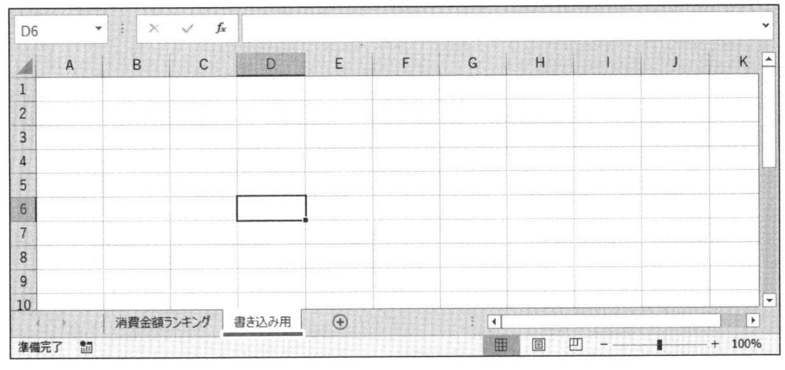

図7-3-1　**白紙のシート「書き込み用」がデータの転記先**

上記のプログラムは、このシートのセルA1に「みかん」、セルB1に数値の「7665」を入力するプログラムです。7行目および8行目が、それぞれセルA1、セルB2に値を書き込むコードです。

データを書き込んだら、プログラムで明示的にブックを保存する必要があります。ブックの保存は「4-2ブックを保存する」でも解説した通り、Workbookのsaveメソッドを使います（9行目）。

このプロラムを実行してみましょう。

	A	B
1	みかん	7685

図7-3-2　**セルA1に「みかん」、セルB1に7685と書き込んだ**

プログラムで記述した通り、A1セルに「みかん」、B1セルに7685と書き込まれました。

セルの読み込みと違い、書き込みには「.value」を指定する必要はありません。でも、必要がないだけで、7～8行目は以下のように記述しても同じ結果になります。

```
ws["A1"].value = "みかん"
ws["B1"].value = 7685
```

7-4

セルに値を行列番号で書き込む

057: set_cell_value_02.py

```
01  import openpyxl
02
03
04  wb = openpyxl.load_workbook(r"..\data\ぶどうとももの消
    費金額ランキング7_4.xlsx")
05  ws = wb["書き込み用"]
06
07  ws.cell(row=2, column=1).value = "りんご"
08  ws.cell(row=2, column=2).value = 8975
09
10  wb.save(r"..\data\ぶどうとももの消費金額ランキング7_4.
    xlsx")
```

セル番地を「A1」「B2」といった表記ではなく、「何行目の何列目」と行・列をそれぞれ数値で指定して値を書き込むこともできます。それには、

```
ws.cell(row=2, column=3).value
```

のように記述します。ここでは「ぶどうとももの消費金額ランキング7_4.xlsx」の「書き込み用」シートに対して、セルA2に「りんご」、セルB2に数値として「8975」を書き込もうと思います。

それをコーディングしたのが冒頭のプログラムです。7行目と8行目が、指定したセルに値を書き込むコードです。

まず7行目では、

```
ws.cell(row=2, column=1).value = "りんご"
```

として、2番目の行の最初の列、つまりセルA2に「りんご」と書き込んでいます。続く8行目の

```
ws.cell(row=2, column=2).value = 8975
```

では、2行目の2列目、すなわちセルB2に8975と書き込んでいます。最後に10行目のsaveメソッドで保存して記憶します。このプログラムを実行して、結果を確かめてみましょう。

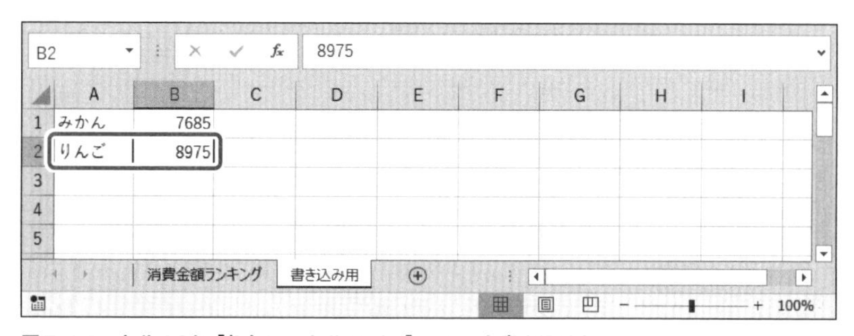

図7-4-1　セルA2に「りんご」、セルB2に「8975」を書き込めた

「7-3セルに値を書き込む」で紹介した

```
ws["A1"] = "みかん"
```

という記述のときは「.value」を省略できましたが、セルを行番号、列番号で指定する記述では、「.value」は省略できません。

7-5

セル範囲の値を読み込む

```
❶ for row in ws["B2:C6"]:
       for cell in row:
❷ for row in ws.iter_rows(min_row=2, max_row=6,
   min_col=2, max_col=3):
       for cell in row:
❸ for row_no in range(2, 7):
       for col_no in range(2, 4):
```


読み込みたいセルがひとつとは限りません。セル範囲をまとめて読み込みたいこともあるでしょう。それには、範囲を指定して値を取得するにはいろいろなやり方がありますが、ここでは3通りの方法を紹介します。

❶ セル範囲を「番地：番地」で指定する
❷ ワークシートのiter_rowsメソッドで取得する
❸ for文とともにrange関数を使い、行番号、列番号で指定する

では、順に見ていきましょう。

❶ セル範囲を「番地：番地」で指定する

セル範囲を指定する方法は見た目にわかりやすいので、取得したいセルの範囲があらかじめわかっているときに有効です。

コード7-5-1　**セル番地で範囲を指定する**

058: get_cell_range_01.py

```
01  import openpyxl
02
03
04  wb = openpyxl.load_workbook(r"..\data\ぶどうとももの消
    費金額ランキング7_5.xlsx")
05  ws = wb["消費金額ランキング"]
06  for row in ws["B2:C6"]:
07      for cell in row:
08          print(cell.value)
```

ブック「ぶどうとももの消費金額ランキング7_5」には複数のシートが用意してあります。このため、5行目で処理する対象のシートを

```
ws = wb["消費金額ランキング"]
```

で選択します。ここではシート「消費金額ランキング」を指定しました。

続く6行目では、for in文の中で、

```
ws["B2:C6"]
```

とワークシート上のセル範囲を指定して、該当するセル範囲から順々に行(row)を取得し(7行目)、次に行からセル(cell)を取得し(8行目)、そのセルの値を示すcell.valueをprint関数で出力しています(9行目)。

読み込むのはシート「消費金額ランキング」の以下の部分です。

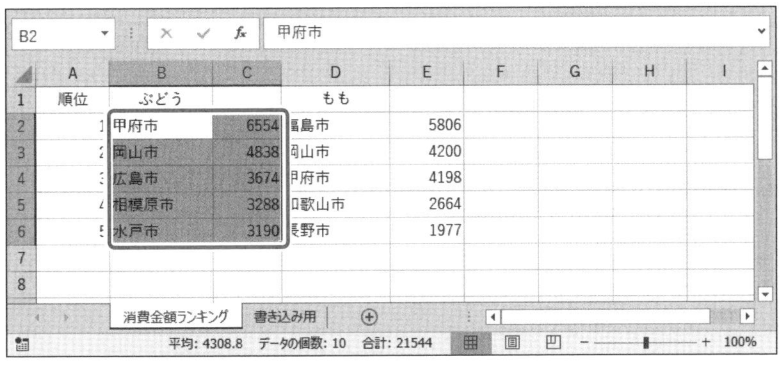

図7-5-1　**シート「消費金額ランキング」から読み込む範囲**

このプログラムを実行すると、ターミナルには以下のように出力されます。このようにセル範囲を[列行：列行]と範囲指定して扱うことができます。

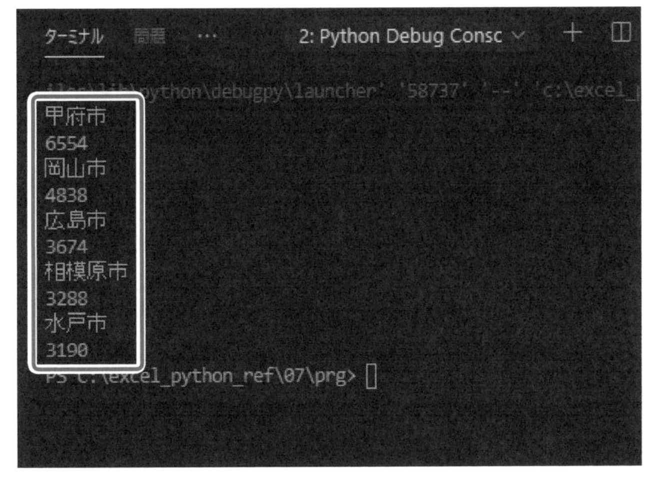

図7-5-2　**ターミナルに出力された処理結果**

❷ Worksheetのiter_rowsメソッドで取得する

2番目の方法を見てみましょう。Worksheetオブジェクトのiter_rowsメソッドに取得したいセル範囲の行列範囲を数値で指定して、行(row)を取得し、行からセル(cell)を取得する方法です。

コード7-5-2　**iter_rowsメソッドで取得する**

059: get_cell_range_02.py

```
01  import openpyxl
02
03
04  wb = openpyxl.load_workbook(r"..\data\ぶどうとももの消
    費金額ランキング7_5.xlsx")
05  ws = wb["消費金額ランキング"]
06  for row in ws.iter_rows(min_row=2, max_row=6, min_
    col=2, max_col=3):
07      for cell in row:
08          print(cell.value)
```

get_cell_range_02.pyは、コード7-5-1のget_cell_range_01.pyと同じセル範囲を読み込みます。6行目を見てください。iter_rowsメソッドでは引数として、min_rowには開始行、max_rowには終了行、min_colには開始列、max_colには終了列を指定します。

実行結果はget_cell_range_01.pyと同じです。

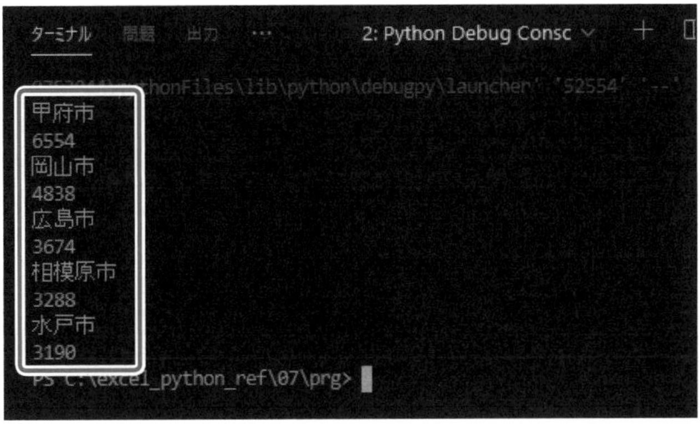

図7-5-3　セル範囲が同じなので出力も同じ

引数名は以下のように省略できますが、その場合は引数の並び順に注意が必要です。

```
for row in ws.iter_rows(2, 6, 2, 3):
```

省略するときは、必ずmin_row、max_row、min_col、max_colの順に指定してください。

また、以下のように引数を省略すると（6行目にあたるコード）、値が入っている範囲を自動で検出し、データのあるセルがすべて対象になるよう、最終行、最終列を取得します。

```
01  for row in ws.iter_rows():
02      for cell in row:
03          print(cell.value)
```

これを実行すると、セルA1の「順位」から長野市の数値であるセルE6の「1977」までのすべてについて、セルの値がターミナルに出力されます。

❸ for文とともにrange関数を使い、行番号、列番号で指定する

最後に、for in とrange関数を組み合わせて行番号、列番号を作成し、セル範囲を指定する方法を紹介します。

コード7-5-3　range関数でセル範囲を指定する

060: get_cell_range_03.py

```
01  import openpyxl
02
03
04  wb = openpyxl.load_workbook(r"..\data\ぶどうとももの消
    費金額ランキング7_5.xlsx")
05  ws = wb["消費金額ランキング"]
06
07  for row_no in range(2, 7):
08      for col_no in range(2, 4):
09          print(ws.cell(row_no,col_no).value)
```

これまでのサンプルプログラムと同様に読み込む対象のセル範囲はB2:C6です。このコードでは7行目で指定しています。セル範囲はfor in文でrange関数を使って、B2:C6を指定してみましょう。行番号を直接指定する書式であれば、B2:C6は

```
min_row=2, max_row=6, min_col=2, max_col=3
```

となります。このセル範囲をrange関数で指定するには、行範囲としてrange(2, 7)と指定（7行目）、列範囲としてrange(2, 4)を指定します（8行目）。range関数は第1引数に指定した開始値から、第2引数に指定した終了値の手前まで、処理を繰り返すからです。処理結果はこれまでと同じですから、省略しますね。

さて、この範囲指定の方法でもうひとつ知っておいていただきたいのでは、値が入力されているセル範囲をすべて読み取る方法です。range関数は引数に指定された範囲の値を順番に返すだけなので、次のようにmax_rowプロパティを使って最終行、max_columnプロパティを使って最終列を求めることができます。それぞれのプロパティに「+1」する必要がある点をお忘れなく。これは、range関数は第2引数に指定した終了値の手前までしか処理しないためです。このため最終行、最終列まで処理したいときには第2引数に使うmax_row、max_columnにはそれぞれ「+1」が必要になります。

```
01 for row_no in range(1, ws.max_row + 1):
02     for col_no in range(1, ws.max_column + 1):
03         print(ws.cell(row_no,col_no).value)
```

7-6 セル範囲に値を書き込む

061: set_cell_range_01.py

```
01  import openpyxl
02  
03  wb = openpyxl.Workbook()
04  ws = wb.active
05  
06  #かける数
07  for col_no in range(2, 11):
08      ws.cell(1,col_no).value = col_no - 1
09  
10  #かけられる数
11  for row_no in range(2, 11):(2)
12      ws.cell(row_no,1).value = row_no - 1
13  
14  #掛け算
15  for row_no in range(2, 11):
16      for col_no in range(2, 11):
17          ws.cell(row_no,col_no).value = (row_no - 1)
            * (col_no - 1)
18  
19  wb.save(r"..\data\sample7_6.xlsx")
```

ワークシート上のセル範囲に値を書き込む方法を見ていきましょう。ここでは、新しいブックを作成して九九の表を書き込んで行くプログラムを考えてみました。

見た目にもわかりやすい方法が、for in range関数による繰り返し処理を3回記述する方法です。これにより、「かける数」（一番上の行の各列）、「かけられる数」（一番左の列の各行）、その計算結果をそれぞれループの中で書き込んでいきます。これで、こんな感じの表を作ります。

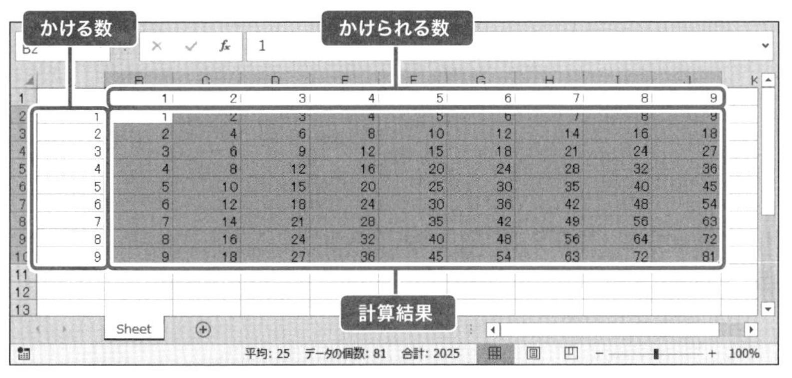

図7-6-1　**作成した九九の表**

では、具体的なコードを見ていきましょう。

まず7行目からのループについて説明します。ここではかける数を一番上の行に9セル分、各列に入力します。一番上の行というのは、8行目で

```
08  ws.cell(1,col_no).value = col_no - 1
```

とすることにより、行番号を1に固定しました。このため、7行目で

```
07  for col_no in range(2, 11):
```

というループを作ることにより、シートの行番号1の2列目からcol_no - 1の値を順に書き込みます。range関数では、col_noは次の範囲

```
2≦col_no＜11
```

で変化するのでしたね。ですから、2列目から10列目に1から9の値が書き込まれるわけです。

11行目からのループでは、今度は列番号を1に固定して書き込む処理を(12行目)、A列の2行目を起点に1から9まで繰り返すわけです(11行目)。

21行目のループでは、行列番号を変化させて、九九の結果を書き込んでいきます。21行目と22行目で

```
15  for row_no in range(2, 11):
16      for col_no in range(2, 11):
```

と、行番号のループの中に列番号のループを組み込みました。このループの中で

```
17  ws.cell(row_no,col_no).value = (row_no - 1) * (col_
    no - 1)
```

を実行することで、行列番号で示す書き込み位置と書き込む値を1つずらしながら九九の計算結果を書き込みます。

九九のように整然と並んでいる表なら、このようにfor in range関数を使ったループが最も適しているように思いますが、「A1」などのようにセル番地を指定するほうがわかりやすいこともあるかもしれません。九九の表のプログラムをアレンジして、その方法も見ておきましょう。

コード7-6-1　**セル番地を使って九九の表を作る**

062: set_cell_range_02.py

```
01  import openpyxl
02
03  r_ope = ["B","C","D","E","F","G","H","I","J"]
04  wb = openpyxl.Workbook()
05  ws = wb.active
```

```
06
07  #かける数
08  for i in range(9):
09      ws[f"{r_ope[i]}1"] = i + 1
10
11  #かけられる数
12  for row_no in range(2, 11):
13      ws.cell(row_no,1).value = row_no - 1
14
15  #掛け算
16  for row_no in range(2, 11):
17      for col_no in range(2, 11):
18          ws.cell(row_no,col_no).value = (row_no - 1)
            * (col_no - 1)
19
20  wb.save(r"..\data\sample7_6.xlsx")
```

このコードと冒頭のset_cell_range_01.pyとの違いは、かける数（乗数）の書き込みに列名を記述した文字列のリストを使っているところです。そのリストを7行目の

```
for i in range(9):
```

による、range関数を使った繰り返し処理の中で、f文字列で行番号1とともに「B1」で始まるセル番地に使っているところです。

このように直しても、単にプログラムが複雑になってメリットがないように思われるかもしれません。しかし、列名をリストにすれば、リストの値を自由に決められるので、列をひとつ飛ばして値を書き込んだり、不規則な位置に書き込んだりなどと融通を利かせることができます。

7-7

セル範囲の値を別のセル範囲に複写する

063: copy_cell_range_01.py

```
01  import openpyxl
02
03
04  wb = openpyxl.load_workbook(r"..\data\ぶどうとももの消
    費金額ランキング7_7.xlsx")
05  ws = wb["消費金額ランキング"]
06
07  for row_no in range(2,7):
08      for col_no in range(2, 4):
09          ws.cell(row_no + 5, col_no + 4).value =     \
10              ws.cell(row_no, col_no).value
11
12  wb.save(r"..\data\ぶどうとももの消費金額ランキング7_7.
    xlsx")
```

ここでは、指定したセル範囲の値を同じシート上の別の位置にそのまま複写するコードを考えてみましょう。例として、ブック「ぶどうとももの消費金額ランキング7_7」のシート「消費金額ランキング」のB2:C6の範囲をF7:G11に複写します。Excel上で、このような状態になるようなプログラムです。

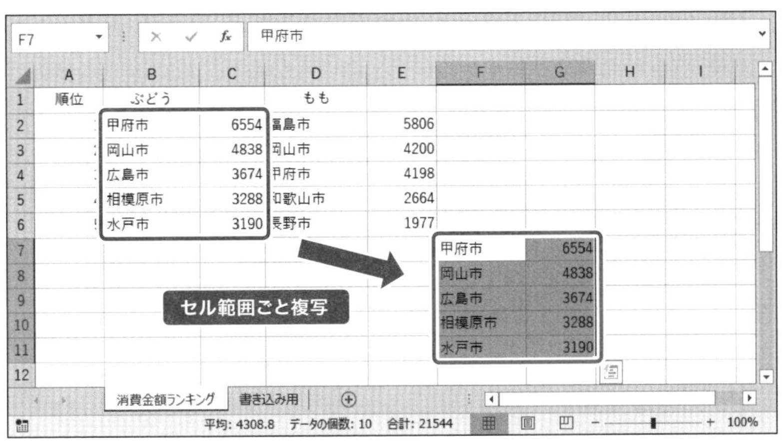

図7-7-1　**市ごとに分けたぶどうの消費金額をF、G列に複写**

ワークシート内でのセル範囲の複写には、読み込み範囲と書き込み範囲を相対的にずらす方法が簡単でしょう。

複写元と複写先は５行、４列ずれています。

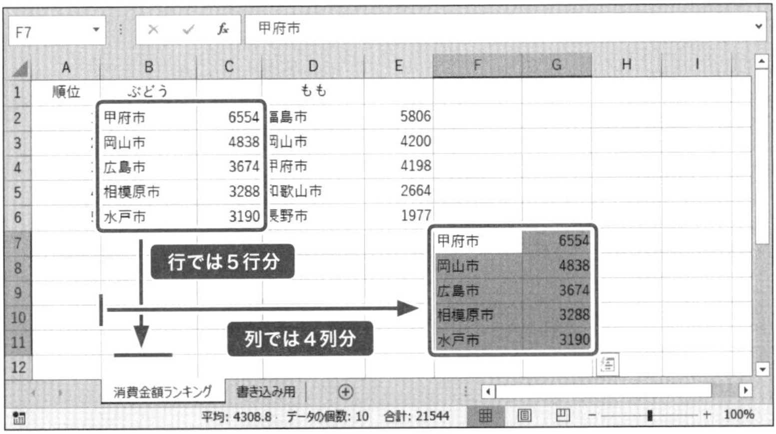

図7-7-2　**複写先は５行分、４列分ずれた位置**

このため、複写先の行をrow_no＋5、列をcol_no＋4とすることで、複写先の位置は簡単に指定できそうですね。そこに、対応するセルの値をそれぞれ書き込んでいけばコピーできるでしょう。

冒頭のコードの7行目と8行目は、複写元の範囲から各行ごとに1セルずつ処理していくためのループです。1行分のセルを処理し終わったら、次の行に移るといったように動作します。

9行目が複写先位置をずらして書き込む処理を記述しています。ここでcellプロパティの引数を

```
row_no + 5, col_no + 4
```

とすることで、「処理対象になっているセルの5行分および4列分移動した先のセル」に書き込むよう指定しています。

9行目の末尾にバックスラッシュ（ \ ）がありますが、Pythonではこの記号が行継続子です。見た目にはここで改行されていますが、プログラムとしてはまだその行が終わったわけではなく、次の行に処理の記述が続いていることを表します。

7-8

行列を入れ替えて値を転記する

064: trans_columns_and_rows.py

```
01  import openpyxl
02
03
04  wb = openpyxl.load_workbook(r"..\data\ぶどうともものの消
    費金額ランキング7_8.xlsx")
05  ws = wb["行列の入れ替え"]
06
07  for row_no in range(1, 7):
08      for col_no in range(1, 7):
09          ws.cell(row= col_no, column = row_no +
            7).value  = ws.cell(row_no, col_no).value
10
11  wb.save(r"..¥data¥ぶどうともものの消費金額ランキング7_8.
    xlsx")
```

Excelを使ってデータをコピーする場合、行と列を入れ替えて貼り付けるような必要性に迫られることもあります。その際には、貼り付けるときに「行/列の入れ替え」を選ぶという操作をします。

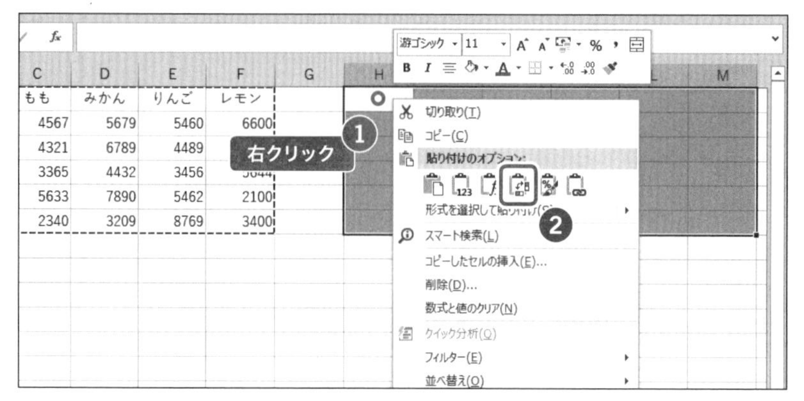

図7-8-1　**貼り付ける際に「行/列の入れ替え」を選択する**

この操作で、行と列を入れ替えてコピーできます。

H1

	A	B	C	D	E	F	G	H	I	J	K	L	M
1		ぶどう	もも	みかん	りんご	レモン			甲府市	岡山市	広島市	和歌山市	長野市
2	甲府市	9809	4567	5679	5460	6600		ぶどう	9809	8856	3498	3422	6779
3	岡山市	8856	4321	6789	4489	2310		もも	4567	4321	3365	5633	2340
4	広島市	3498	3365	4432	3456	5644		みかん	5679	6789	4432	7890	3209
5	和歌山市	3422	5633	7890	5462	2100		りんご	5460	4489	3456	5462	8769
6	長野市	6779	2340	3209	8769	3400		レモン	6600	2310	5644	2100	3400

書き込み用　行列の入れ替え

平均: 5131.16　データの個数: 35　合計: 128279　100%

図7-8-2　**行と列が入れ替わった**

この操作を、Openpyxlを使ったPythonのプログラムで自動化することを考えてみましょう*1。

```
09            ws.cell(row= col_no, column = row_no +
              7).value  = ws.cell(row_no, col_no).value
```

*1　ぶどうとももの消費金額ランキング7_8.xlsxで実際に行と列を入れ替える操作をしてしまった場合は、元に戻しておきましょう。

がポイントです。

右辺の

```
ws.cell(row_no, col_no).value
```

は、読み込んだ各セルの値です。これを左辺に代入します。ここで左辺を

```
ws.cell(row= col_no, column = row_no + 7).value
```

としています。行番号に複写元の列番号を、列番号に複写元の行番号を使っています。これにより、行と列を入れ替えることができます。実際には、複写にするために、列の位置を「+7」とずらすことで、H列に貼り付けるようにしていますが、基本的にはかなりシンプルなコードで実現できることがわかるのではないでしょうか。

実際にプログラムを起動して、思った通りの動作になっているかどうか、確かめておきましょう。

A7

	A	B	C	D	E	F	G	H	I	J	K	L	M	N
1		ぶどう	もも	みかん	りんご	レモン			甲府市	岡山市	広島市	和歌山市	長野市	
2	甲府市	9809	4567	5679	5460	6600		ぶどう	9809	8856	3498	3422	6779	
3	岡山市	8856	4321	6789	4489	2310		もも	4567	4321	3365	5633	2340	
4	広島市	3498	3365	4432	3456	5644		みかん	5679	6789	4432	7890	3209	
5	和歌山市	3422	5633	7890	5462	2100		りんご	5460	4489	3456	5462	8769	
6	長野市	6779	2340	3209	8769	3400		レモン	6600	2310	5644	2100	3400	
7														
8														

書き込み用　行列の入れ替え

100%

図7-8-3　**プログラムで行列を入れ替えられた**

7-9

セル範囲の値を別シートに転記する

使用するライブラリ：import openpyxl

065: copy_cell_range_02.py

```
01  import openpyxl
02
03
04  wb = openpyxl.load_workbook(r"..\data\ぶどうとももの消
    費金額ランキング7_9.xlsx")
05  ws1 = wb["消費金額ランキング"]
06  ws2 = wb["書き込み用"]
07
08  for row_no in range(1,7):
09      col_no_d = 1
10      for col_no in range(4, 6):
11          ws2.cell(row_no, col_no_d).value =  ws1.
            cell(row_no, col_no).value
12          col_no_d += 1
13
14  wb.save(r"..\data\ぶどうとももの消費金額ランキング7_9.
    xlsx")
```

複写元と貼り付け先ではシートが異なる場合もあるでしょう。そこで、あるワークシートのセル範囲の値を、別のワークシートにコピーするプログラムを紹介します。次のようなコピー／貼り付けをPythonにやってもらうためのコードです。

図7-9-1　市ごとに集計したももの消費金額を別のシートにコピーする

あるワークシートのセル範囲の値を別のワークシートにコピーする場合の要点は、Worksheetオブジェクト変数をふたつ作ることです。冒頭のサンプルプログラムでは、変数ws1（5行目）とws2（6行目）がそれにあたります。

この変数を使って、シート「消費金額ランキング」上のデータをシート「書き込み用」にコピーするのが11行目です。

```
ws2.cell(row_no, col_no_d).value =  ws1.
cell(row_no, col_no).value
```

書き込み列を示す変数col_no_dは、シート「書き込み用」のA列から書き込むために、初期値として1を与え（9行目）、1セル分の処理を終えたところで1ずつ加算しています（12行目）。

ここではコードのわかりやすさを優先して変数col_no_dを使っていますが、実際にはそんなことをしなくても、col_noを左辺右辺の両方で使い回すこともできますね。そこを手直ししたのが、次のコードです。

コード7-9-1　列番号を示す変数としてcol_noのみで記述した

066: copy_cell_range_03.py

```
01  import openpyxl
02
03
04  wb = openpyxl.load_workbook(r"..\data\ぶどうとももの消
    費金額ランキング7_9.xlsx")
05  ws1 = wb["消費金額ランキング"]
06  ws2 = wb["書き込み用"]
07
08  for row_no in range(1,7):
09      for col_no in range(4, 6):
10          ws2.cell(row_no, col_no - 3).value =  ws1.
            cell(row_no, col_no).value
11
12  wb.save(r"..\data\ぶどうとももの消費金額ランキング7_9.
    xlsx")
```

10行目の左辺で書き込み先のセル番地を指定する際、

```
ws2.cell(row_no, col_no - 3).value
```

のように、列番号を示す引数にcol_no – 3と記述しました。これにより、入力シートで取得したセルの番地を、複写先のシートでも流用します。複写元のシートで取得したセル番地ではありますが、「どのシートか」から切り離して複写先のシートでもこれをもとに相対的な位置を書き込み位置に指定することができます。

ここで少し目先を変えて、range関数を使わないコード例も紹介しておきましょう。

コード7-9-2　**イテラブルオブジェクトを使って転記する**

067: copy_cell_range_04.py

```
01  import openpyxl
02
03
04  wb = openpyxl.load_workbook(r"..\data\ぶどうとももの消
    費金額ランキング7_9.xlsx")
05  ws1 = wb["消費金額ランキング"]
06  ws2 = wb["書き込み用"]
07
08  row_no = 1
09  for row in ws1.iter_rows(min_row=1, max_row=6, min_
    col=4, max_col=5):
10      col_no = 1
11      for cell in row:
12          ws2.cell(row_no, col_no).value = cell.value
13          col_no += 1
14
15      row_no += 1
16
17  wb.save(r"..\data\ぶどうとももの消費金額ランキング7_9.
    xlsx")
```

このサンプルプログラムでは、複写元のセルの値はオブジェクト変数ws1にiter_rowsメソッドを使うことで読み込みます。複写先のシートを指定したws2に書き込むときは、12行目で

```
12          ws2.cell(row_no, col_no).value = cell.value
```

と記述したように、変数row_no、col_noにより行列番号を指定します(12行目)。その変数row_noはforループに入る前に初期値を1とし(8行目)、列番号を示すcol_noは新しい行の処理に入ってすぐの10行目で初期化しています(初期値は1)。

ここで紹介したサンプルプログラムは、記述は違っても実行結果は同じです。このように、実際に応用する場面では、違う方法を組み合わせることもできることを知っておくと、より早くプログラムを作れるでしょう。

7-10
セル範囲の値を別のブックに転記する

068: copy_cell_range_05.py

```
01  import openpyxl
02
03
04  wb1 = openpyxl.load_workbook(r"..\data\sample7_10.
    xlsx")
05  ws1 = wb1.active
06
07  wb2 = openpyxl.Workbook()
08  ws2 = wb2.active
09
10  row_no = 1
11  for row in ws1.iter_rows():
12      col_no = 1
13      for cell in row:
14          ws2.cell(row_no, col_no).value = cell.value
15          col_no += 1
16
17      row_no += 1
18
19  wb2.save(r"..\data\sample7_10_copy.xlsx")
```

データを転記する先が同じブックとは限りません。別々のブックにあるデータを、集計用のブックに集約するといったこともあるでしょう。そこで、セル範囲の値を別のブックに転記するプログラムを見ていきましょう。ここでは2種類のプログラムを紹介します。まず最初は、冒頭に示したプログラムです。これは既存のブックからデータを読み込み、新規のブックを作成して転記します。

ここで転記元に使うsample7_10.xlsxには、「7-6 セル範囲に値を書き込む」で作成された九九の表のシートがひとつだけ作成されています。このシート上のデータが入力されているセルをすべて新しいブックに転記します。新しいブックを作ると、自動的にシートが1枚作られます。これにセル範囲としてコピーし、転記先のブックをsample7_10_copy.xlsxという別名で保存するプログラムです。

	A	B	C	D	E	F	G	H	I	J
1		1	2	3	4	5	6	7	8	9
2	1	1	2	3	4	5	6	7	8	9
3	2	2	4	6	8	10	12	14	16	18
4	3	3	6	9	12	15	18	21	24	27
5	4	4	8	12	16	20	24	28	32	36
6	5	5	10	15	20	25	30	35	40	45
7	6	6	12	18	24	30	36	42	48	54
8	7	7	14	21	28	35	42	49	56	63
9	8	8	16	24	32	40	48	56	64	72
10	9	9	18	27	36	45	54	63	72	81

図7-10-1 **この九九の表を新規ブックにコピーする**

このプログラムの要点はWorkbookオブジェクト変数をふたつ作成することです。wb1がコピー元のブックで（4行目）、wb2がコピー先のブックです（7行目）。wb1にはシートがひとつ作成済みで、これがws1になります（5行目）。また、転記先の新規ブックwb2にもブックを作成した時点でシートがひとつ作成済みです。これをws2としています（8行目）。

九九の表の範囲をすべてコピーしたいので、11行目の

```
11  for row in ws1.iter_rows():
```

では、ws1のiter_rows()メソッドを使うことで、値が入力されているセル範

囲をすべて取得するようにします。

ws2のセルに値を書き込むコードでは、14行目で

```
14            ws2.cell(row_no, col_no).value = cell.value
```

として、変数row_no, col_noで行列番号を指定します。転記後のブックを「sample7_10_copy.xlsx」と別名を付けて保存します（18行目）。その実行結果を見てみましょう。

	A	B	C	D	E	F	G	H	I	J	K
1		1	2	3	4	5	6	7	8	9	
2	1	1	2	3	4	5	6	7	8	9	
3	2	2	4	6	8	10	12	14	16	18	
4	3	3	6	9	12	15	18	21	24	27	
5	4	4	8	12	16	20	24	28	32	36	
6	5	5	10	15	20	25	30	35	40	45	
7	6	6	12	18	24	30	36	42	48	54	
8	7	7	14	21	28	35	42	49	56	63	
9	8	8	16	24	32	40	48	56	64	72	
10	9	9	18	27	36	45	54	63	72	81	
11											
12											

図7-10-2　**sample7_10_copy.xlsxに転記された九九の表**

次のサンプルプログラムではふたつの既存のブックを開き、コピー元のブックから九九の表の一部をコピー先のブックに新規シートを作成してコピーします。

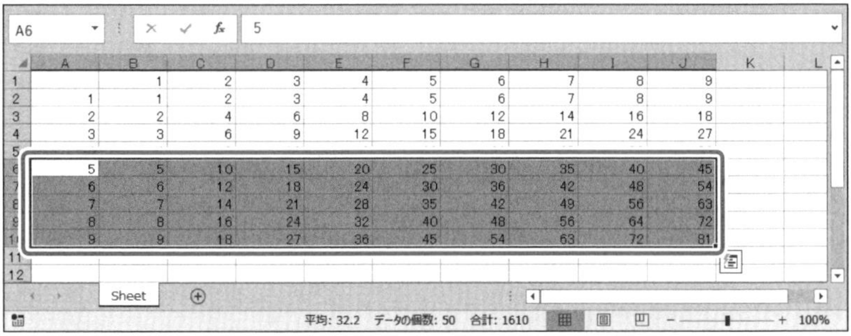

A6 | 5

	A	B	C	D	E	F	G	H	I	J	K	L
1		1	2	3	4	5	6	7	8	9		
2	1	1	2	3	4	5	6	7	8	9		
3	2	2	4	6	8	10	12	14	16	18		
4	3	3	6	9	12	15	18	21	24	27		
5												
6	5	5	10	15	20	25	30	35	40	45		
7	6	6	12	18	24	30	36	42	48	54		
8	7	7	14	21	28	35	42	49	56	63		
9	8	8	16	24	32	40	48	56	64	72		
10	9	9	18	27	36	45	54	63	72	81		
11												
12												

Sheet

平均: 32.2　データの個数: 50　合計: 1610　100%

図7-10-3　**sample7_10.xlsxの九九の表から、5の段以降をコピーする**

sample7_10.xlsxのシート「Sheet」に作られた九九の表をもとに、5の段から最後までのデータをsample7_10_copy.xlsxに「5の段以降」というシートを作って転記します。

これをコーディングしたのが次のプログラムです。

コード7-10-1　**範囲を指定して別のブックに転記**

069: copy_cell_range_06.py

```
01  import openpyxl
02
03
04  wb1 = openpyxl.load_workbook(r"..\data\sample7_10.
    xlsx")
05  ws1 = wb1.active
06
07  wb2 = openpyxl.load_workbook(r"..\data\sample7_10_
    copy.xlsx")
08  ws2 = wb2.create_sheet(title="5の段以降")
09
10  row_no_d = 1
11  for row_no in range(6,ws1.max_row + 1):
12      col_no_d = 1
13      for col_no in range(1, ws1.max_column + 1):
```

```
14            ws2.cell(row_no_d, col_no_d).value =  ws1.
              cell(row_no, col_no).value
15            col_no_d += 1
16        row_no_d += 1
17
18    wb2.save(r"..\data\sample7_10_copy.xlsx")
```


ポイントとなるところを見ていきましょう。

4行目で、wb1にsample7_10.xlsxを取得します。このブックの場合、シートは1枚だけなので、このシートをactiveで取得します（5行目）。

次に冒頭のプログラムで作成したsample7_10_copy.xlsxをwb2に取得します（7行目）。続く8行目でWorkbookのcreate_sheetメソッドを使ってシートを追加し、title引数でシート名を「5の段以降」と名付けます。

ws1上の九九の表から、11行目のforループで行の範囲を

```
range(6,ws1.max_row + 1)
```

とし、13行目のforループでセルの範囲を

```
range(1, ws1.max_column + 1)
```

とすることで、5の段以降をすべて取得します。

こうして取得したセル範囲の値を、コピー先のシートにrow_no_dとcol_no_dで行列を指定して複写します（14行目）。最後にsample7_10_copy.xlsxをsaveメソッドで保存します（18行目）。

A1 | 5

	A	B	C	D	E	F	G	H	I	J	K	L
1	5	5	10	15	20	25	30	35	40	45		
2	6	6	12	18	24	30	36	42	48	54		
3	7	7	14	21	28	35	42	49	56	63		
4	8	8	16	24	32	40	48	56	64	72		
5	9	9	18	27	36	45	54	63	72	81		
6												
7												
8												

Sheet | 5の段以降 | 100%

図7-10-4　**複写先のsample7_10_copy.xlsxにシート「5の段以降」を作って転記できた**

Chapter

8

書式を設定する

8-1

数値の表し方を設定する

070: number_format_01.py

```
01  import openpyxl
02
03
04  wb = openpyxl.load_workbook(r"..\data\sample8_1.
    xlsx")
05  ws  = wb["数値書式"]
06
07  ws.cell(row = 1, column = 2).number_format =
    "#,##0"
08  ws.cell(row = 2, column = 2).number_format =
    "#,##0.00"
09
10  wb.save(r"..\data\sample8_1.xlsx")
```

openpyxlは、いろいろなセルの書式設定をサポートしています。まず、数値の書式設定から見ていきましょう。

代表的な表示フォーマットは次のふたつです。

●3桁刻み　0抑制（zero suppress：0サプレス）

```
#,##0
```

この書式では数値の3桁毎にカンマ（ , ）を入れて、先頭の不要な0を抑制します。

●小数点以下桁数指定

```
#,##0.00
```

小数点より上の桁は、3桁刻みの0抑制です。これに続けて「 . 」を打ち、0を並べる数により小数点以下の桁数を指定します。たとえば小数点以下を2桁表示するようにしたのが「#,##0.00」です。

ここで、次のようなシートがあったとしましょう。

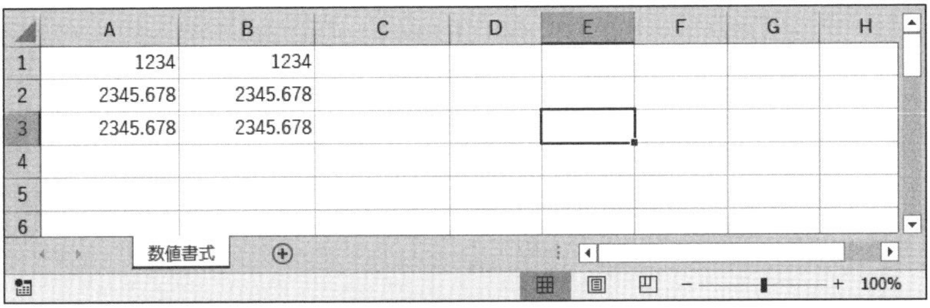

	A	B	C	D	E	F	G	H
1	1234	1234						
2	2345.678	2345.678						
3	2345.678	2345.678						
4								
5								
6								

数値書式 100%

図8-1-1　数値書式を設定する前。同じ数字を2列に並べている

小数点なし、小数点ありを取り混ぜて、A列とB列にそれぞれ同じ数値を入力しました。これに対して、B列の数値にプログラムから書式を設定します。そのプログラムが冒頭のコードです。大まかな構造としては、シート『数値書式』を選択して、指定したセルに表示フォーマットを設定するプログラムです。

セルB1は3桁刻み、0抑制にしました。#が0抑制です。0抑制を記述せずに、"0,000"という書式に設定したとしましょう。そのセルの値が「12」だったとすると、そのセルでは「0,012」と不要なゼロやカンマが先頭に付いてしまいます。

これをコードにしたのが7行目です。

```
07  ws.cell(row = 1, column = 2).number_format =
    "#,##0"
```

B列の2行目は、1行目で設定した0抑制した3桁刻みに加え、小数点以下を2桁に固定しました。これが、8行目のコードです。

```
08  ws.cell(row = 2, column = 2).number_format =
    "#,##0.00"
```

これを実行した結果を見てみましょう。

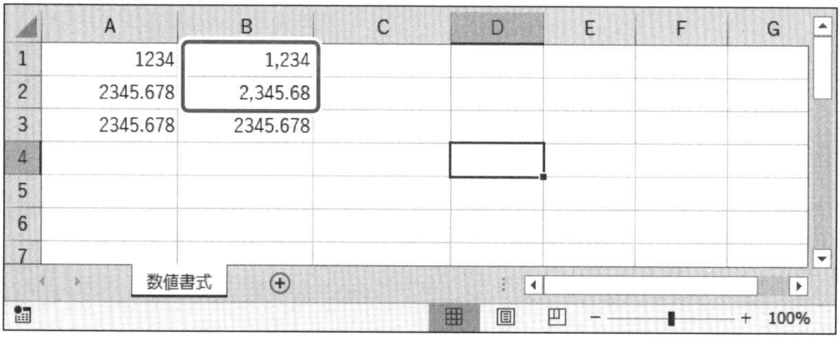

	A	B	C	D	E	F	G
1	1234	1,234					
2	2345.678	2,345.68					
3	2345.678	2345.678					
4							
5							
6							
7							

数値書式 100%

図8-1-2 **セルB1とB2に数値の書式を新たに設定した**

次に、定数のように宣言されている書式を使う方法を紹介します。一部の書式は組み込み書式として、openpyxl.stylesのnumbersモジュールに宣言されています。

Python以外の言語でプログラミングの経験があるという人なら「定数のように」という言い方に引っかかるかもしれません。あえてそう書いたのは、Pythonには文法としての定数は用意されていないからです。次のコードのように

```
FORMAT_NUMBER_COMMA_SEPARATED1
```

と大文字で記述した部分が慣習的に定数扱いされます。

コード8-1-1　FORMAT_NUMBER_COMMA_SEPARATED1を使って書式を設定

071: number_format_02.py

```
01  import openpyxl
02  from openpyxl.styles import numbers
03
04
05  wb = openpyxl.load_workbook(r"..\data\sample8_1.
    xlsx")
06  ws = wb["数値書式"]
07
08  ws.cell(row = 3, column = 2).number_format =
    numbers.FORMAT_NUMBER_COMMA_SEPARATED1
09
10  wb.save(r"..\data\sample8_1.xlsx")
```

コードの8行目で、3行B列にnumbersモジュールのFORMAT_NUMBER_COMMA_SEPARATED1を適用しました。このプログラムを実行後にシート『数値書式』を見てみましょう。セルB3の表示は、セルB2と同じですね。FORMAT_NUMBER_COMMA_SEPARATED1はnumbersモジュールで'#,##0.00'と宣言されているからです。

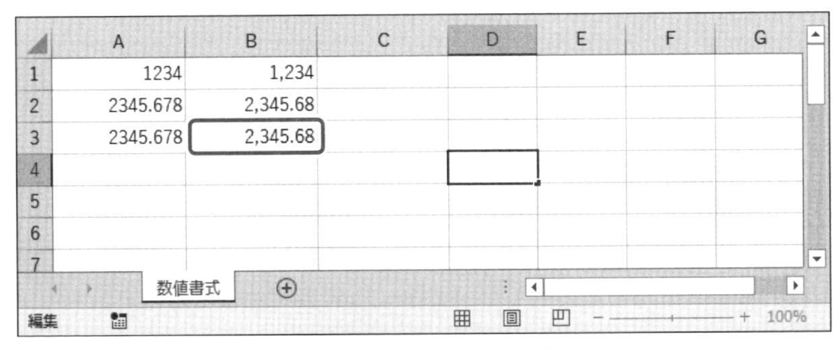

図8-1-3　セルB3にopenpyxlに組み込まれている書式を設定

もちろん書式はこれだけではありません。他にどのような書式が宣言されているか興味のある方は、以下のページを参照してください。

https://openpyxl.readthedocs.io/en/stable/_modules/openpyxl/styles/numbers.html#NumberFormat

8-2

日付書式を設定する

072: number_format_03.py

```
01  import openpyxl
02
03
04  wb = openpyxl.load_workbook(r"..\data\sample8_2.
    xlsx")
05  ws  = wb["日付書式"]
06
07  ws.cell(row = 1, column = 2).number_format = "yyyy-
    mm-dd"
08  ws.cell(row = 2, column = 2).number_format = "yyyy
    年m月d日"
09  ws.cell(row = 3, column = 2).number_format = "yyyy
    年mm月dd日"
10
11  wb.save(r"..\data\sample8_2.xlsx")
```

日付の書式も日本と欧米ではでいろいろバリエーションがありますね。代表的なものを設定するのが、上のコードです。

このプログラムでは、ブック「sample8_2」のシート「日付書式」に入力した日付の書式を変更します。書式を指定している記述が、7〜9行目の右辺です。

もともとこのシートには、A列とB列に同じ形式で日付を入力してありました。言ってみれば、A列の書式をB列のように変更したものと思ってください。

ここでは「yyyy-mm-dd」「yyyy年m月d日」「yyyy年mm月dd日」といった3種類の書式を記述しました。その結果を見てわかる通り、mやdが一桁か二桁によって、月、日の表示桁数が変わります。日付なので、「4月」をそのまま表記するか、「04月」とするかの違いになるということですね。

別の指定の仕方をしたプログラムも見てください。このプログラムは、前述のnumber_format_03.pyを実行後でもそのまま使えるように、シート「日付書式」のセルB4を処理するようにしてあります。

コード8-2-1　**FORMAT_DATE_YYMMDDを使って書式を設定する**

073: number_format_04.py

```
01  import openpyxl
02  from openpyxl.styles import numbers
03
04
05  wb = openpyxl.load_workbook(r"..\data\sample8_2.
    xlsx")
06  ws  = wb["日付書式"]
07
08  ws.cell(row = 4, column = 2).number_format =
    numbers.FORMAT_DATE_YYMMDD
09
10  wb.save(r"..\data\sample8_2.xlsx")
```

シート「日付書式」のセルB4は、openpyxl.stylesのnumbersモジュールに宣言されている書式FORMAT_DATE_YYMMDD（'yy-mm-dd'）でフォーマットしています。

ここまでの処理結果を見ておきましょう。
それぞれ、どのような書式になるのか、実行後のシートを見てみましょう。

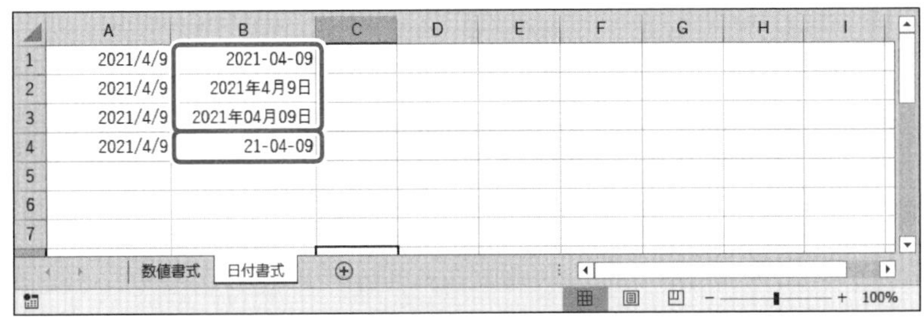

図8-2-1　B列の1〜3行目と4行目がプログラムで変更した書式

セルB1からB3が冒頭のnumber_format_03.pyで変更したところで、セルB4がnumber_format_04.pyによるものです。B4では年が下2桁の表記になっていますね。このように日付にもいろいろな書式を適用することができます。

8-3

フォント、サイズ、文字色を指定する

074: set_font_01.py

```
01  import openpyxl
02  from openpyxl.styles import Font
03
04
05  wb = openpyxl.load_workbook(r"..\data\sample8_3.
    xlsx")
06  ws  = wb["フォント"]
07
08  font_header = Font(name="游ゴシック", size=14,
    color="000FFF")
09
10  for rows in ws["A1:F1"]:
11      for cell in rows:
12          cell.font = font_header
13
14  wb.save(r"..\data\sample8_3.xlsx")
```

セルのフォントをプログラムで指定する方法を紹介しましょう。それには、Fontオブジェクトを作成して、Excelで利用可能なフォントやフォントサイズ、文字色を指定します。

2行目では、Fontクラスを簡単な記述で使えるようするために、openpyxl.stylesからFontを直接インポートします。1行目ですでにopenpyxlをインポートしていますが、これとは別にインポートしておきます。5〜6行目で処理対象のブックとシートを選択します。ここでは、ブック「sample8_3」のシート「フォント」を指定しました。ここで、処理前のこのシートを見ておきましょう。

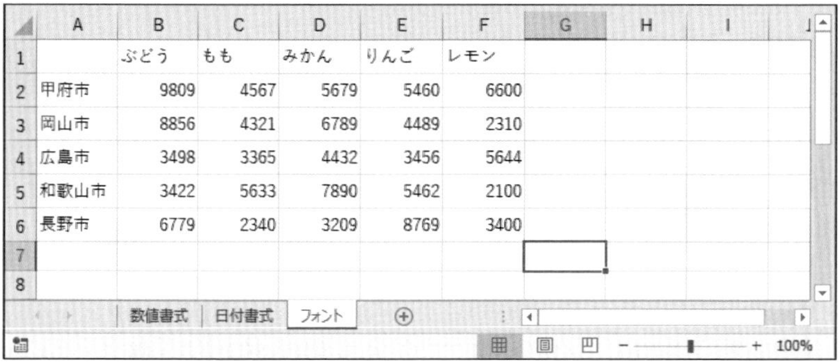

	A	B	C	D	E	F	G	H	I
1		ぶどう	もも	みかん	りんご	レモン			
2	甲府市	9809	4567	5679	5460	6600			
3	岡山市	8856	4321	6789	4489	2310			
4	広島市	3498	3365	4432	3456	5644			
5	和歌山市	3422	5633	7890	5462	2100			
6	長野市	6779	2340	3209	8769	3400			
7									
8									

数値書式　日付書式　フォント

図8-3-1　**フォントを設定する前の状態**

このプログラムでは、このシートの「ぶどう」から始まる行ヘッダー部分のフォントを設定します。最大のポイントは、8行目です。ここではfont_headerという名前でFontオブジェクト変数を作成し、フォント名に「游ゴシック」、フォントサイズに14、文字色にRGBで「000FFF」をそれぞれ指定しました。ワークシートの"A1:F1"の範囲から、行とセルを取得し、セルのfontにfont_headerを設定して、ブックを保存します。

これをまとめると、

```
08  font_header = Font(name="游ゴシック", size=14,
    color="000FFF")
```

となります。これを、指定したセル範囲に書式として適用するわけです（10〜12行目）。

これを実行して、書式が変わったことを確かめましょう。

	A	B	C	D	E	F	G	H	I
1		ぶどう	もも	みかん	りんご	レモン			
2	甲府市	9809	4567	5679	5460	6600			
3	岡山市	8856	4321	6789	4489	2310			
4	広島市	3498	3365	4432	3456	5644			
5	和歌山市	3422	5633	7890	5462	2100			
6	長野市	6779	2340	3209	8769	3400			
7									
8									

数値書式 日付書式 フォント

100%

図8-3-2　**表のヘッダーでフォントの設定を変更した。**

「ぶどう」から始まる表のヘッダー部分を指定したフォントで設定できました。

8-4

ボールド、イタリックを指定する

075: set_font_02.py

```
01  import openpyxl
02  from openpyxl.styles import Font
03
04
05  wb = openpyxl.load_workbook(r"..\data\sample8_4.
    xlsx")
06  ws  = wb["フォント"]
07
08  font01 = Font(name="游ゴシック", size=12, bold=True)
09  font02 = Font(name="MS Pゴシック", size=12,
    italic=True)
10
11  ws.cell(2, 1).font = font01
12  ws.cell(3, 1).font = font02
13
14  wb.save(r"..\data\sample8_4.xlsx")
```

フォントの設定はいろいろあります。ここではFontオブジェクトを使って、bold（太字）とitalic（斜体）を設定するコードを見ていきましょう。

上のプログラムは、ブック「sample8_4」のシート「フォント」にある表の列ヘッダーにあるセルA2の「甲府市」、セルA3の「岡山市」にそれぞれ太字と斜体を設定しようとしています。

boldとitalicの２種類のフォントを設定するために、Fontオブジェクト変数をfont01とfont02のふたつ作成しています（８行目および９行目）。

font01はボールドで、font02はイタリックです。なお、違いを確かめやすいよう、フォントそのものもそれぞれ「游ゴシック」と「MS Pゴシック」を指定しています。

セルA2にはfont01を適用し（11行目）、セルA3にはfont02を適用します（12行目）。実際にプログラムを動かして、結果を見てみましょう。

図8-4-1 **「甲府市」が游ゴシックでボールド、「岡山市」がMS Pゴシックでイタリックに**

セルA2のフォントが游ゴシックに変わり、さらにボールドに変わり、セルA3がMS Pゴシックでイタリックに設定されました。このプログラムでは変更するセルはひとつだけでしたが、セル範囲に適用するように繰り返し処理を記述すれば、font01、font02はそのまま使えます。

8-5

アンダーライン、取り消し線を引く

076: set_font_03.py

```
01  import openpyxl
02  from openpyxl.styles import Font
03
04
05  wb = openpyxl.load_workbook(r"..\data\sample8_5.
    xlsx")
06  ws  = wb["フォント"]
07
08  font01 = Font(name="游ゴシック", size=12,
    underline="single")
09  font02 = Font(name="MS Pゴシック", size=12,
    strike=True)
10
11  ws.cell(5, 1).font = font01
12  ws.cell(6, 1).font = font02
13
14  wb.save(r"..\data\sample8_5.xlsx")
```

Fontオブジェクトを使って、アンダーラインや取り消し線を引くこともできます。ここでは、ブック「sample8_5」のシート「フォント」上にある「和歌山市」にアンダーライン、「長野市」に取り消し線を引いてみようと思います。そのためのコードが、上のプログラムの8行目と9行目です。

8行目のunderlineには線の種類を指定します。ここでは「single」を指定しました。これにより、1本のアンダーライン、つまりいわゆる下線を引きます。9行目にあるようにstrikeをTrueにすると取り消し線を引きます。

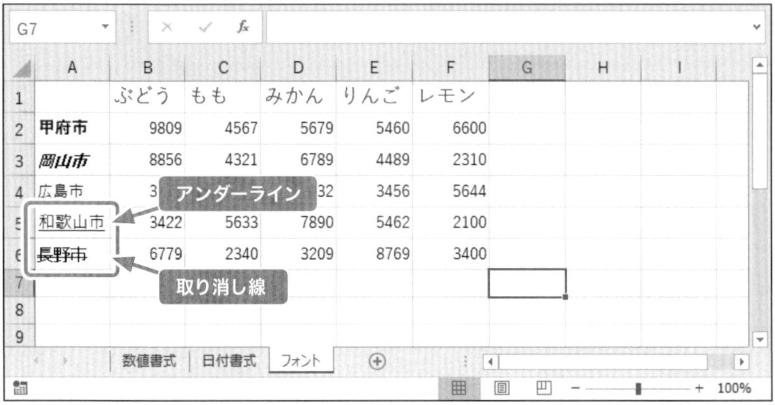

	A	B	C	D	E	F	G	H	I
1		ぶどう	もも	みかん	りんご	レモン			
2	甲府市	9809	4567	5679	5460	6600			
3	岡山市	8856	4321	6789	4489	2310			
4	広島市	3		32	3456	5644			
5	和歌山市	3422	5633	7890	5462	2100			
6	長野市	6779	2340	3209	8769	3400			
7									
8									
9									

アンダーライン

取り消し線

図8-5-1　**アンダーラインと取り消し線が引かれた**

８行目のunderlineをsingleにせずに

```
underline="double"
```

にすると、アンダーラインが二重線になります。

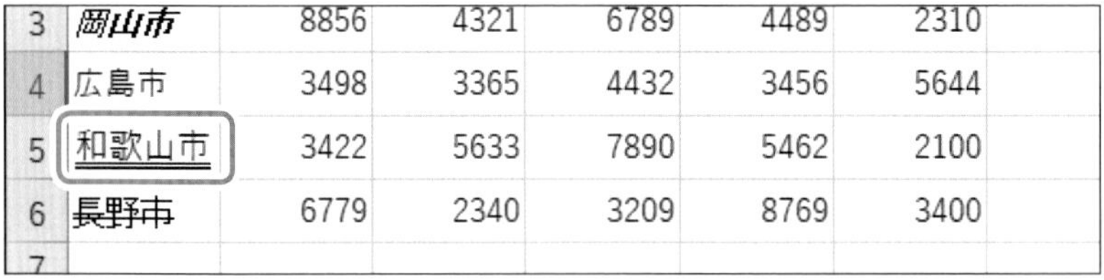

3	岡山市	8856	4321	6789	4489	2310
4	広島市	3498	3365	4432	3456	5644
5	和歌山市	3422	5633	7890	5462	2100
6	長野市	6779	2340	3209	8769	3400
7						

図8-5-2　**underlineを"double"にした場合の実行結果**

フォント設定の最後にちょっと応用を考えてみましょう。表の明細部にまとめてフォントサイズの設定をして、数値書式を設定するプログラムを紹介します。

コード8-5-1　**フォントサイズと数値の書式をまとめて設定する**

077: set_font_04.py

```
01  import openpyxl
02  from openpyxl.styles import Font
03
04
05  wb = openpyxl.load_workbook(r"..\data\sample8_5.
    xlsx")
06  ws  = wb["フォント"]
07
08  font_detail = Font(size=12)
09
10  for rows in ws["B2:F6"]:
11      for cell in rows:
12          cell.font = font_detail
13          cell.number_format = "#,##0"
14
15  wb.save(r"..\data\sample8_5.xlsx")
```

「まとめて設定する」と書きましたが、プログラムとしては①フォントサイズを設定する、②書式を数値に設定する、を別々に実行します。

見ていただきたいのは、まず8行目でFontオブジェクト変数font_detailを作っているところ。これで、フォントの大きさを指定しました。次に、10行目からワークシートのセル範囲B2:F6から、行を取得。続いて、その行のセルを順次取得します（11行目）。その各セルについてfontプロパティに、8行目のfont_detailを設定します（12行目）。続けて、数値の書式として、"#,##0"を指定します（13行目）。

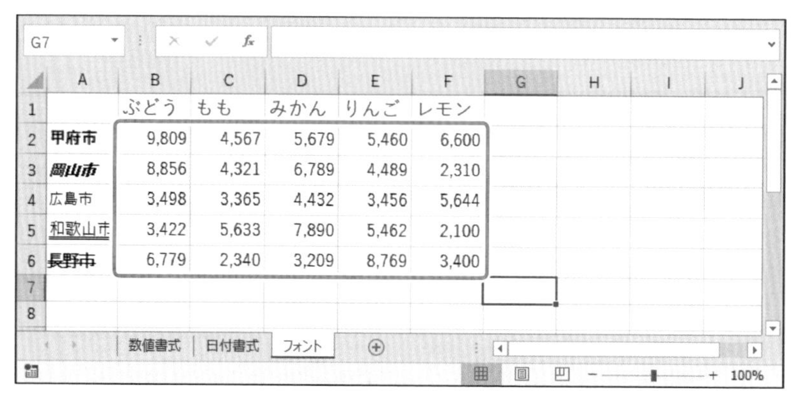

	A	B	C	D	E	F
1		ぶどう	もも	みかん	りんご	レモン
2	甲府市	9,809	4,567	5,679	5,460	6,600
3	岡山市	8,856	4,321	6,789	4,489	2,310
4	広島市	3,498	3,365	4,432	3,456	5,644
5	和歌山市	3,422	5,633	7,890	5,462	2,100
6	長野市	6,779	2,340	3,209	8,769	3,400

図8-5-3　**ヘッダーを除く表の数値のサイズを変え、数値の書式を設定した**

これで、明細部にフォントサイズと数値書式を設定できました。

8-6

セルを塗りつぶす

078: set_fill_01.py

```
01  import openpyxl
02  from openpyxl.styles import PatternFill
03
04
05  wb = openpyxl.load_workbook(r"..\data\sample8_6.
    xlsx")
06  ws  = wb["塗りつぶし"]
07
08  fill_01 = PatternFill(patternType="darkHorizontal",
    fgColor="A3E312")
09
10
11  for rows in ws["A1:F1"]:
12      for cell in rows:
13          #セル背景色
14          cell.fill = fill_01
15
16  wb.save("..\data\sample8_6.xlsx")
```

PatternFillオブジェクトを使って、セルを塗りつぶすことができます。それには、openpyxl.stylesよりPatternFillクラスをインポートしておくと便利です（2行目）。

上のプログラムでは、サンプルプログラム用のブック「sample8_6」のシート「塗りつぶし」を対象にするよう、5行目、6行目でそれぞれブックとシートを指定しています。

続いて、PatternFillオブジェクトの変数fill_01を作成するにあたって、patternTypeとfgColorをRGB値で指定しています。PatternFillの引数には、塗りつぶしのパターンを示すpatternTypeおよび塗りつぶす色を示すfgColorとbgColorを指定します。具体的な記述は以下のように

```
PatternFill(patternType="パターンタイプ名", fgColor="RGB値", bgColor="RGB値")
```

なりますが、単色で塗りつぶすだけならpatternTypeとfgColorを指定し、bgColorは省略します。

上記のプログラムを実行して、塗りつぶしを確認しましょう。

I9

	A	B	C	D	E	F	G	H
1		ぶどう	もも	みかん	りんご	レモン		
2	甲府市	9809	4567	5679	5460	6600		
3	岡山市	8856	4321	6789	4489	2310		
4	広島市	3498	3365	4432	3456	5644		
5	和歌山市	3422	5633	7890	5462	2100		
6	長野市	6779	2340	3209	8769	3400		
7								

図8-6-1　**patternType="solid", fgColor="A3E312"で塗りつぶした**

patternType="solid", fgColor="A3E312"でA1:F1セルを塗りつぶしました。

patternTypeには"darkDown"、"darkGrid"、"darkHorizontal"、"darkTrellis"、"darkUp"、"darkVertical"、"gray0625"、"gray125"、"lightDown"、"lightGray"、"lightHorizontal"などが指定できます。

たとえば、darkHorizontalを指定すると次のようなパターンになります。

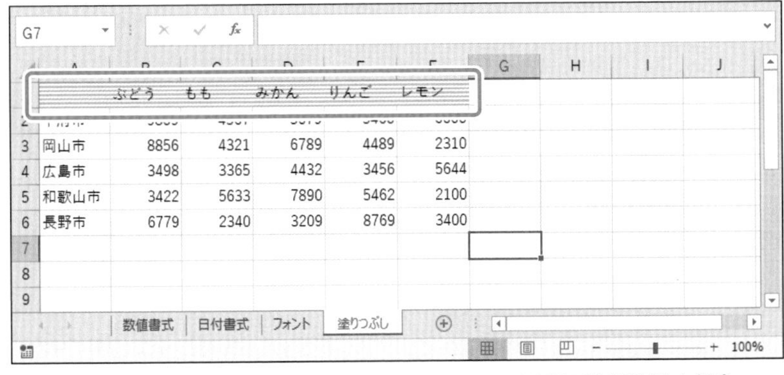

図8-6-2 **patternType="darkHorizontal", fgColor="A3E312"を指定した場合**

8-7

文字の配置を指定する

079: set_alignment_01.py

```
01  import openpyxl
02  from openpyxl.styles import PatternFill, Alignment
03
04
05  wb = openpyxl.load_workbook(r"..\data\sample8_7.
    xlsx")
06  ws  = wb["塗りつぶし"]
07
08
09  ws.row_dimensions[1].height = 36
10
11  fill_01 = PatternFill(patternType="darkHorizontal",
    fgColor="A3E312")
12  for rows in ws["A1:F1"]:
13      for cell in rows:
14          cell.fill = fill_01
15
16  ws["B1"].alignment = Alignment(horizontal="left",ve
    rtical="bottom")
17  ws["C1"].alignment = Alignment(horizontal="center",
    vertical="center")
18  ws["D1"].alignment = Alignment(horizontal="right",v
    ertical="top")
19  ws["E1"].alignment = Alignment(horizontal="distribu
    ted",vertical="bottom")
```

```
20  ws["F1"].alignment = Alignment(horizontal="distributed",vertical="center")
21
22  wb.save("..\data\sample8_7.xlsx")
```


Alignmentオブジェクトを使って、セル内の横位置（horizontal）と縦位置（vertical）の配置を指定してみましょう。上のプログラムは、「8-6　セルを塗りつぶす」で取り上げた行ヘッダーを塗りつぶすプログラム、横位置、縦位置の設定を追加したものです。

9行目で行の高さを36と高くしているのは、セル内の縦位置がわかりやすいようにするためです。これはあくまでサンプルプログラムのためのコードとご理解ください。

配置の指定は、16行目から20行目で、セルB1からF1について隠せるごとに行っています。指定するための記述は、横位置（horizontal）にはleft（左詰め）、center（中央揃え）、right（右詰め）、distributed（均等割付）などを指定することができます。縦位置（vertical）にはtop（上詰め）、center（上下中央揃え）、bottom（下詰め）が指定できます。

次の実行結果とコードを見比べながら、どう記述するとどう配置が変わるのか、実際に確認してみましょう。

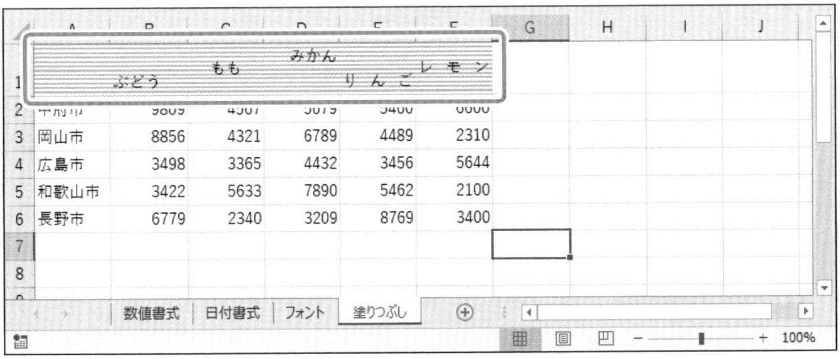

	A	B	C	D	E	F
1		ぶどう	もも	みかん	りんご	レモン
2	[illegible]	[illegible]	[illegible]	[illegible]	[illegible]	[illegible]
3	岡山市	8856	4321	6789	4489	2310
4	広島市	3498	3365	4432	3456	5644
5	和歌山市	3422	5633	7890	5462	2100
6	長野市	6779	2340	3209	8769	3400

数値書式 | 日付書式 | フォント | 塗りつぶし

図8-7-1　**B1セルからF1セルにそれぞれ異なる配置の設定をした**

次のset_alignment_02.pyは、PatternFillオブジェクトとAlignmentオブジェクトを作成して、A1:F1のセル範囲に適用します。

コード8-7-1　**セル範囲に対して文字配置を適用する**

080: set_alignment_02.py

```
01 import openpyxl
02 from openpyxl.styles import PatternFill, Alignment
03
04
05 wb = openpyxl.load_workbook(r"..\data\sample8_7.
   xlsx")
06 ws  = wb["塗りつぶし"]
07
08 ws.row_dimensions[1].height = 26
09
10 fill_01 = PatternFill(patternType="darkVertical",
   fgColor="A3E312")
11 align_01 = Alignment(horizontal="center",vertical="
   center")
12 for rows in ws["A1:F1"]:
13     for cell in rows:
14         cell.fill = fill_01
15         cell.alignment = align_01
16
17 wb.save("..\data\sample8_7.xlsx")
```

文字の配置は、11行目のalign_01で縦、横ともに中央揃えにしています。これを実行した結果で、ヘッダーの文字配置が縦横ともに中央揃えになっていることを確かめてください。

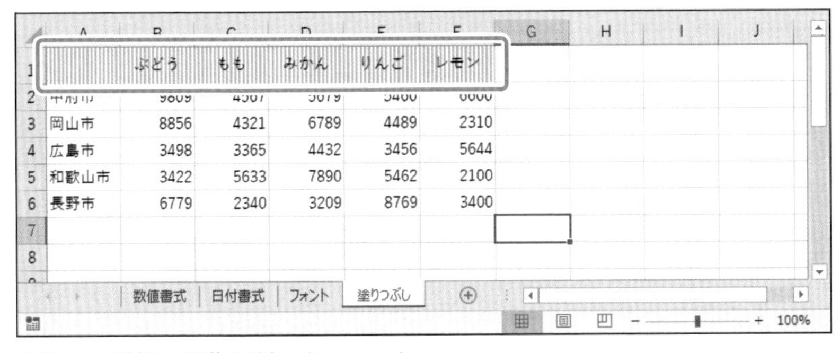

図8-7-2　**横位置、縦位置どちらもcenterに**

8-8

セルを結合する

081: merge_cells_01.py

```
01  import openpyxl
02  from openpyxl.styles import Alignment
03
04
05  wb = openpyxl.load_workbook(r"..\data\sample8_8.
    xlsx")
06  ws  = wb["セルの結合"]
07
08  ws["B2"] = "セルの結合をテスト"
09  ws.merge_cells("B2:D2")
10  ws["B2"].alignment = Alignment(horizontal="center")
11  #ws.unmerge_cells("B2:D2")
12
13  wb.save(r"..\data\sample8_8.xlsx")
```

Excelでビジネス文書を作成するときに、よく使う機能がセルの結合です。

openpyxlでセル結合を使うには、Worksheetオブジェクトのmerge_cellsメソッドに結合するセル範囲を指定してします。

ここではブック「sample8_8」のシート「セルの結合をテスト」上でB2:D2のセル範囲を結合するという想定でプログラムを作ってみました。

結合セルに入力する文字列「セルの結合をテスト」は、シート「セルの結合」のB2に入力しておきました（8行目）。

セル結合の記述は9行目です。シート「セルの結合」に対して、引数に結合する範囲であるB2:D2を文字列として与えたmerge_cellsメソッドを実行します。

結合したセルでは文字列を中央揃えにするのとセットで使われることも多いと思います。そこで、2行目ではopenpyxl.stylesからAlignmentを別途インポートしました。これにより、シンプルな記述で文字列を中央揃え(center)にできます(10行目)。

これを実行して、セル結合ができているか確かめてください。

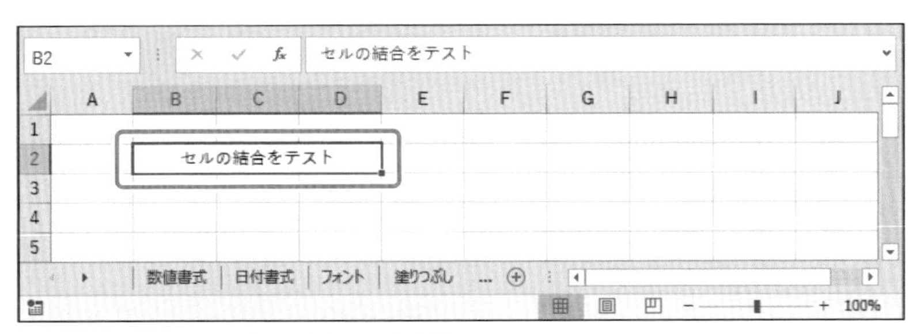

図8-8-1　**B2:D2を結合し、文字列は中央揃えに**

逆に結合を解除するには、Worksheetオブジェクトのunmerge_cellsメソッドを結合したセルに対して、

```
ws.unmerge_cells("B2:D2")
```

のように使用します。merge_cells_01.pyでは、11行目にコメントとして記述済みです。行頭のコメント記号を削除して実行すると、9行目で結合したセル範囲B2:D2を、11行目で解除する処理をします。この状態でプログラムを実行すると、セルB2に中央揃えで「セル結合のテスト」という文字列が入力された状態になります。

図8-8-2　B2:D2のセル結合を解除

8-9

罫線を引く

082: set_border_01.py

```
01  import openpyxl
02  from openpyxl.styles import Border, Side
03
04
05  wb = openpyxl.load_workbook(r"..\data\sample8_9.
    xlsx")
06  ws  = wb["塗りつぶし"]
07
08  side1 = Side(style="thin", color="000000")
09  for rows in ws["A1:F6"]:
10      for cell in rows:
11          cell.border = Border(left=side1,
            right=side1, top=side1, bottom=side1 )
12
13  wb.save(r"..\data\sample8_9.xlsx")
```

プログラムで罫線を引いてみましょう。それには、まずSideオブジェクトを作成します。Sideオブジェクトには引数として、線のスタイルと色を指定することができます。次に、作成したSideオブジェクトを四方に配置してBorderオブジェクトを作成します。cellのborderプロパティにこのBorderオブジェクトを設定すると、罫線が作成されます。

では、上のプログラムを見ながら、具体的なコードを見ていきます。

ここでは、ブック「sample8_9」のシート「塗りつぶし」を対象に、A1からF6セルにスタイルはthin（実線（細））、色は000000（黒）で罫線を引くようにコードを作成しました。

Borderオブジェクトを作成しているのは11行目です。この行の右辺ではBorderの引数として、8行目で作成したオブジェクト変数side1を、left、right、top、bottomそれぞれに与えています。side1にはSideオブジェクト（スタイルは細い実線で色が黒）を代入してあります。これをA1からF6までの各セルの上下左右の罫線として設定します。

これを実行すると、実線（細）で黒の罫線が格子状に引かれます。

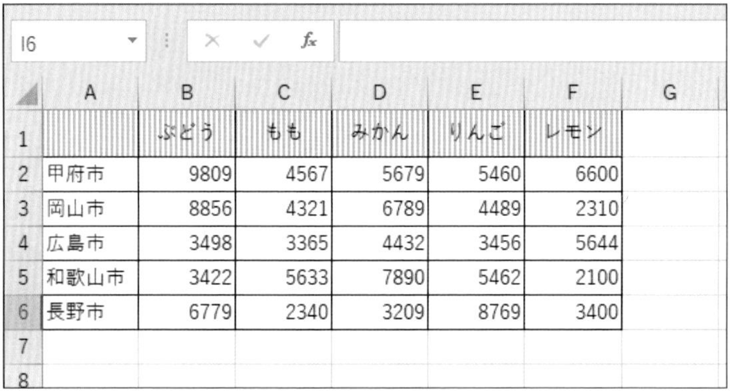

I6

	A	B	C	D	E	F	G
1		ぶどう	もも	みかん	りんご	レモン	
2	甲府市	9809	4567	5679	5460	6600	
3	岡山市	8856	4321	6789	4489	2310	
4	広島市	3498	3365	4432	3456	5644	
5	和歌山市	3422	5633	7890	5462	2100	
6	長野市	6779	2340	3209	8769	3400	
7							
8							

図8-9-1　**スタイルはthin（実線（細））、色は000000（黒）で罫線を引いた**

Borderオブジェクトのleft、right、top、bottomにはそれぞれ異なるSideオブジェクトを指定することもできます。上下左右でそれぞれ異なる罫線を設定するというのは、あまり現実的ではありませんが、コーディング例として紹介します。

コード8-9-1　**四辺にそれぞれ異なる罫線を設定する**

083: set_border_02.py

```
01  import openpyxl
02  from openpyxl.styles import Border, Side
03
04
05  wb = openpyxl.load_workbook(r"..\data\sample8_9.
```

```
    xlsx")
06  ws = wb.create_sheet()
07
08  side1 = Side(style="hair", color="FF0000")
09  side2 = Side(style="thin", color="00FF00")
10  side3 = Side(style="dashDotDot", color="0000FF")
11  side4 = Side(style="double", color="000000")
12
13  ws.cell(2,2).border = Border(left=side1,
    right=side2, top=side3, bottom=side4 )
14
15  wb.save(r"..\data\sample8_9.xlsx")
```


冒頭のプログラムと同様に、ブック「sample8_9」を操作することにしました（5行目）。こちらは、Workbookオブジェクトのcreate_sheetメソッドで新しいシートを作成します（6行目）。そして、Sideオブジェクト変数をside1からside4まで4種類作成します（8〜11行目）。side1のスタイルはhair（実線（極細））、side2はthin（実線（細））、side3はdashDotDot（二点鎖線）、side4はdouble（二重線）です。色もRGB値を変えています。これをセルB2の四辺それぞれに適用します。実行後の結果を見てみましょう。

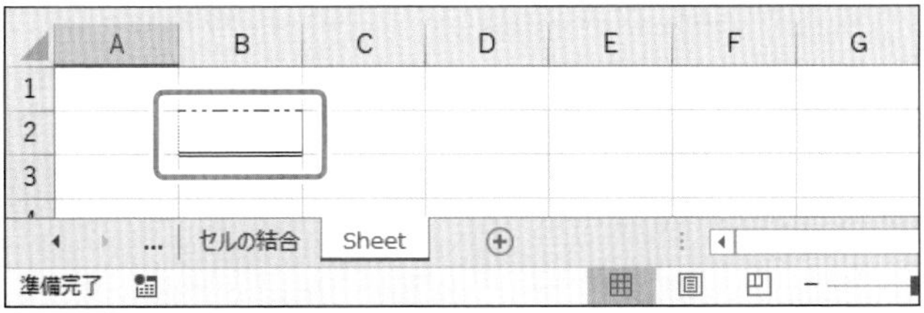

図8-9-2　**各辺に異なる罫線が引けた**

このように上下左右にそれぞれ異なるSideオブジェクトを設定して、違う罫線を引くこともできます。

8-10

複雑な罫線を引く

084: set_border_03.py

```
01  import openpyxl
02  from openpyxl.styles import Border, Side
03
04
05  wb = openpyxl.load_workbook(r"..\data\sample8_10.
    xlsx")
06  ws = wb.create_sheet()
07
08  side1 = Side(style="medium", color="000000")
09  side2 = Side(style="thick", color="00FF00")
10
11  side3 = Side(style="dashed", color="0000FF")
12  side4 = Side(style="dashDot", color="FF0000")
13
14  side5 = Side(style="double", color="000000")
15  side6 = Side(style="dashDotDot", color="77AA66")
16
17  for rows in ws["B2:C4"]:
18      for cell in rows:
19          cell.border = Border(left=side1, right=side1,
            top=side1, bottom=side1)
20  for rows in ws["E2:F4"]:
21      for cell in rows:
22          cell.border = Border(left=side2, right=side2,
            top=side2, bottom=side2)
```

```
23
24  for rows in ws["H2:I4"]:
25      for cell in rows:
26          cell.border = Border(left=side3, right=side3,
            top=side3, bottom=side3)
27
28  for rows in ws["K2:L4"]:
29      for cell in rows:
30          cell.border = Border(left=side4, right=side4,
            top=side4, bottom=side4)
31
32  for rows in ws["B6:F6"]:
33      for cell in rows:
34          cell.border = Border(top=side5)
35  for rows in ws["B9:F9"]:
36      for cell in rows:
37          cell.border = Border(bottom=side5)
38
39  for rows in ws["H6:H9"]:
40      for cell in rows:
41          cell.border = Border(left=side6)
42  for rows in ws["I6:I9"]:
43      for cell in rows:
44          cell.border = Border(right=side6)
45
46  wb.save(r"..\data\sample8_10.xlsx")
```

Excelに用意されている罫線のスタイルには、太さの異なる実線のほか、点線や一点鎖線などいろいろな表現があります。

表8-10-1　罫線のスタイル

実線	
hair	極細
thin	細
medium	中
thick	太

その他	
dashed	破線
dotted	点線
dashDot	一点鎖線
dashDotDot	二点鎖線
double	二重線

冒頭のプログラムは、シートの2行目から4行目に格子状の罫線を引きました。その際、さまざまなスタイルを織り交ぜています。6行目から9行目については、上下だけ、左右だけの罫線を引いています。先に、実行結果を見てください。

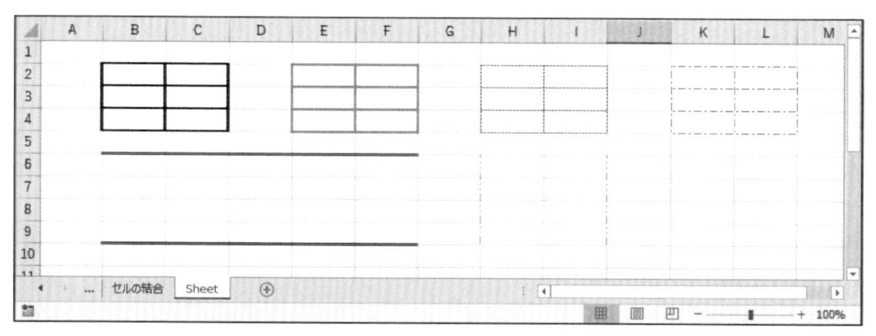

図8-10-1　いろいろな罫線を引いたところ

プログラムの8行目から15行目までは、side1からside6として、罫線の設定をSideオブジェクトで指定しています。ここで、styleは線種を表し、実線を表すhair、thin、medium、thickは、この順で太くなっていきます。このプログラムでは、side1がmedium、side2がthickです。styleではdashed（破線）とdashDot（一点鎖線）を設定しているのが、side3とside4です。それぞれH2:I4、K2:L4で、破線および一点鎖線で格子状の罫線を引いています。「8-9　罫線を引く」で見た通り、ひとつのセルに対してこれらの罫線を組み合わせて引くことも可能です。

14行目で作成したSideオブジェクト変数side5では、スタイルをdouble（二重線）にしました。これをB6:F6のtopに指定しています（32〜34行目）。これで、B6セルからF6セルの上辺に二重線が引かれます。また、B9:F9のbottomにside5を指定しているので（35〜37行目）、B9セルからF9セルの下に二重線が引かれます。

変数side6にはdashDotDot（二点鎖線）を作成して（15行目）、39行目から41行目の繰り返し処理でH6:H9のleft、42行目から44行目でI6:I9のrightに罫線を引いています。

Chapter

Excel関数や条件付き書式を使う

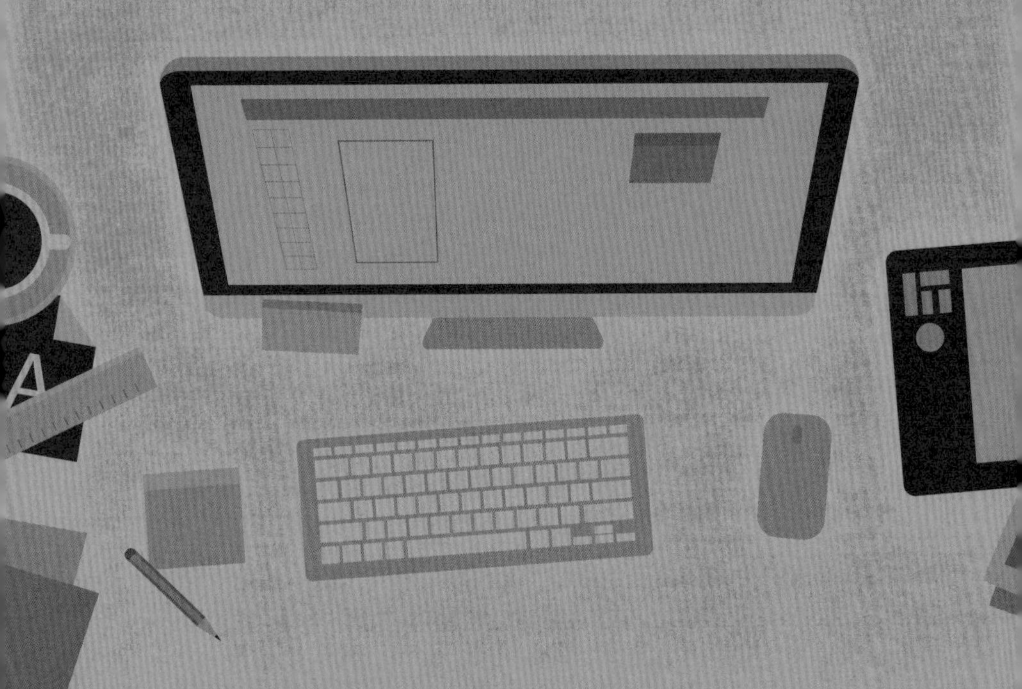

9-1

セルに数式を設定する

085: set_formula_01.py

```
01  import openpyxl
02  
03  
04  wb = openpyxl.load_workbook(r"..\data\sample9_1.
    xlsx")
05  ws = wb["四則演算"]
06  
07  ws["C1"] = "=A1+B1"
08  ws["C2"] = "=A2-B2"
09  ws["C3"] = "=A3*B3"
10  ws["C4"] = "=A4/B3"
11  
12  wb.save(r"..\data\sample9_1.xlsx")
```

セルに数式を設定するときのポイントは、数式を文字列として扱うという点です。Excelに慣れ親しんできた人にとっては、違和感があるかもしれません。でも、Pythonプログラミングでは、「セルに入力する数式は文字列として扱う」と覚えておきましょう。その際、数式の先頭にはイコール(=)を付けます。これは、Excelで数式を扱うときと同じですね。

最も簡単な数式は足し算、引き算、掛け算、割り算の四則演算でしょう。冒頭のプログラムは、ブック「sample9_1」のシート「四則演算」を選択して、A列とB列の値をもとにC列に数式をするというプログラムです。C列では上から順に、A列とB列の値を足し算、引き算、掛け算、割り算した値を求めるように数式を入力しました。Excelでは、掛け算はアスタリスク(*)、割り算はスラッシュ(/)で表しますね。これはプログラミング言語の多くと同じです。

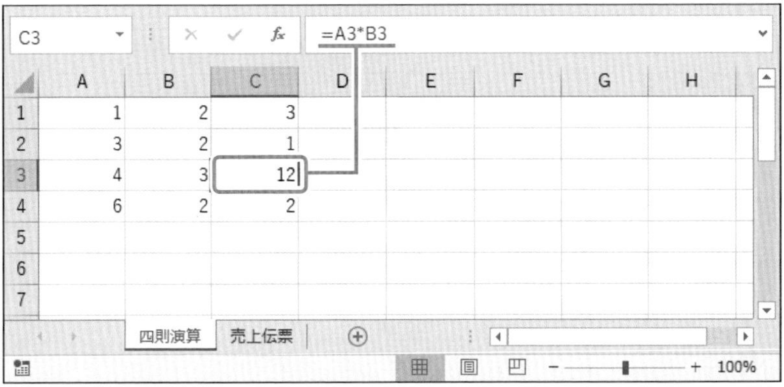

C3 =A3*B3

	A	B	C
1	1	2	3
2	3	2	1
3	4	3	12
4	6	2	2

四則演算 売上伝票

図9-1-1 **四則演算の数式を設定して計算**

数式の取り扱いの原則がわかったところで、もっと実用的な例を取り上げてみましょう。たとえば、販売した商品の単価と数量だけが入力された売上伝票があったとします。明細行において、数量×単価で金額を求める数式を設定しようと思います。

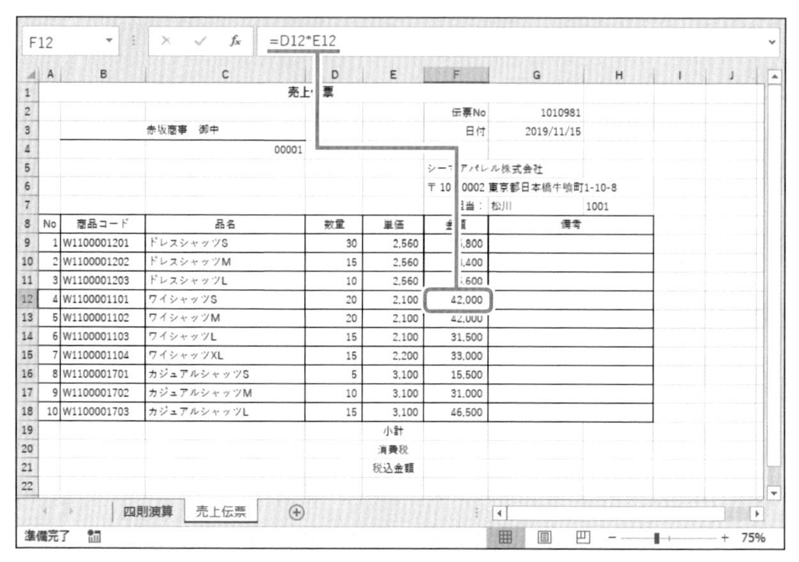

図9-1-2　**各明細行のF列(金額)に=数量*単価の数式を設定した**

これを実現するのが次のプログラムです。

コード9-1-1　**数量と単価から金額を求める数式を入力**

086: set_formula_02.py

```
01  import openpyxl
02
03
04  wb = openpyxl.load_workbook(r"..\data\sample9_1.
    xlsx")
05  ws = wb["売上伝票"]
06
07  ws["F9"] = "=D9*E9"
08  ws["F10"] = "=D10*E10"
09  ws["F11"] = "=D11*E11"
10  ws["F12"] = "=D12*E12"
11  ws["F13"] = "=D13*E13"
```

```
12  ws["F14"] = "=D14*E14"
13  ws["F15"] = "=D15*E15"
14  ws["F16"] = "=D16*E16"
15  ws["F17"] = "=D17*E17"
16  ws["F18"] = "=D18*E18"
17
18  wb.save(r"..\data\sample9_1.xlsx")
```

このようにして「金額」の列にその左にある「数量」*「単価」の数式を設定すれば各明細行の金額は計算可能です。

しかし、この書き方ではさすがにスマートではありませんね。計算する行が増えれば、それだけコーディングが大変です。明細行の数だけ数式をプログラム中に記述しないといけません。似たような処理の繰り返しなので、forループを使えばコードも簡素にできるはず。それには、Chapter5で紹介したf文字列を使います。

コード9-1-2 **f文字列を使って数式を設定**

087: set_formula_03.py

```
01  import openpyxl
02
03
04  wb = openpyxl.load_workbook(r"..\data\sample9_1.
    xlsx")
05  ws = wb["売上伝票"]
06
07  for row in ws.iter_rows(min_row=9, max_row=18):
08      row[5].value = f"=D{row[0].row}*E{row[0].row}"
09
10  wb.save(r"..\data\sample9_1.xlsx")
```

wsはシート「売上伝票」のワークシートオブジェクト変数です（5行目）。

7行目で、iter_rowsメソッドにmin_row=9、max_row=18と明細行の範囲を指定して、行(row)を取得します。rowのインデックスは0から始まりますので、row[5]がF列の「金額」の列です（8行目）。そこにf文字列で数式を設定します。

f文字列（フォーマット文字列、f-strings）では{　}の中に変数や式を記述できます。このコードでは、"=D"とrow[0].row、"*E"とrow[0].rowを連結しています。row[0].rowは行を返します。と言うかrow[n].rowはすべて同じ値を返します。列が違っても行が同じなので、いずれのセルでもrowプロパティは同じ値だからです。

本書では何度か説明してきたので繰り返しになりますが、f文字列では文字列リテラルの前にfまたはFを置き、シングルクォート(')もしくはダブルクォート(")で文字列を囲みます。なお、f文字列を利用できるのはPython 3.6以降です。以前のバージョンのまま使っている人は注意してください。

9-2

セルにExcel関数を設定する

088: set_function_01.py

```
01  import openpyxl
02
03
04  wb = openpyxl.load_workbook(r"..\data\sample9_2.
    xlsx")
05  ws = wb["売上伝票"]
06
07  ws["F19"] = "=SUM(F9:F18)"
08  ws["F20"] = "=ROUNDDOWN(F19*0.1,0)"
09  ws["F21"] = "=F19+F20"
10
11  wb.save(r"..\data\sample9_2.xlsx")
```

Excelに用意されているたくさんの関数も数式同様に使えます。勝手のわかっている関数がそのまま使えると、効率的にプログラミングできる場面もあるでしょう。ここでは、ブック「sample9_2」のシート「売上伝票」にある明細行の金額の合計にSUM関数を、消費税の端数処理にROUND系の関数を使ってみましょう。

Excel関数をプログラムに組み込むときのコツは、はじめにExcelのシート上で関数式を完成させておくこと。これを文字列としてPythonのプログラムに貼り付けると簡単にプログラミングできます。

では、具体的なコードを見ていきましょう。まず、明細行の各項目の合計額を求めます。それには元データのセルF19に、"=SUM(F9:F18)"を設定して、明細行の金額のSUM（合計）を求めます（7行目）。ここで実行後の状態を見てください。

F19 =SUM(F9:F18)

	A	B	C	D	E	F	G
7						担当：	松川
8	No	商品コード	品名	数量	単価	金額	備考
9	1	W1100001201	ドレスシャッツS	30	2,560	76,800	
10	2	W1100001202	ドレスシャッツM	15	2,560	38,400	
11	3	W1100001203	ドレスシャッツL	10	2,560	25,600	
12	4	W1100001101	ワイシャッツS	20	2,100	42,000	
13	5	W1100001102	ワイシャッツM	20	2,100	42,000	
14	6	W1100001103	ワイシャッツL	15	2,100	31,500	
15	7	W1100001104	ワイシャッツXL	15	2,200	33,000	
16	8	W1100001701	カジュアルシャッツS	5	3,100	15,500	
17	9	W1100001702	カジュアルシャッツM	10	3,100	31,000	
18	10	W1100001703	カジュアルシャッツL	15	3,100	46,500	
19						382,300	
20					消費税	38,230	
21					税込金額	420,530	

四則演算 売上伝票

準備完了 100%

図9-2-1 **セルF19にSUM関数を設定した**

消費税の計算をするとき、1円未満の端数は切り捨てます。Excelで消費税の計算する場合、1円未満の端数の処理をするにはROUNDで始まる関数を利用するのが一般的です。消費税では切り捨てをします。これにはROUNDDOWN関数を利用します。ここで作成する関数式は

```
ROUNDDOWN(F19*0.1,0)
```

ですね。第2引数を0にすると、小数点以下を切り捨てます。

F20 | =ROUNDDOWN(F19*0.1,0)

	A	B	C	D	E	F	G
16	8	W1100001701	カジュアルシャツS	5	3,100	15,500	
17	9	W1100001702	カジュアルシャツM	10	3,100	31,000	
18	10	W1100001703	カジュアルシャツL	15	3,145	47,175	
19					小計	382,975	
20						38,297	
21					税込金額	421,272	
22							

四則演算 売上伝票

準備完了 100%

図9-2-2 **セルF20に消費税額を求める関数式を入力した**

もし端数を切り上げる計算をする場合は、ROUNDUP関数を利用します。この場合の8行目は、

```
ws["F20"] = " =ROUNDUP(F19*0.1,0)"
```

です。四捨五入をする場合は、ROUND関数を利用します。この場合は、

```
ws["F20"] = " =ROUND(F19*0.1,0)"
```

です。

サンプルファイルとして提供しているブック「sample9_2」のデータを少し調整して、消費税額に小数点以下の端数が出るように調整したデータで、切り上げ、四捨五入のコードが正しく動作するか確かめてみました。

プログラムの8行目で、ROUNDDOWNにより端数処理した結果は38,297でしたね。関数をROUNDUP関数にした場合の結果を見ておきましょう。

F20 =ROUNDUP(F19*0.1,0)

	A	B	C	D	E	F	G
16	8	W1100001701	カジュアルシャッツS	5	3,100	15,500	
17	9	W1100001702	カジュアルシャッツM	10	3,100	31,000	
18	10	W1100001703	カジュアルシャッツL	15	3,145	47,175	
19					小計	382,975	
20						38,298	
21					税込金額	421,273	
22							

四則演算 売上伝票

準備完了 100%

図9-2-3　**セルF20に「=ROUNDUP(F19*0.1,0)」を設定した場合**

端数が処理され、38,298に切り上げられました。一方、ROUND関数を使って端数処理すると四捨五入になります。

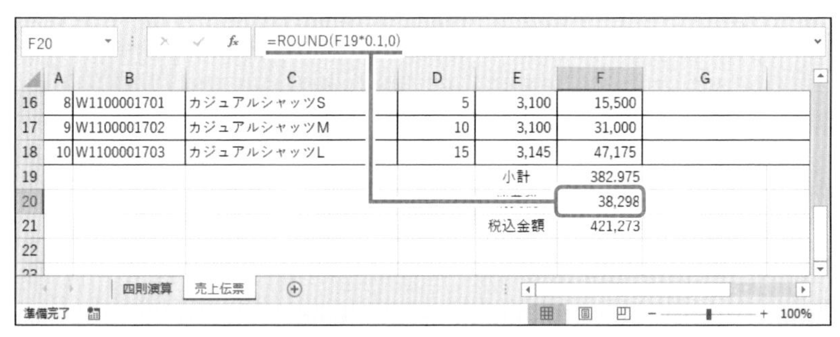
F20 =ROUND(F19*0.1,0)

	A	B	C	D	E	F	G
16	8	W1100001701	カジュアルシャッツS	5	3,100	15,500	
17	9	W1100001702	カジュアルシャッツM	10	3,100	31,000	
18	10	W1100001703	カジュアルシャッツL	15	3,145	47,175	
19					小計	382,975	
20						38,298	
21					税込金額	421,273	
22							

四則演算 売上伝票

準備完了 100%

図9-2-4　**セルF20に「=ROUND(F19*0.1,0)」を設定した場合**

9-3 関数式を相対参照でコピーする

089: translator_01.py

```
01 import openpyxl
02 from openpyxl.formula.translate import Translator
03
04
05 wb = openpyxl.load_workbook(r"..\data\sample9_3.
   xlsx")
06 ws = wb["売上伝票"]
07
08 ws["D19"] = Translator(ws["F19"].value,
   origin="F19").translate_formula("D19")
09
10 wb.save(r"..\data\sample9_3.xlsx")
```

数式や関数を相対参照でコピーしたいときはTranslatorオブジェクトを使用します。こんな売上伝票のデータを例に考えてみましょう。

F19 =SUM(F9:F18)

	A	B	C	D	E	F	G
7						担当：	松川
8	No	商品コード	品名	数量	単価	金額	
9	1	W1100001201	ドレスシャッツS	30	2,560	76,800	
10	2	W1100001202	ドレスシャッツM	15	2,560	38,400	
11	3	W1100001203	ドレスシャッツL	10	2,560	25,600	
12	4	W1100001101	ワイシャッツS	20	2,100	42,000	
13	5	W1100001102	ワイシャッツM	20	2,100	42,000	
14	6	W1100001103	ワイシャッツL	15	2,100	31,500	
15	7	W1100001104	ワイシャッツXL	15	2,200	33,000	
16	8	W1100001701	カジュアルシャッツ	5	3,100	15,500	
17	9	W1100001702	カジュアルシャッツ 1	10	3,100	31,000	
18	10	W1100001703	カジュアルシャッツ	15	3,145	47,175	
19					[illegible]	382,975	
20					消費税	38,297	
21					税込金額	421,272	
22							

四則演算 売上伝票 100%

図9-3-1 **セルF19には「=SUM(F9：F18)」と関数が入力されている**

セルF19には明細行の金額を合計するSUM関数が入力されています。引数は対象のセル範囲であるF9：F18になっています。ここで、他の列、ここではD列の数量も合計するために、セルF19の式を相対参照でコピーするプログラムを作成します。普段は手作業でやっているようなセルのコピーを自動化しようというわけです。

Translatorオブジェクトを作成するには、openpyxl.formula.translateから、Translatorクラスを単体でインポートすると良いでしょう。それを、冒頭のプログラムでは2行目で記述しました。

相対参照をするために、8行目の右辺でTranslatorオブジェクトを作成し、translate_formulaメソッドで相対参照によりコピーします。

セルF19の式をセルD19に相対参照でコピーするために、Translator作成時にその第1引数として

```
ws["F19"].value
```

としました。これにより、セルF19の式（=SUM(F9:F18)）を指定できます。

相対参照では第2引数のoriginも重要です。これを

```
origin="F19"
```

として相対参照の基点とするセル番地を指定します。この場合は基点をF19にしています。このオブジェクトに対して、translate_formulaメソッドの引数にコピー先のD19を指定して、実行しています。このプログラムを実行してみましょう。

D19　=SUM(D9:D18)

	A	B	C	D	E	F	G
7						担当：	松川
8	No	商品コード	品名	数量	単価	金額	
9	1	W1100001201	ドレスシャッツS	30	2,560	76,800	
10	2	W1100001202	ドレスシャッツM	15	2,560	38,400	
11	3	W1100001203	ドレスシャッツL	10	2,560	25,600	
12	4	W1100001101	ワイシャッツS	20	2,100	42,000	
13	5	W1100001102	ワイシャッツM	20	2,100	42,000	
14	6	W1100001103	ワイシャッツL	15	2,100	31,500	
15	7	W1100001104	ワイシャッツXL	15	2,200	33,000	
16	8	W1100001701	カジュアルシャッツS	5	3,100	15,500	
17	9	W1100001702	カジュアルシャッツM	10	3,100	31,000	
18	10	W1100001703	カジュアルシャッツL	15	3,145	47,175	
19				155	小計	382,975	
20					消費税	38,297	
21					税込金額	421,272	

四則演算　売上伝票

図9-3-2　**セルD19には「=SUM(D9：D18)」が入力された**

これで列をずらして、式をコピーすることができました。1列分をコピーするだけならばプログラムにする必要はないかもしれませんが、このようなオブジェクトとメソッドの使い方をマスターしておけば、巨大なデータで大量の集計用のセルを設定したり、それを何ファイルにもわたって同じ作業をしたりといった作業が必要になったときには、書き込み先の繰り返し処理を適切に記述することで、プログラムによる自動処理ができるようになります。

9-4 データの入力規則を設定する

090: set_dv_01.py

```
01 import openpyxl
02 from openpyxl.worksheet.datavalidation import
   DataValidation
03
04
05 wb = openpyxl.load_workbook(r"..\data\sample9_4.
   xlsx")
06 ws = wb["受注伝票"]
07
08 dv = DataValidation(type="list", formula1='"完納,一
   部納品"', allow_blank=True)
09 dv.add("D9:D18")
10 ws.add_data_validation(dv)
11
12 wb.save(r"..\data\sample9_4.xlsx")
```

入力データを限定するために、「データの入力規則」を活用している人は多いのではないでしょうか。これも、Pythonでプログラムから任意のセル範囲に、任意の規則を設定することができます。それにはDataValidationオブジェクトを作って、具体的な規則を設定します。

DataValidationオブジェクトを作成するには、あらかじめライブラリのインポートが必要です。具体的には上のコードの2行目を見てください。ここではopenpyxl.worksheet.datavalidationから、DataValidationクラスをインポートしています。こうすると、シンプルな記述でDataValidationを

利用できます。

実際に入力規則を設定しているのは8行目です。ここでDataValidationオブジェクト変数をdvという変数名で作成しています。DataValidationオブジェクト変数の書式は少々複雑なので、ここで原則となる書式を見ておきましょう。

```
DataValidation(type=入力値のタイプ, formula1=入力可能にする値, allow_blank=空白を許容するか否かのブール値（True、False))
```

DataValidationオブジェクトを作成する際、type引数には入力値の種類、formula1には入力できる値を指定します。allow_blankは空白を許容するか否かをブール値で指定します。

さて、このサンプルではシート「受注伝票」のD列に設けられた「納品状況」という欄に、DataValidation（データの入力規則）を適応します。ここではtypeにはlistを指定して、「完納」「一部納品」という文字列を入力可能にします。また、allow_blankをTrueにすると、空欄を許容する設定になります。この場合、入力規則を設定後のExcelを操作するとき、該当するセルではいったん「完納」もしくは「一部納品」を選択したあと、セル内容を削除することで空欄にできるようになります。

DataValidationオブジェクトのaddメソッドで、設定するセル範囲を追加したら（9行目）、Worksheetオブジェクトのadd_data_validationメソッドで、シートのデータ入力規則に追加します（10行目）。

このプログラムを実行することで「完納」、「一部納品」がリストから選択できるようになります。

D12 × ✓ fx

	A	B	C	D	E	F
7						
8	No	商品コード	品名	納品状況	数量	単価
9	1	W1100001201	ドレスシャッツS	完納	30	2,56
10	2	W1100001202	ドレスシャッツM	一部納品	15	2,56
11	3	W1100001203	ドレスシャッツL		10	2,56
12	4	W1100001101	ワイシャッツS		20	2,10
13	5	W1100001102	ワイシャッツM	完納	20	2,10
14	6	W1100001103	ワイシャッツL	一部納品	15	2,10
15	7	W1100001104	ワイシャッツXL		15	2,20
16	8	W1100001701	カジュアルシャッツS		5	3,10
17	9	W1100001702	カジュアルシャッツM		10	3,10

図9-4-1　**「完納」「一部納品」がリストから選択できるようになった**

処理後のブックで納品状況列のセルを選んで、データの入力規則を表示する[*1]と、入力値がリストで、元の値として、「完納」、「一部納品」が選択できることがわかります。

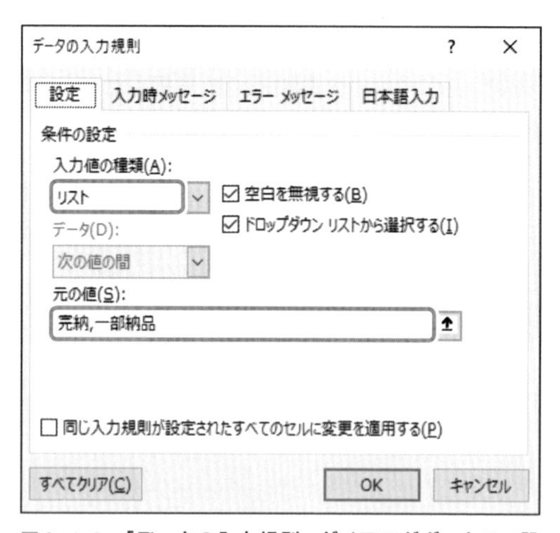

図9-4-2　**「データの入力規則」ダイアログボックスで設定内容を確認**

＊1　「データ」タブの「データの入力規則」をクリック

typeの指定により、設定できる入力値の範囲が異なります。typeに指定できるパラメータをまとめておきました。参考にしてください。

type	入力値の種類
whole	整数値
decimal	小数値
date	日付
time	時刻
textLength	文字列の長さ
list	リスト
Custom	カスタム

表9-4-1 typeの設定とそれぞれの入力値

最初のうちは、いろいろ試してみながらプログラムの記述が思った通りの設定になっているかどうか、処理後のExcelで「データ入力の規則」ダイアログボックスをそのつど開いて確かめるようにすると、理解が早まると思います。

設定時のエラーに対処するには

DataValidationをはじめ、Excelのさまざまな設定をPythonプログラムで試してみているときに、記述を間違えると最悪の場合、対象のExcelファイルを破損させてしまうことがあります。

たとえば、冒頭のプログラム8行目を

```
dv = DataValidation(type="list", formula1='"完納,一部納品"', allow_blank=True)
```

ではなく

```
dv = DataValidation(type="list", formula1='"完納","一部納品"', allow_blank=True
```

と間違ったまま実行するとファイルが壊れてしまいます。壊れてしまったファイルは再度開くときにエラーになり、ブックを回復するか否か確認するダイアログが表示されます。

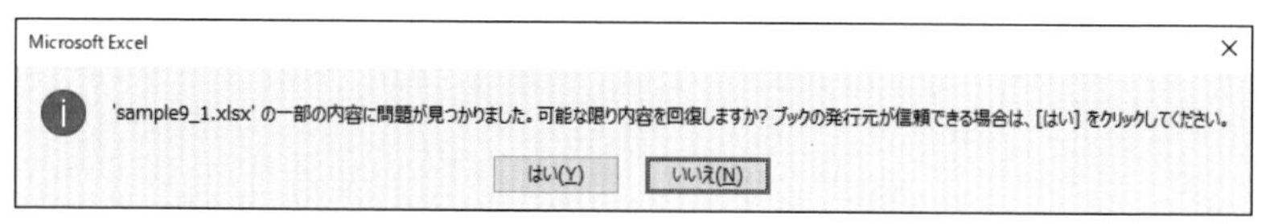

図9-4-3　**ブックの回復を確認するダイアログ**

このようなエラーが検出された場合、「はい」を選ぶことでファイルを復元できることが多いですが、それもいちいち面倒ですし、場合によっては復元できない危険も伴います。そこで、プログラムを作成している段階では、テスト結果に満足できて「完成」といえるまでは、読み込んだExcelファイルに上書き保存するのではなく、別名のExcelファイルに保存するようにしておきましょう。

例えば、ファイルを保存する12行目を以下のようにすると、読み込むファイルはsample9_4.xlsxなのに対して、保存するときはsample9_4_new.xlsxと名前を変えられます。

```
12  wb.save(r"..\data\sample9_1_new.xlsx")
```

こうしておけば、読み込んだExcelファイルには何の変更も加えられません。

そして、プログラムが安全に実行できることを確認したら、以下のように上書き保存するようにすれば良いでしょう。

```
12  wb.save(r"..\data\sample9_4.xlsx")
```

9-5

条件付き書式を設定する

091: fill_red_01.py

```
01  import openpyxl
02  from openpyxl.styles import PatternFill
03  from openpyxl.formatting.rule import CellIsRule
04
05
06  wb = openpyxl.load_workbook(r"..\data\sample9_5.
    xlsx")
07  ws = wb["前年対比"]
08
09  less_than_rule = CellIsRule(
10      operator="lessThan",
11      formula=[100],
12      stopIfTrue=True,
13      fill=PatternFill("solid", start_color="FF0000",
        end_color="FF0000")
14  )
15  ws.conditional_formatting.add("B2:B11", less_than_
    rule)
16
17  wb.save(r"..\data\sample9_5.xlsx")
```

このプログラムは、前年対比の達成率データのうち、100％に満たない達成率を赤く塗りつぶすものです。Excelでいうところの条件付き書式ですね。サンプルとして取り上げるのは、ブック「sample9_5」のシート「前年対比」

のデータです。ここには営業スタッフの成績という想定で人名と営業成績の達成率（対前年比）が入力済みです。ここで100（%）に達していない数値のところに赤で塗りつぶすことを考えました。

塗りつぶしをするために、2行目でopenpyxl.stylesからPatternFillクラスをインポートしました。次に条件付き書式のルールを作成するために、openpyxl.formatting.ruleからCellIsRule関数をインポートします（3行目）。

CellIsRule関数で書式のルールを作り、ワークシートのオブジェクト変数のconditional_formattingにaddすることで、条件付き書式が設定できます。CellIsRule関数はRuleオブジェクトを返します。

実際のコードでCellIsRule関数の使い方を見ていきましょう。上のプログラムでは、9〜14行目がCellIsRule関数による条件付き書式の定義です。

```
09  less_than_rule = CellIsRule(
10      operator="lessThan",
11      formula=[100],
12      stopIfTrue=True,
13      fill=PatternFill("solid", start_color="FF0000",
        end_color="FF0000")
14  )
```

CellIsRule関数の引数を順に見ていきましょう。operatorが条件の「〜より小さい」「〜の間」「〜より大きい」を設定する項目です（10行目）。ここでは「未満」にしたいのでlessThanを設定しています。

次のformulaにはoperatorの「〜より小さい」の「〜」にあたる値を指定します。ここでは「100未満」を条件にしたいので100を指定しました（11行目）。fillにはPatternFillで塗りつぶしを設定しました。その際、塗りつぶしパターンとしてベタに塗りつぶすsolid、塗りつぶし色にはふたつの要素start_colorとend_colorを設定します。ここではいずれも「="FF0000"」と両方にRGBで赤を指定しています。このように作成したルールless_than_ruleをB2:B11のセル範囲に設定し（15行目）、ブックを保存します

（17行目）。

これを実行すると、達成率が100未満のセルが赤く塗りつぶされています。

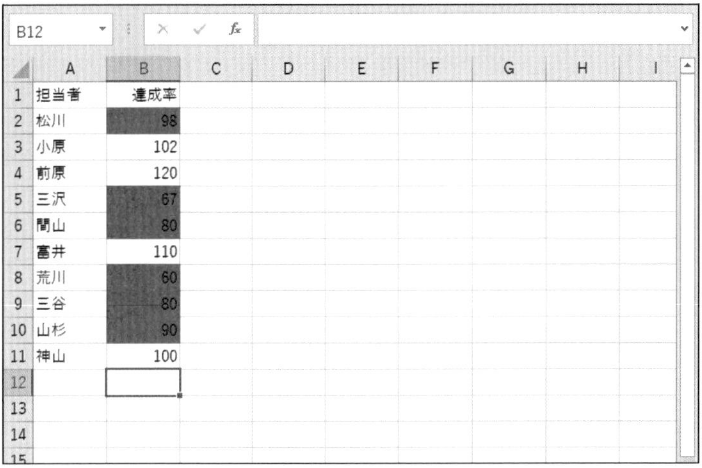

B12

	A	B
1	担当者	達成率
2	松川	98
3	小原	102
4	前原	120
5	三沢	67
6	間山	80
7	富井	110
8	荒川	60
9	三谷	80
10	山杉	90
11	神山	100

図9-5-1　**条件付き書式がExcelでどのように表現されているか確認する**

実際にどのように条件付き書式が設定されたか、Excelで確認してみましょう。ルールを適用したセル範囲を選んだ状態で、「ホーム」タブで「条件付き書式」をクリックし、「ルールの管理」を選択して、「条件付き書式ルールの管理」ダイアログボックスを開きます。

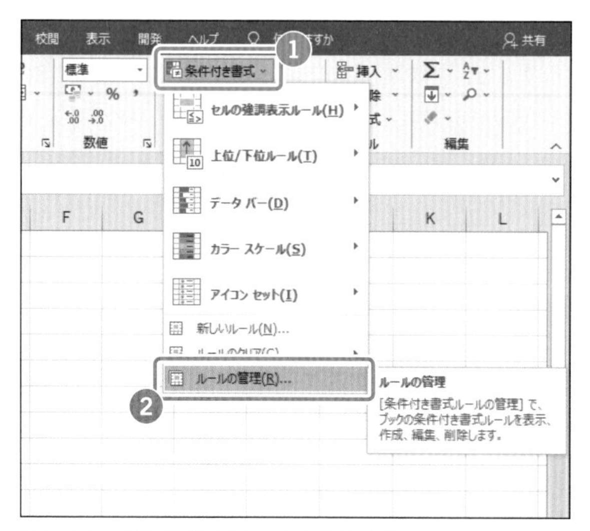

図9-5-2　**「条件付き書式ルールの管理」を開く**

左から順に、セルの値が100より小さかったら、赤く塗りつぶす、B2:B11の範囲と設定されていることがわかります。

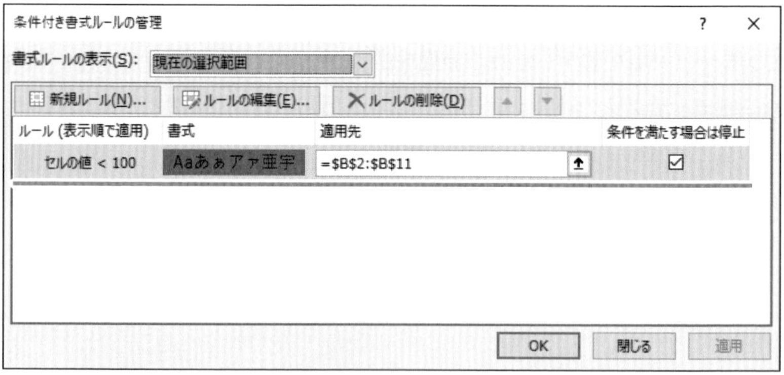

条件付き書式ルールの管理

書式ルールの表示(S): 現在の選択範囲

新規ルール(N)...　ルールの編集(E)...　ルールの削除(D)

ルール (表示順で適用)	書式	適用先	条件を満たす場合は停止
セルの値 < 100	Aaあぁアァ亜宇	=$B$2:$B$11	☑

OK　閉じる　適用

図9-5-3　**条件付き書式のルールを確認する**

9-6

条件付き書式にカラースケールを設定する

092: color_scale_01.py

```
01  import openpyxl
02  from openpyxl.formatting.rule import ColorScaleRule
03
04
05  wb = openpyxl.load_workbook(r"..\data\sample9_6.
    xlsx")
06  ws = wb["前年対比"]
07
08  two_color_scale = ColorScaleRule(
09      start_type="min", start_color="FF0000",
10      end_type="max", end_color="FFFFFF"
11  )
12
13  ws.conditional_formatting.add("B2:B11", two_color_
    scale)
14
15  wb.save(r"..\data\sample9_6.xlsx")
```

条件付き書式で設定する塗りつぶしに、カラースケールを設定してみましょう。こんな状態をプログラムで作りたいと思います。

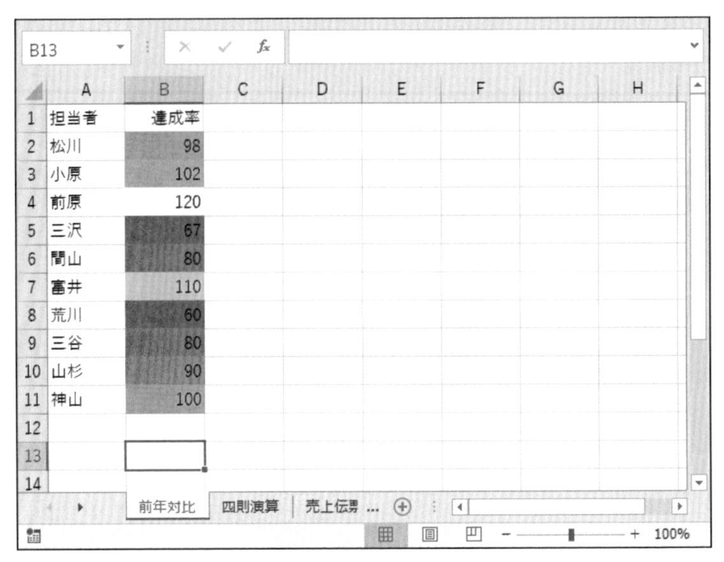

図9-6-1　**カラースケールを設定した状態**

達成率が小さいときは赤く、大きいときは白くといったように、段階的に色が変化する条件付き書式を設定したいと考えました。それをコーディングしたのが冒頭のプログラムです。さっそく、プログラムを具体的に見ていきましょう。

このプログラムでは、openpyxl.formatting.ruleのColorScaleRule関数を使います。そこで、これを個別にインポートするようにしました（2行目）。

ColorScaleRule関数でルールを作っているのが、8行目から11行目です。

```
08  two_color_scale = ColorScaleRule(
09      start_type="min", start_color="FF0000",
10      end_type="max", end_color="FFFFFF"
11  )
```

引数は9行目および10行目に記述しています。start_typeはカラースケールの始点の設定でminを指定しました（9行目）。end_typeはスケールの終点で、maxを指定しています（10行目）。そして色は、始点の色としてstart_colorにFF0000（9行目）、終点の色としてend_colorにFFFFFFを指定しました（10行目）。こうすることにより値が小さければ赤（FF0000）、大きければ白（FFFFFF）とグラデーションがかかります。

なお、引数の順番は考慮する必要はありません。このため、このプログラムでは始点の設定を9行目に、終点の設定を10行目にまとめました。このほうがあとでプログラムを見返したときにわかりやすいと考えたためです。

さて、プログラムの中身に戻りましょう。作成した条件付き書式は、13行目のようにワークシート変数wsのconditional_formattingにaddすることで、シート「前年対比」に適用できます。addメソッドの引数には、第1引数に適用範囲（ここではB2:B11）、第2引数にルールを指定します。このプログラムでは変数two_color_scaleを指定していますが、その中身は8〜11行目で記述したColorScaleRule関数です。この関数はRuleオブジェクトを返します。

このプログラムの実行結果を見てみましょう

図9-6-2　**赤から白へグラデーションが設定されている**

ColorScaleRuleがExcelにどのように設定されているかも確認しておきましょうか。「ホーム」タブの「条件付き書式」をクリックし、開いたメニューから「ルールの管理」を選ぶと、「条件付き書式ルールの管理」ダイアログボックスが開きます。これを見ると、赤から白へグラデーションが設定されていますね。

このプログラムを複数回実行すると、同じルールが実行した回数分追加されます。その際、新しいルールは既存のルールの下に追加されます。全く同じコードなら同じ色のグラデーションなので見た目の影響はありませんが、異なる書式でルールを作る場合は、不要なルールを削除する必要があります。

Chapter

10

グラフを作成する

10-1

棒グラフを作る（縦・横）

093: bar_chart.py

```
01 import openpyxl
02 from openpyxl.chart import BarChart, Reference
03
04
05 wb = openpyxl.load_workbook(r"..\data\sample10_1.
   xlsx")
06 ws = wb["縦棒グラフ"]
07
08 data = Reference(ws, min_col=2, max_col=2, min_
   row=1, max_row=ws.max_row)
09 labels = Reference(ws, min_col=1, max_col=1, min_
   row=2, max_row=ws.max_row)
10 chart = BarChart()
11 chart.type = "col"
12
13 chart.style = 11
14 chart.title = "果物の消費量"
15 chart.y_axis.title = "消費量"
16 chart.x_axis.title = "市"
17
18 chart.add_data(data,titles_from_data=True)
19 chart.set_categories(labels)
20 ws.add_chart(chart, "D2")
21
22 wb.save(r"..\data\sample10_1.xlsx")
```

openpyxlライブラリのchartパッケージを使って、Pythonで各種グラフを作成することができます。本章では、棒グラフ、積み上げ棒グラフ、折れ線グラフ、面グラフ、円グラフ、ドーナツグラフ、レーダーチャート、バブルチャートなどを作成します。

まず、手始めに棒グラフを作成します。ここでは各市別にまとめたぶどうの消費量を縦棒のグラフに表そうと思います。元のデータは、ブック「sample10_1」のシート「縦棒グラフ」にあります。

	A	B
1		ぶどう
2	甲府市	9809
3	岡山市	8856
4	広島市	3498
5	和歌山市	3422
6	長野市	6779

図10-1-1　**市ごとのぶどうの消費量**

これをもとに縦棒グラフを作り、同じシートに表示するようにします。これをコーディングしたのが冒頭のプログラムです。

このbar_chart.pyでは、棒グラフ（Bar Chart）を作りやすくするために、openpyxlパッケージ本体をインポートするだけでなく（1行目）、それとは別にopenpyxl.chartパッケージからBarChartクラス、Referenceクラスをそれぞれ個別にインポートします（2行目）。

縦棒グラフの作成にはBarChartクラスのオブジェクトを作成して、typeやstyle、titleなどのプロパティを設定して、棒グラフの体裁を整えます。中でも最も重要なのが、Referenceクラスで作成しているdataオブジェクトとlabelsオブジェクトです。先にdataオブジェクトの作り方を見てみましょう。

8行目がdataオブジェクトの記述です。

```
08  data = Reference(ws, min_col=2, max_col=2, min_
    row=1, max_row=ws.max_row)
```

右辺を見てください。Referenceオブジェクトは参照を表します。その参照範囲として、グラフのデータ範囲を与えます。ここでは、dataオブジェクト（データ）は現在のシート（ws）のB列の1行（min_col=2およびmin_row=1で指定）から、B列で値の入っている最後の行（max_col=2およびmax_row=ws.max_rowで指定）までを参照します。

次の9行目でlabelsオブジェクト（カテゴリー）を設定しています。

```
09  labels = Reference(ws, min_col=1, max_col=1, min_
    row=2, max_row=ws.max_row)
```

ここでは、dataと同様にRefenceオブジェクトで範囲を指定し、A列の市名が入力されている行（2行から6行目）を参照するようにしています。

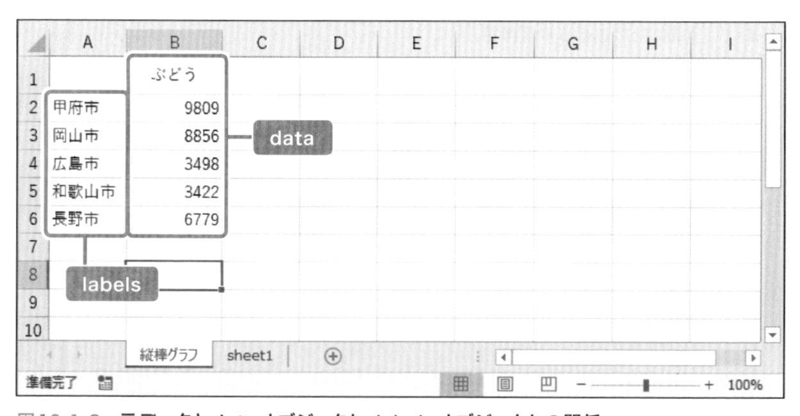

図10-1-2　**元データとdataオブジェクト、labelsオブジェクトの関係**

その先も見ていきましょう。続く10行目で、chartオブジェクトを作成し、ここでグラフの種類（このプログラムではBarChart()）を指定します。

こうしてデータと項目名、グラフの種類を指定したことにより、グラフを作成する準備が整いました。chartのadd_dataメソッドの引数にdataオブジェクトを指定することで、これらのデータ範囲をグラフの元データとしてchartに追加することで、グラフを作成できます（18行目）。その際に

```
titles_from_data=True
```

を指定すると、dataオブジェクトの1行目、つまり列見出しを棒グラフの凡例にしてくれます。

dataと同様に、chartのset_categoriesメソッドの引数にlabelsオブジェクトを指定してchartにカテゴリーをセットします（19行目）。

続く20行目でシートにグラフを作成します。ここではシート（このプログラムではws）のadd_chartメソッドでchartをセルD2に追加します。追加ですので、このプログラムを複数回実行すると、グラフが同じ位置に何枚も重なって作成されます。重なっているので見た目にはグラフが1枚に見えるかもしれませんが、実行した回数分、グラフが重複して描画されます。

これがグラフ作成の基本的なコードです。最後にsaveメソッドでブックを保存すると、次の図のようにシート上にグラフが作成されています。

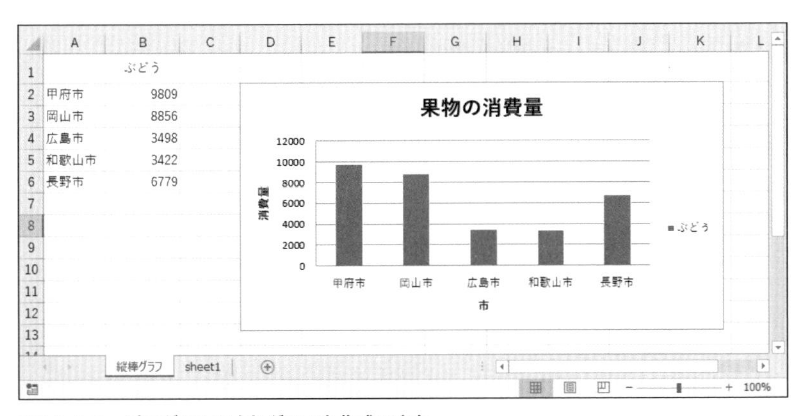

図10-1-3　**プログラムによりグラフを作成できた**

ここまでで説明をスキップしたところについても見ておきましょう。詳細な

プロパティを設定することで、グラフを作り込んでいくこともできます。

14行目から16行目にかけての記述にあるtitle、y_axis.title、x_axis.titleは言葉の通り、それぞれグラフのタイトル、Y軸のタイトル（軸ラベル）、X軸のタイトル（軸ラベル）です。

13行目のchart.styleでは、指定する数字を変えると、グラフの見た目が変化します。この例のように11だと棒グラフの棒が青色ですが、1だとグレイ、28だとオレンジ色、30だと黄色に近くなります。37だとグラフの背景が薄いグレイ、45だと全体の背景が黒くなりました。

ちなみに11行目のchart.typeでは、棒グラフを縦にするか、横にするかを指定できます。"col"を指定すると、このサンプルのように縦棒のグラフになりますが、

```
chart.type = "bar"
```

とすると横棒になります。

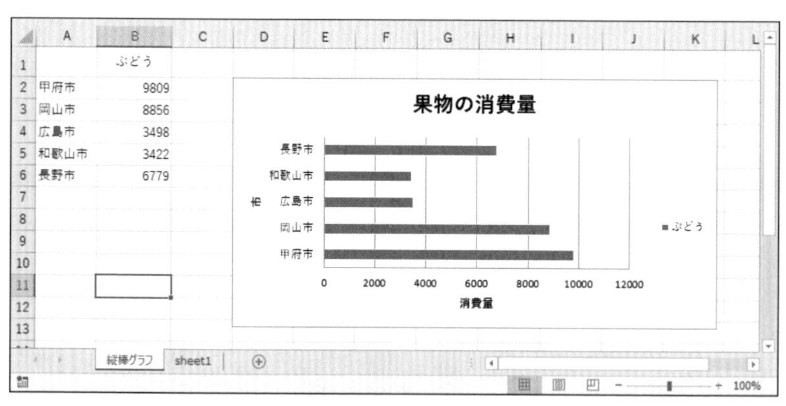

図10-1-4　chart.type = "bar"で横棒グラフになる

10-2

積み上げ棒グラフを作る

094: bar_chart_stacked.py

```
01 import openpyxl
02 from openpyxl.chart import BarChart, Reference
03
04
05 wb = openpyxl.load_workbook(r"..\data\sample10_2.
   xlsx")
06 ws = wb["積み上げ"]
07
08 data = Reference(ws, min_col=2, max_col=6, min_
   row=1, max_row=ws.max_row)
09 labels = Reference(ws, min_col=1, max_col=1, min_
   row=2, max_row=ws.max_row)
10 chart = BarChart()
11 chart.type = "col"
12 chart.grouping = "stacked"
13 #chart.grouping = "percentStacked"
14 chart.overlap = 100
15 chart.title = "果物別消費量"
16 chart.x_axis.title = "市"
17 chart.y_axis.title = "果物"
18 chart.add_data(data, titles_from_data=True)
19 chart.set_categories(labels)
20
21 ws.add_chart(chart, "B8")
22 wb.save(r"..\data\sample10_2.xlsx")
```

ここでは、積み上げ棒グラフのプログラムを見ていきましょう。市ごとにぶどうやももなどの果物の種類ごとの消費量を積み上げて、積み上げ棒グラフにします。

先に元データを見ておきましょう。

	A	B	C	D	E	F	G	H	I	J	K
1		ぶどう	もも	みかん	りんご	レモン					
2	甲府市	9809	4567	5679	5460	6600					
3	岡山市	8856	4321	6789	4489	2310					
4	広島市	3498	3365	4432	3456	5644					
5	和歌山市	3422	5633	7890	5462	2100					
6	長野市	6779	2340	3209	8769	3400					
7											
8											
9											

図10-2-1　**市ごとにまとめた果物の種類別消費量**

これを積み上げ縦棒グラフにするのが冒頭のプログラムです。プログラムの基本的な内容は、棒グラフ（10-01　棒グラフを作る）とほぼ同じです。ここでは、棒グラフのbar_chart.pyと大きく異なる部分をご説明します。

Referenceクラスのオブジェクトとして作成するオブジェクト変数dataの参照範囲はB列からF列で、列見出しも含めて値が入力されているすべての行にします（8行目）。Excelで指定するとB1:F6ですが、これをReferenceオブジェクトとして記述すると、

```
Reference(ws, min_col=2, max_col=6, min_row=1, max_
row=ws.max_row)
```

となります。

続く9行目のlabelsオブジェクトは、A列の2行目から最後までを参照します。これがカテゴリー分類になります。このlabelsを19行目のset_categoriesメソッドの引数とすることで、グラフの分類項目に設定することができます。

これにより、シート上のデータは次のように各オブジェクトが参照すること

になります。

	A	B	C	D	E	F	G	H	I	J	K
1		ぶどう	もも	みかん	りんご	レモン					
2	甲府市	9809	4567	5679	5460	6600					
3	岡山市	8856	4321	6789	4489	2310					
4	広島市	3498	3365	4432	3456	5644					
5	和歌山市	3422	5633	7890	5462	2100					
6	長野市	6779	2340	3209	8769	3400					
7											
8											
9											

data（B1:F6）、labels（A2:A6）

図10-2-2　**bar_chart_stacked.pyの参照範囲**

続けてプログラムを見ていきましょう。12行目のchart.groupingに"stacked"を指定することで、積み上げ棒グラフになります。14行目のoverlapは100にするのが標準と考えてください。ここで100より小さい数を指定すると、サイズごとの縦棒が少しずつズレて重なります。また、100を超える値を指定するとエラーになります。

このプログラムを実行して、グラフが思った通りにできているか確認しましょう。

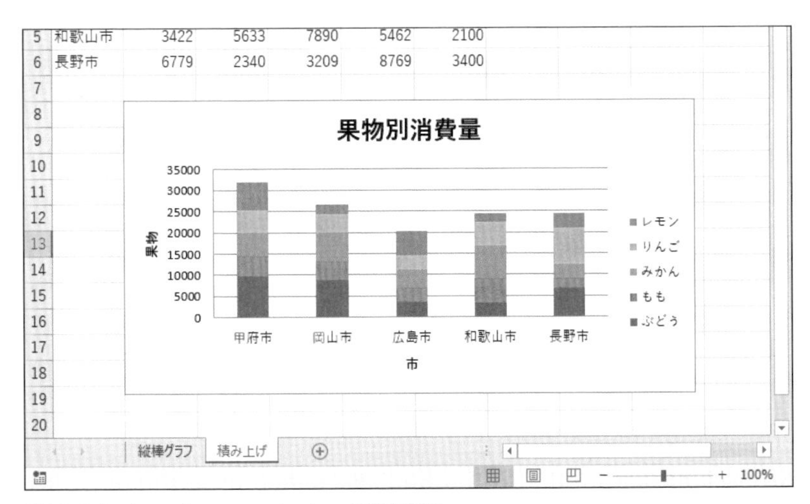

図10-2-3　**bar_chart_stacked.pyの実行結果**

シートの1行目、B列からF列にある列見出しを参照範囲に含めて、18行目のadd_dataメソッドでは

```
titles_from_data=True
```

と指定しているので、ぶどうやもも、みかんなどがグラフの凡例になっているのですね。

また、同じ積み上げ棒グラフでもサイズの構成比を見たいときは、groupingに"percentStacked"を指定します*1。コードとしては、12行目を

```
chart.grouping = "percentStacked"
```

とします。こうすると、市ごとの果物消費量の構成比を棒グラフで表すことができます。

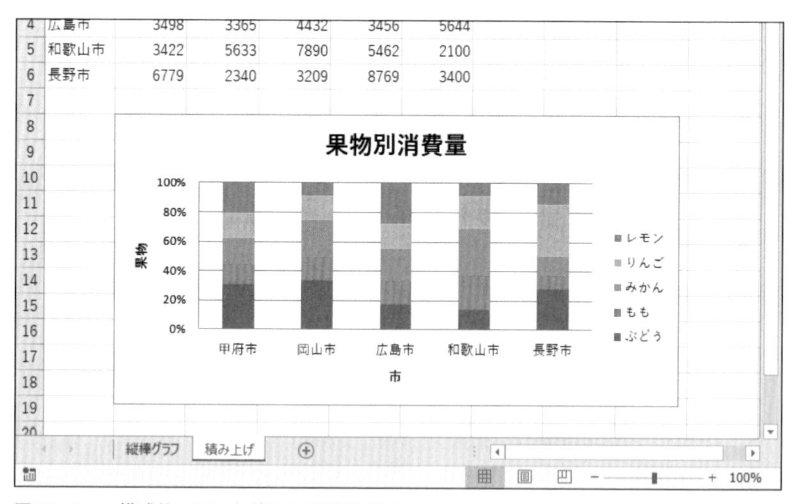

図10-2-4　**構成比で示した積み上げ縦棒グラフ**

---

*1　サンプルプログラムのbar_chart_stacked.pyでは、13行目のコメント記号を削除し、12行目をコメントアウトすると、構成比で積み上げ棒グラフを作成できます。

10-3

折れ線グラフを作る

095: ine_chart.py

```
01  import openpyxl
02  from openpyxl.chart import LineChart, Reference
03
04
05  wb = openpyxl.load_workbook(r"..\data\sample10_3.
    xlsx")
06  ws = wb["折れ線"]
07
08  data = Reference(ws, min_col=2, max_col=6, min_
    row=1, max_row=ws.max_row)
09  labels = Reference(ws, min_col=1, min_row=2, max_
    row=ws.max_row)
10
11  chart = LineChart()
12  chart.title = "果物消費量"
13  chart.y_axis.title = "消費量"
14  chart.add_data(data, titles_from_data=True)
15  chart.set_categories(labels)
16
17  ws.add_chart(chart, "A8")
18  wb.save(r"..\data\sample10_3.xlsx")
```

折れ線グラフ（Line Chart）を使うと、年ごとに果物の消費量がどのように変わってきたかといったように、推移を追うことができます。

そのためのプログラムを見ていきましょう。折れ線グラフを作るには、LineChartクラスを使います。そのため、openpyxl.chartパッケージからLineChartクラスをインポートし、同時にデータを参照する範囲を指定するためにReferenceクラスもインポートします（2行目）。

Referenceクラスによる参照範囲の設定の考え方はBarChartクラスと同様です。ここではサンプルデータとしてブック「sample10_3」のシート「折れ線」にある果物消費量のデータを使うことにします。dataオブジェクトとしてセル範囲B1:F6を（8行目）、labelsオブジェクトとしてA2:A6を指定しました（9行目）。完成例といっしょに、データの参照範囲を見ておきましょう。

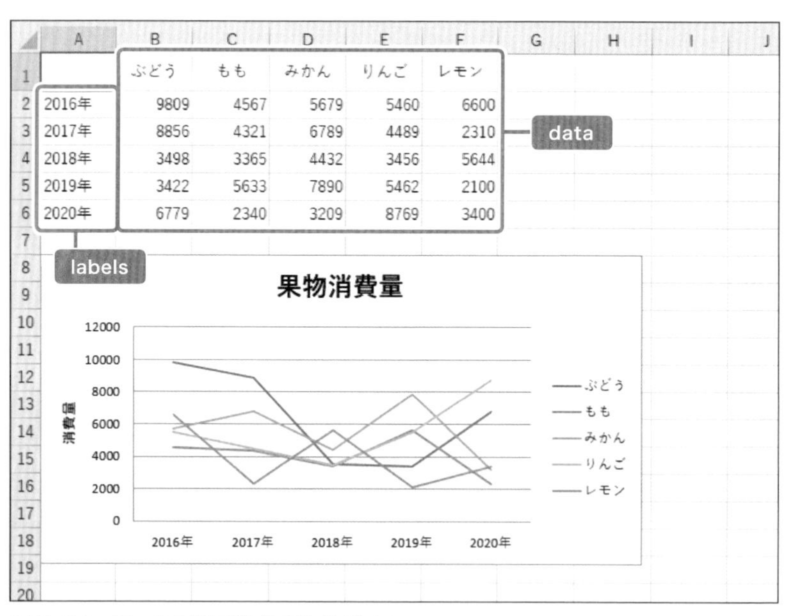

図10-3-1　**データの参照範囲と折れ線グラフ**

dataオブジェクトには1行目（シート）の列見出しを参照範囲に含めています。これを受けて、14行目（コード）のadd_dataメソッドでtitles_from_data=Trueと指定しました。これにより、セルB1からF1に入力されている「ぶどう」や「もも」が凡例になっています。

ちなみにReferenceクラスでdataオブジェクト変数を作るときの引数で、

```
max_col=6
```

とmax_colは列を数値で指定し、max_rowには

```
max_row=ws.max_row
```

と、ワークシートのmax_rowプロパティを指定するといったように、異なる記述をしています。しかしながら、ここで取り上げたデータの場合、データが入力されている列の最大は6なので、max_colにも

```
max_col=ws.max_column
```

のようにワークシートのmax_columnプロパティを指定することができます。つまり、ここで対象にしているブックで冒頭のline_chart.pyの処理をする場合、

```
max_col=6
```

と

```
max_col=ws.max_column
```

は同じ結果になるというわけです。

10-4

面グラフを作成する(積み上げ・パーセント)

096: area_chart.py

```
01 import openpyxl
02 from openpyxl.chart import AreaChart, Reference
03
04
05 wb = openpyxl.load_workbook(r"..\data\sample10_4.
   xlsx")
06 ws = wb["面グラフ"]
07
08 data = Reference(ws, min_col=2, max_col=6, min_
   row=1, max_row=ws.max_row)
09 labels = Reference(ws, min_col=1, max_col=1, min_
   row=2, max_row=ws.max_row)
10 chart = AreaChart()
11 chart.grouping = "stacked"
12 #chart.grouping = "percentStacked"
13 chart.title = "市別果物消費量"
14 chart.x_axis.title = "市"
15 chart.y_axis.title = "果物"
16 chart.add_data(data, titles_from_data=True)
17 chart.set_categories(labels)
18
19 ws.add_chart(chart, "H2")
20 wb.save(r"..\data\sample10_4.xlsx")
```

面グラフ(Area Chart)は、積み上げ棒グラフと折れ線グラフの両方の特徴を持つグラフです。これをプログラムで作成してみましょう。それが上のコード(area_chart.py)です。

上から順にポイントとなる記述を見ていきます。面グラフを作るには、AreaChartクラスを使います。それには、openpyxl.chartパッケージからAreaChartクラス, Referenceクラスをインポートします(2行目)。

11行目の

```
chart.grouping = "stacked"
```

のように、groupingに"stacked"を指定することで積み上げ面グラフになります。ここで

```
chart.grouping = "percentStacked"
```

のように"percentStacked"を指定すると、構成比を表すグラフになります。これは、積み上げ棒グラフのときと同じですね。

ここで、基にしたデータ(ブック「sample10_4」のシート「面グラフ」)と、グラフの完成形を見てください。

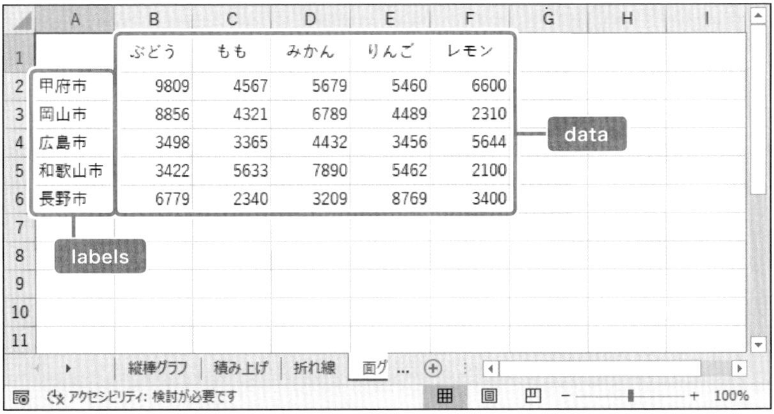

	A	B	C	D	E	F	G	H	I
1		ぶどう	もも	みかん	りんご	レモン			
2	甲府市	9809	4567	5679	5460	6600			
3	岡山市	8856	4321	6789	4489	2310			
4	広島市	3498	3365	4432	3456	5644			
5	和歌山市	3422	5633	7890	5462	2100			
6	長野市	6779	2340	3209	8769	3400			
7									
8									
9									
10									
11									

data

labels

縦棒グラフ 積み上げ 折れ線 面グ ...

アクセシビリティ: 検討が必要です 100%

図10-4-1 **面グラフが参照するデータ範囲**

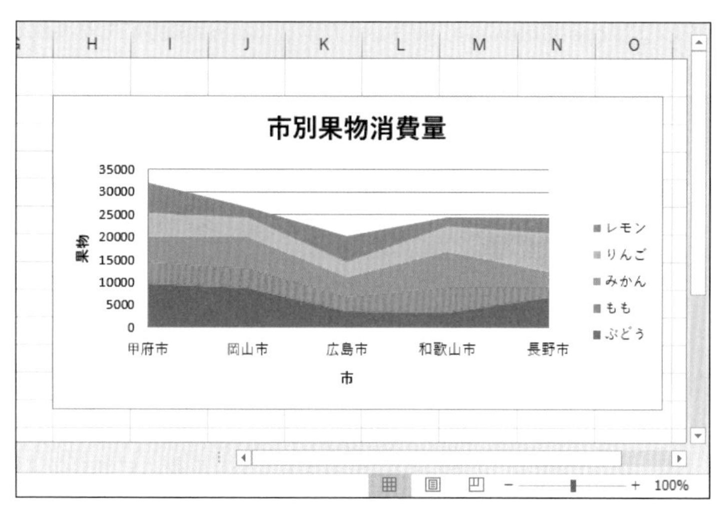

図10-4-2　**プログラムで描画した積み上げ面グラフ**

Referenceクラスによる参照範囲の設定はBarChartやLineChartクラスと変わりません（8行目および9行目）。dataオブジェクトとしてシート1行目の列見出しを参照範囲に含めているため、add_dataメソッドでtitles_from_data=Trueと指定することで、果物の名前が凡例になっています。各市がカテゴリー（項目）です。

ちなみに11行目で

```
chart.grouping = "percentStacked"
```

と記述し、chart_groupingにpercentStackedを指定*1した場合は、次の図のように構成比を示す積み上げ面グラフになります。この記述は「10-2　積み上げ棒グラフを作る」で説明したコードと同じですね。

*1　サンプルプログラムのarea_chart.pyでは、12行目のコメント記号を削除し、11行目をコメントアウトすると、構成比で積み上げ面グラフを作成できます。

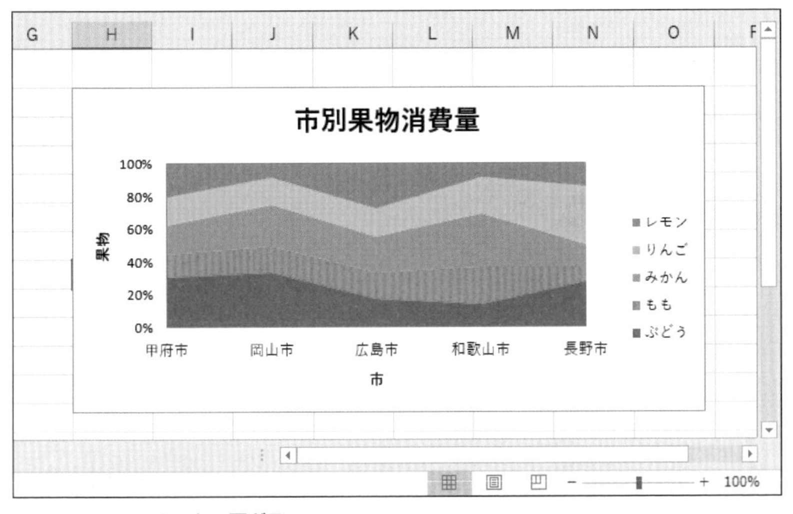

図10-4-3　パーセントの面グラフ

10-5

円グラフを作成する

097: pie_chart_01.py

```
01  import openpyxl
02  from openpyxl.chart import PieChart, Reference
03
04
05  wb = openpyxl.load_workbook(r"..\data\sample10_5.
    xlsx")
06  ws = wb["円グラフ"]
07
08  data = Reference(ws, min_col=2, min_row=1, max_
    row=ws.max_row)
09  labels = Reference(ws, min_col=1, min_row=2, max_
    row=ws.max_row)
10
11  chart = PieChart()
12  chart.title = "市のぶどう消費量"
13  chart.add_data(data, titles_from_data=True)
14  chart.set_categories(labels)
15
16  ws.add_chart(chart, "D2")
17  wb.save(r"..\data\sample10_5.xlsx")
```

ここでは、円グラフを作成するためのコードを紹介しましょう。種類はふたつ。通常の円グラフと、一部の要素を切り出した円グラフを作成します。では、まず通常の円グラフを作るプログラムを見ていきます。

円グラフ（Pie Chart）を作るには、PieChartクラスを使います。そのために冒頭のプログラム（pie_chart_01.py）では、2行目でopenpyxl.chartパッケージからPieChartクラス，Referenceクラスをインポートします。

Referenceクラスによる参照範囲の設定は、これまでと考え方は変わりません。円グラフではA列の市の名前を凡例にしています。

	A	B	C	D	E	F	G	H
1		ぶどう						
2	甲府市	9809						
3	岡山市	8856						
4	広島市	3498						
5	和歌山市	3422						
6	長野市	6779						
7								
8								

data

labels

図10-5-1　**円グラフのデータを参照している範囲**

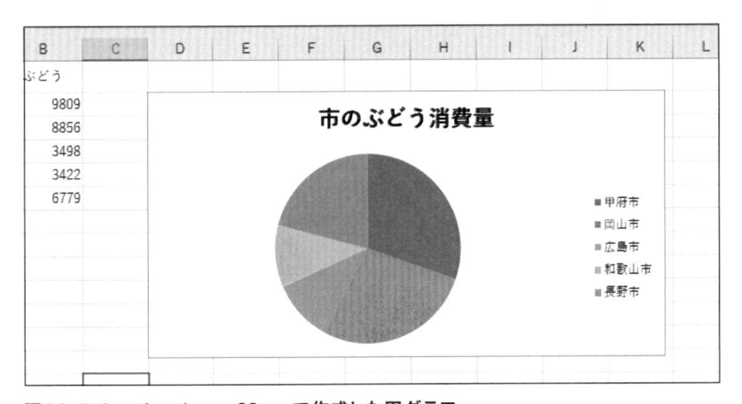

図10-5-2　**pie_chart_01,pyで作成した円グラフ**

本章のプログラムを順に見て来た人にとっては、これまで見てきたような記述がたくさんあるように見えるでしょう。実際、11行目で

```
chart = PieChart()
```

とすることでグラフの種類を円グラフと指定している以外は、同じ考えでプログラムを作ることができます。

さて、pie_chart_01.pyでは何の変哲もない円グラフになってしまいましたね。最初の扇形を切り出して、表現力の高いグラフにしてみましょう。

コード10-5-1 **特定の要素を切り出して強調した円グラフ**

098: pie_chart_02.py

```
01  import openpyxl
02  from openpyxl.chart import PieChart, Reference
03  from openpyxl.chart.series import DataPoint
04
05
06  wb = openpyxl.load_workbook(r"..\data\sample10_5.
    xlsx")
07  ws = wb["円グラフ"]
08
09  data = Reference(ws, min_col=2, min_row=1, max_
    row=ws.max_row)
10  labels = Reference(ws, min_col=1, min_row=2, max_
    row=ws.max_row)
11
12  chart = PieChart()
13  chart.title = "市のぶどう消費量"
14  chart.add_data(data, titles_from_data=True)
15  chart.set_categories(labels)
16
17  slice = DataPoint(idx=0, explosion=30)
18  chart.series[0].data_points = [slice]
19
20  ws.add_chart(chart, "D2")
21  wb.save(r"..\data\sample10_5.xlsx")
```

切り出し円グラフを作るには、pie_chart_01.pyでインポートしたライブラリやクラスに加えて、DataPointクラスのインポートが必要です。pei_chart_01.pyでは、3行目でopenpyxl.chart.seriesからDataPointを別途インポートしています。これで、円グラフの中の扇形を切り出せるようになります。

17行目が切り出すための設定をするコードです。

17行目のDataPointオブジェクトでは、引数のidxで切り出す扇形のインデックスを指定します。ここでは最初の要素を切り出したいので

```
idx=0
```

としました。もうひとつの引数であるexplosionには円グラフとの離れ具合を指定します。ここでは30を指定しました。

そして18行目で、作成したsliceオブジェクトを、chartオブジェクトのseries[0].data_pointsに設定することで切り出しが行われます。これでプログラムを実行してみましょう。

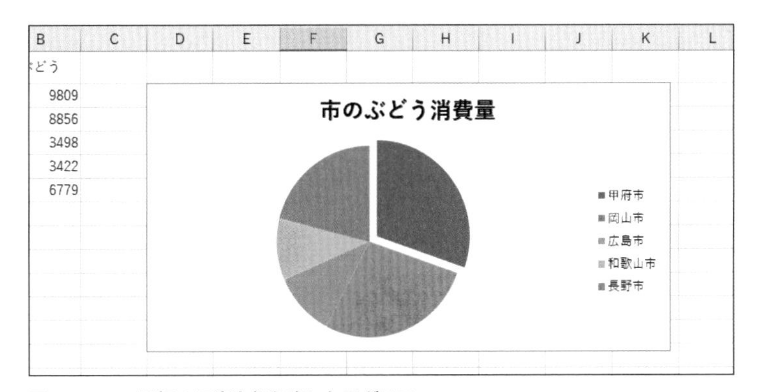

図10-5-3　**最初の要素を切り出した円グラフ**

ここで17行目を書き換えて、たとえば

```
17  slice = DataPoint(idx=1, explosion=50)
```

とすると、2番目の扇形が少し多めに離れて、切り出されます。

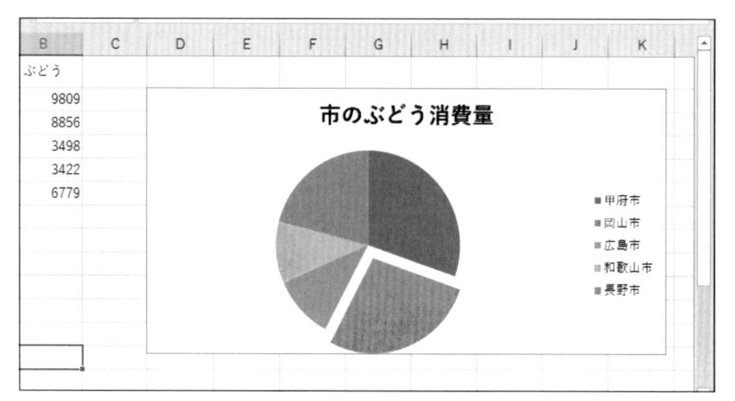

図10-5-4　**2番目の要素を大きく切り出す設定で描画した円グラフ**

10-6

レーダーチャートを作成する

099: radar_chart.py

```
01  import openpyxl
02  from openpyxl.chart import RadarChart, Reference
03
04
05  wb = openpyxl.load_workbook(r"..\data\sample10_6.
    xlsx")
06  ws = wb["レーダー"]
07
08  data = Reference(ws, min_col=2, max_col=6, min_
    row=1, max_row=6)
09  labels = Reference(ws, min_col=1, min_row=2, max_
    row=6)
10
11  chart = RadarChart()
12  #chart.type = "filled"
13  chart.title = "果物の消費量"
14  chart.add_data(data, titles_from_data=True)
15  chart.set_categories(labels)
16
17  ws.add_chart(chart, "B8")
18  wb.save(r"..\data\sample10_6.xlsx")
```

レーダーチャートを作ってみましょう。ここではブック「sample10_6」のシート「レーダー」のデータをもとに、同じシートにグラフを作ろうと思います。

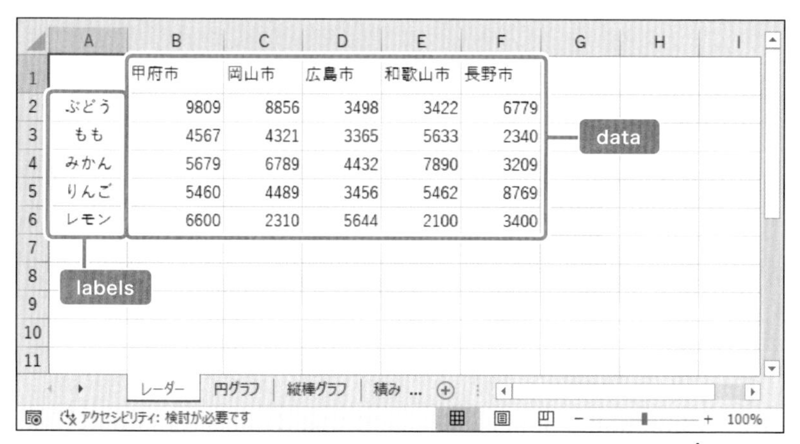

図10-6-1　**レーダーチャート用のデータと参照した範囲**

このデータをもとにレーダーチャートを作るのが冒頭のプログラムです。

レーダーチャート（Radar Chart）を作るには、RadarChartクラスを使います。それには、openpyxl.chartパッケージからRadarChartクラスとReferenceクラスをインポートします（2行目）。

Referenceクラスによる参照範囲の設定はこれまで同様にdataは1行目から、カテゴリーにセットするlabelsは2行目からです（8行目および9行目）。

それからこれもこれまで同様ですが、add_dataメソッドでtitles_from_data=Trueと指定して、dataの1行目を凡例にします（14行目）。

このプログラムを実行して作成したレーダーチャートを見てみましょう。

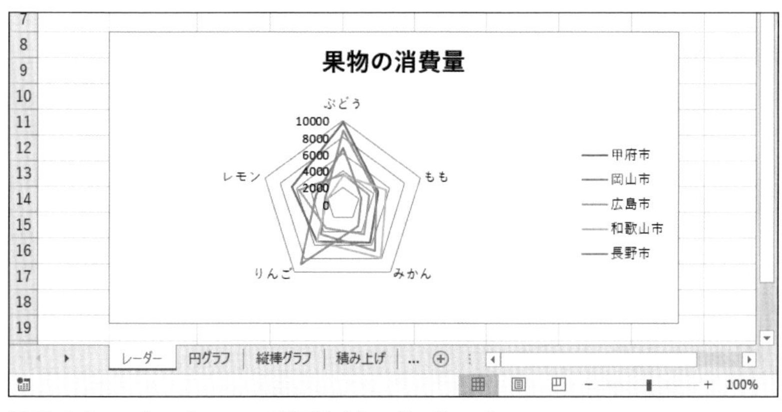

図10-6-2　**radar_chart.pyで作成したレーダーチャート**

レーダーチャートでは数値が大きいと面積が大きくなります。この例で言うと、果物全体の消費量が多い市は面積が大きくなります。また、ここに出てくる果物をバランス良く食べている市は正多角形（このグラフの場合は正五角形）に近くなります。このように量とバランスを同時に見ることができるのがレーダーチャートの特徴です。

レーダーチャートのタイプはデフォルト（既定値）では、このサンプルのように線ですが、11行目の

```
chart = RadarChart()
```

より後ろの行で、なおかつ

```
ws.add_chart(chart, "B8")
```

より前の行のどこかで

```
chart.type = "filled"
```

とtypeに"filled"を指定することで、塗りつぶしにすることもできます[*1]。

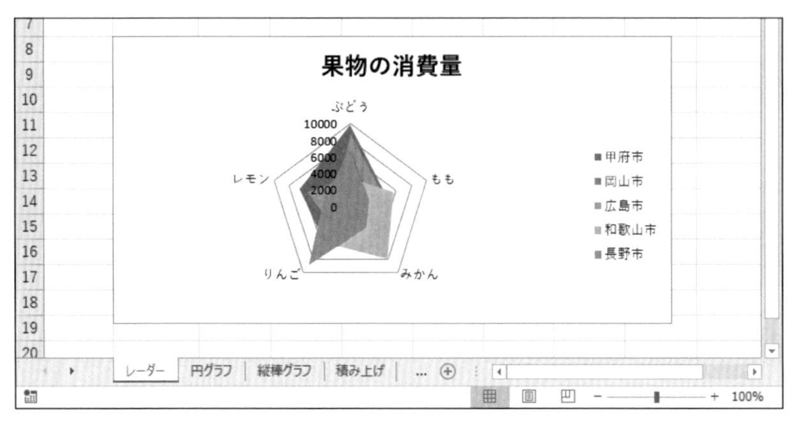

図10-6-3　**塗りつぶす設定で作成したレーダーチャート**

＊1　radar_chart.pyでは12行目にchart.type = "filled"をコメントアウトして記述しています。この行のコメント記号を削除すれば、塗りつぶす設定のレーダーチャートを作成できます。

10-7

バブルチャートを作成する

100: bubble_chart.py

```
01  import openpyxl
02  from openpyxl.chart import Series, Reference,
    BubbleChart
03
04
05  wb = openpyxl.load_workbook(r"..\data\sample10_7.
    xlsx")
06  ws = wb["バブル"]
07
08  chart = BubbleChart()
09  chart.style = 18
10  for row in range(2,ws.max_row+1):
11      xvalues = Reference(ws, min_col=3, min_row=row)
12      yvalues = Reference(ws, min_col=2, min_row=row)
13      size = Reference(ws, min_col=4, min_row=row)
14      series = Series(values=yvalues, xvalues=xvalues,
        zvalues=size,  title=ws.cell(row,1).value)
15      chart.series.append(series)
16
17  ws.add_chart(chart, "F2")
18  wb.save(r"..\data\sample10_7.xlsx")
```

バブルチャート（Bubble Chart）を使うと２次元のグラフ上の各要素を、大きさを持つバブルとして表現することで、値の大きさも合わせて表現することができます。2次元のグラフですが、バブルの大きさとX軸、Y軸の各値と3種類の指標で各要素を比較することがデータ分析に役立ちます。

ここでは、ブック「sample10_7」のシート「バブル」をもとにバブルチャートを作ろうと思います。

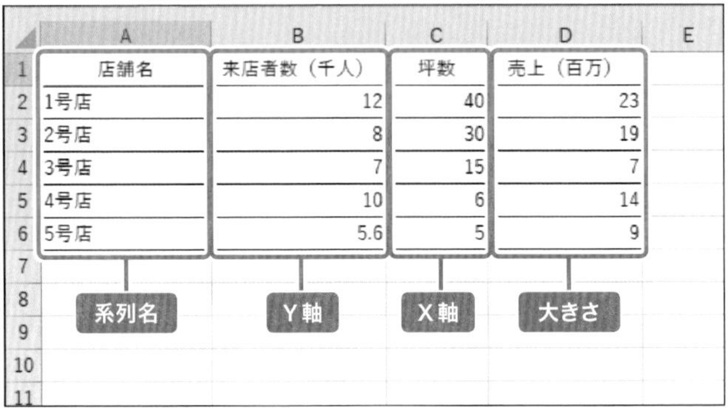

	A	B	C	D	E
1	店舗名	来店者数（千人）	坪数	売上（百万）	
2	1号店	12	40	23	
3	2号店	8	30	19	
4	3号店	7	15	7	
5	4号店	10	6	14	
6	5号店	5.6	5	9	
7					
8	系列名	Y軸	X軸	大きさ	
9					
10					
11					

図10-7-1　**レーダチャートにするデータと参照範囲**

では、bubble_chart.pyを詳しく見ていきましょう。

バブルチャート（Bubble Chart）を作るには、BubbleChartクラスを使います。それには、openpyxl.chartパッケージからRadarChartクラス，ReferenceクラスとSeriesクラスをインポートします（2行目）。

このバブルチャート作成プログラムでは、for in文にrange関数を組み合わせて、シートの2行目からデータのある最終行までデータを作成する処理をします（10行目）。

具体的な処理内容は、1行ずつSeriesオブジェクトを作り（14行目）、chartオブジェクトのseriesに追加（append）しています（15行目）。

Siriesオブジェクトは、X軸の値、Y軸の値、バブルの大きさと各要素の項目名で構成されます。

X軸には

```
min_col=3
```

で元データの「坪数」を指定し（11行目）、Y軸には

```
min_col=2
```

に来店者数を指定します（12行目）。バブルの大きさ（size）は

```
min_col=4
```

つまり売上です（13行目）。これらをそれぞれReferenceオブジェクトとして作成し、Seriesオブジェクトを作ります（14行目）。

前述の通り、14行目で作成したSeriesオブジェクトをchart.series.appendメソッドでBubbleChartオブジェクトであるchartに追加することで、複数の系列（Series）を持つバブルチャートになります（15行目）。バブルの色は系列別に自動的に変わります。

また、titleにws.cell(row,1).valueで店舗名を指定することで、店舗名が凡例になります。

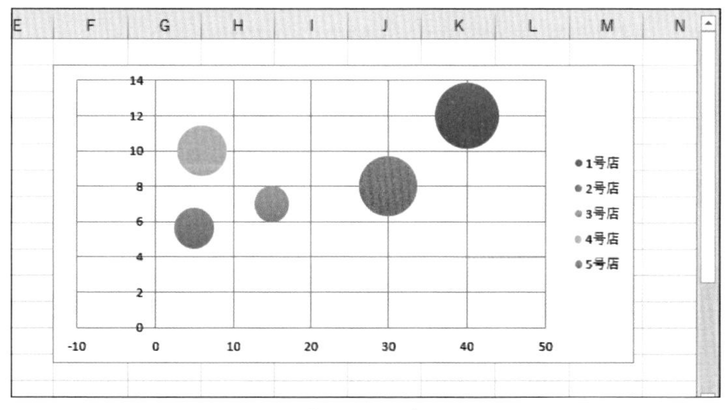

図10-7-2　bubble_chart.pyで作成したバブルチャート

Chapter

11

テーブル、印刷、その他の処理

11-1

CSVファイルとして保存する

追加で使用するライブラリ：csv

101: sheet2csv_01.py

```
01 import openpyxl
02 import csv       # 標準ライブラリ
03 
04 
05 wb = openpyxl.load_workbook(r"..\data\sample11_1.
   xlsx")
06 ws = wb["売上明細"]
07 
08 with open(r"..\data\sample11_1.
   csv","w",encoding="utf_8_sig") as fp:
09     writer = csv.writer(fp, lineterminator="\n")
10     for row in ws.rows:
11         values = []
12         for cell in row:
13             values.append(cell.value)
14         writer.writerow(values)
```

Excelファイルを CSV ファイルとして保存する方法を説明します。ご存じの方も多いとは思いますが、CSVはComma Separated Valueの略です。Comma（カンマ）でSeparated（区切った）Value（値）という意味です。CSVファイルの拡張子はcsvですが、テキストファイルなので、メモ帳などのテキストエディタで開けますし、Excelでも開くことができます。Excelのデータのような独自形式のファイルでも、いったんCSVファイルとして保存することで、他のデータベースソフトウェアや業務用ソフトウェアなど、異なるアプリケーションとの間でデータのやりとりができます。

ここでは、次のような売上明細が入力してあるシートを読み込み、CSVファイルとして出力することを考えます。このデータは、サンプルファイルのブック「sample11_1」のシート「売上明細」に用意してあります。

	D	E	F	G	H	I	J	K	L	M
1	得意先名	担当者コード	担当者名	明細No	商品コード	品名	数量	単価	金額	
2	赤坂商事	1001	松川	1	W1100001201	ドレスシャッツS	30	2,560	76,800	
3	赤坂商事	1001	松川	2	W1100001202	ドレスシャッツM	15	2,560	38,400	
4	赤坂商事	1001	松川	3	W1100001203	ドレスシャッツL	10	2,560	25,600	
5	赤坂商事	1001	松川	4	W1100001101	ワイシャッツS	20	2,100	42,000	
6	赤坂商事	1001	松川	5	W1100001102	ワイシャッツM	20	2,100	42,000	
7										

図11-1-1　**売上明細を記入したシート**

このデータをCSVに書き出すプログラムがsheet2csv_01.pyです。このプログラムではExcelファイルを扱うopenpyxlパッケージに加え、csvモジュールをインポートします（2行目）。csvは標準ライブラリなので、別段インストールする必要はありません。csvモジュールを使うことで、PythonプログラムでCSVを読み書きできるようになります。

5行目でsample11_1.xlsxを変数wbに読み込み、6行目でさらに

```
ws = wb["売上明細"]
```

で変数wsとすることで、「売上明細」ワークシート・オブジェクトをwsに取得します。ここまでは、これまで何度も見てきたコードです。以降のコードは実質9行と記述は短いですが、とてもPythonらしい特徴が端的に出ているコードです。では、じっくり味わっていきましょう。

CSVを出力するには、まず出力するファイルをopen（オープン）します。これが8行目です。ファイルをopenしたら、必ずclose（クローズ）しないといけませんが、openする際にwithを指定すると、使い終わったら自動でcloseしてくれます。このためcloseの記述を忘れたり、誤って記述したりして、あとでバグフィックスしなければならないといった手間を省けます。これは、CSVファイルに限らず外部ファイル全般に使える方法です。

8行目をもっと詳しく見ていきましょう。openの引数として、出力するファ

イル名とモード、エンコーディング（encoding）を指定しています。モードのwは書き込みを意味します。エンコーディングは文字化けしないようにBOM付きのUTF-8を示すutf_8_sigを指定します。BOMとはバイトオーダーマーク（byte order mark）のことで、Unicode（ユニコード）で符号化したテキストの先頭に付与される数バイトのデータです。BOMにより、ExcelはUnicodeの符号化方式がUTF-8かUTF-16やUTF-32なのかを判断します。いろいろな指定が可能ですが、Unicodeについてあまり詳しくないという場合は、エンコーディングにはutf_8_sigを指定すると覚えておきましょう。

8行目の最後にas fpとあるのは、こうしてopenしたCSVファイルをfp（ファイルポインタ）として取得するためです。このfpを、続く9行目のcsv.writerオブジェクトのメソッドで、書き込み先のファイルとして指定します。このメソッドの第2引数である

```
lineterminator="\n"
```

で、CSVファイルの改行コードを指定します。ここも改行コードを特に指定する必要がないという場合は、\nを指定するようにします。

10行目の

```
for row in ws.rows
```

で売上明細データのリストから各行を取得し、writer.writerow()で書き込みます。

11行目の

```
values = []
```

として初期化したvaluesはリストです。リストは他のプログラミング言語でいう配列に似ており、イテラブルなオブジェクトです。イテラブルオブジェクトとは繰り返し処理が可能なオブジェクトです。Pythonではリストやタプ

ル、文字列などがイテラブルオブジェクトです。

次の12行目では

```
for cell in row
```

で取り出したセルの値をvalues.appendメソッドでvaluesリストに追加します。そして14行目のwriterowメソッドが、1行分のデータをvaluesに取り出したところで、このリストをCSVに1行分のデータとして出力します。

こうして作成されたCSVファイルは以下の通りです。

コード11-1-1　**作成されたCSVファイル（sample_11_1.csv）**

```
01 伝票No,日付,得意先コード,得意先名,担当者コード,担当者名,明細No,商品コード,品名,数量,単価,金額,
02 1010981,2021-10-15 00:00:00,1,赤坂商事,1001,松川,1,W1100001201,ドレスシャッツS,30,2560,76800,
03 1010981,2021-10-15 00:00:00,1,赤坂商事,1001,松川,2,W1100001202,ドレスシャッツM,15,2560,38400,
04 1010981,2021-10-15 00:00:00,1,赤坂商事,1001,松川,3,W1100001203,ドレスシャッツL,10,2560,25600,
05 1010981,2021-10-15 00:00:00,1,赤坂商事,1001,松川,4,W1100001101,ワイシャッツS,20,2100,42000,
06 1010981,2021-10-15 00:00:00,1,赤坂商事,1001,松川,5,W1100001102,ワイシャッツM,20,2100,42000,
```

動作をわかりやすいようプログラミングしたため、sheet2csv_01.pyは実はちょっと冗長なコードになっています。そこで、よりPythonらしいスマートなコーディングの例をご覧いただきましょう。

コード11-1-2　**リスト内包表記を使ったCSV書き出しプログラム**

102: sheet2csv_02.py

```
01  import openpyxl
02  import csv       # 標準ライブラリ
03
04
05  wb = openpyxl.load_workbook(r"..\data\sample11_1.
    xlsx")
06  ws = wb["売上明細"]
07
08  with open(r"..\data\sample11_1.
    csv","w",encoding="utf_8_sig") as fp:
09      writer = csv.writer(fp, lineterminator="\n")
10      for row in ws.rows:
11          writer.writerow([col.value for col in row])
            #リスト内包表記
```

注目していただきたのは11行目です。

```
[col.value for col in row]
```

のような記述を「リスト内包表記」と言います。rowからcol（カラム）を取り出し、取り出した値をそのままリストの要素として展開するという意味です。[と]で囲まれているため、取り出した値はリストとして展開されます。sheet2csv_01.pyの12行目にある

```
        for cell in row:
```

のようにfor文を使う必要がなくなるので、より簡潔に記述できます。その端的な例が11行目以降の記述が1行で済んでしまっているところです。その違

いを見比べてください。

　リスト内包表記の基本的な書き方は、

```
[式 for 変数名 in イテラブルオブジェクト]
```

のようになります。

11-2

テーブルとして書式設定する

103: set_table_01.py

```
01 import openpyxl
02 from openpyxl.worksheet.table import Table,
   TableStyleInfo
03
04
05 wb = openpyxl.load_workbook(r"..\data\sample11_2.
   xlsx")
06 ws = wb["売上明細"]
07
08 table = Table(displayName="Table1", ref="A1:L8")
09 table_style = TableStyleInfo(name="TableStyleMedi
   um2", showRowStripes=True)
10
11 table.tableStyleInfo = table_style
12 ws.add_table(table)
13
14
15 wb.save(r"..\data\sample11_2_new.xlsx")
```

テーブルの作成もPythonでやってみましょう。シート上の表をテーブルに変換するとデータが見やすくなるだけでなく、フィルターによる抽出や並び替えが簡単に実行できます。ここでは次のようなデータ（ブック「sample11_2」のシート「売上明細」）をテーブルとして書式設定してみようと思います。

伝票No	日付	得意先コード	得意先名	担当者コード	担当者名	明細No	商品コード	品名	数量	単価	金額
1010981	2021/10/15	1	赤坂商事	1001	松川	1	W1100001201	ドレスシャツS	30	2,560	76,800
1010981	2021/10/15	1	赤坂商事	1001	松川	2	W1100001202	ドレスシャツM	15	2,560	38,400
1010981	2021/10/15	1	赤坂商事	1001	松川	3	W1100001203	ドレスシャツL	10	2,560	25,600
1010981	2021/10/15	1	赤坂商事	1001	松川	4	W1100001101	ワイシャツS	20	2,100	42,000
1010981	2021/10/15	1	赤坂商事	1001	松川	5	W1100001102	ワイシャツM	20	2,100	42,000
1010982	2019/11/16	2	大手ホールディングス	1001	松川	1	W1200001201	カジュアルシャツ	50	1,890	94,500
1010982	2019/11/16	2	大手ホールディングス	1001	松川	2	W1200001202	カジュアルシャツ	30	1,890	56,700

図11-2-1　**テーブルにする前の一覧表**

まず、Excelでテーブルを設定する操作手順を整理しておきます。

テーブルにセル範囲をヘッダー行（項目名）も含め選択して*1、「挿入」タブの「テーブル」を選びます。

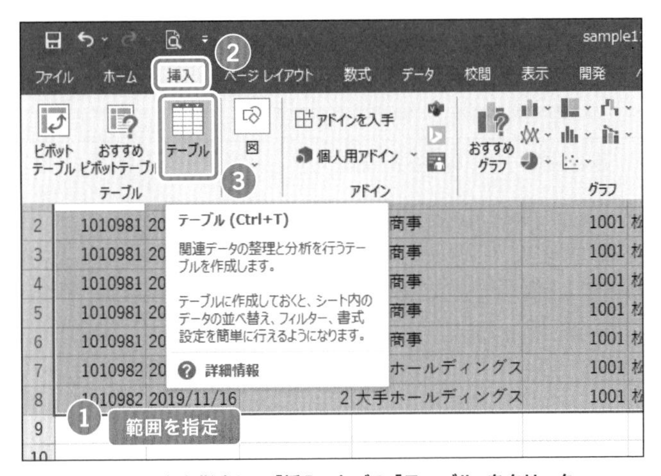

図11-2-2　**データを指定して「挿入」タブの「テーブル」をクリック**

「テーブルの作成」ダイアログボックスで、データ範囲を確認して「OK」をクリックします。

＊1　データとしてまとまっていれば、範囲内の任意のセルを選択するだけでもかまいません。

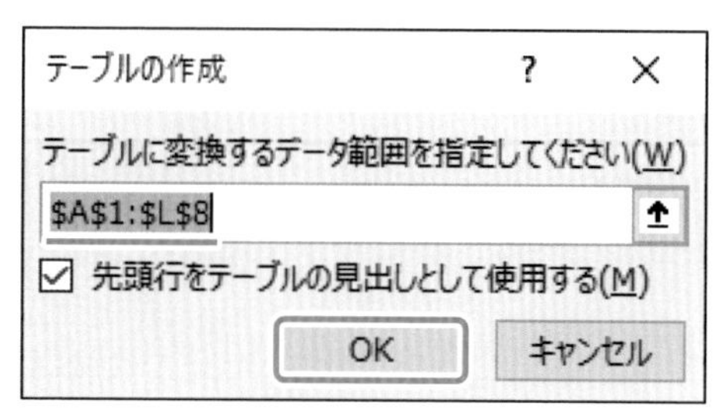

図11-2-3　**データ範囲を確認して「OK」をクリック**

これでテーブルが作成されました。

	A	B	C	D	E	F	G	H	I	J	K	L
1	伝票No	日付	得意先コー	得意先名	担当者コー	担当者名	明細N	商品コー	品名	数量	単価	金額
2	1010981	2021/10/15	1	赤坂商事	1001	松川	1	W1100001201	ドレスシャッツS	30	2,560	76,800
3	1010981	2021/10/15	1	赤坂商事	1001	松川	2	W1100001202	ドレスシャッツM	15	2,560	38,400
4	1010981	2021/10/15	1	赤坂商事	1001	松川	3	W1100001203	ドレスシャッツL	10	2,560	25,600
5	1010981	2021/10/15	1	赤坂商事	1001	松川	4	W1100001101	ワイシャッツS	20	2,100	42,000
6	1010981	2021/10/15	1	赤坂商事	1001	松川	5	W1100001102	ワイシャッツM	20	2,100	42,000
7	1010982	2019/11/16	2	大手ホールディングス	1001	松川	1	W1200001201	カジュアルシャッ	50	1,890	94,500
8	1010982	2019/11/16	2	大手ホールディングス	1001	松川	2	W1200001202	カジュアルシャッ	30	1,890	56,700
9												

売上明細　準備完了　100%

図11-2-4　**セル範囲がテーブルに変換された**

これで、商品コードで並べ替たり、フィルターを使って行を絞り込んだりが簡単にできるようになります。また、1行おきに薄い背景色がついて、一覧表としても見やすいですね。

図11-2-5　**並び替えやフィルターの適用が簡単に**

このテーブルをプログラムで作成してみましょう[*2]。冒頭のset_table_01.pyがそのプログラムです。

テーブルを作成するには、openpyxl.worksheet.tableモジュールから、TableクラスとTableStyleInfoクラスをインポートします（2行目）。

Tableクラスを使ってTableオブジェクトを作るのが8行目です。Tableオブジェクト変数tableを作成するときに、引数displayNameにテーブル名を、ref引数にテーブルにする範囲を渡します。

TableStyleInfoクラスを使ってTableStyleInfoオブジェクトを作るのが、その次の行です。TableStyleInfoオブジェクト変数table_styleの作成時には、name引数にテーブルスタイルを設定します。

テーブルスタイルは豊富に用意されています。テーブルとして書式指定として選択できるスタイルと対応しているようです。TableStyleMedium2を指定すると、Excelの操作で「テーブルとして書式設定」（「ホーム」タブ）を選んだときに、スタイル一覧で表示される「中間」の一番上、左から2番目のスタイルが適用されました。スタイル名でいうと「青、テーブルスタイル（中

＊2　実際に、Excelを操作してサンプルデータでテーブルを作成してしまった場合は、ここで解除してください。それには、テーブル内の任意のセルを選択し、「テーブル ツール」の「デザイン」タブを選択し、「範囲に変換」を実行します。

間）2」が該当します。

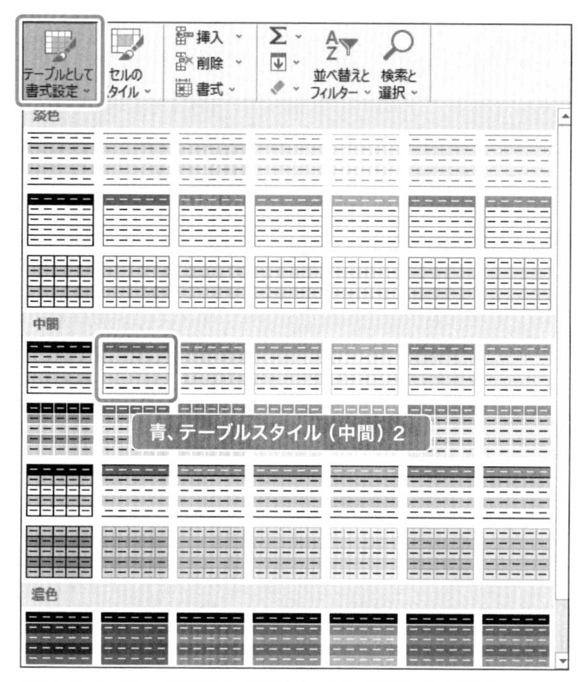

図11-2-6　Excelで「テーブルとして書式指定」した場合のTableStyleMedium2

比較例として、nameにTableStyleLight3を指定した場合のテーブルも見てください。

	A	B	C	D	E	F	G	H	I	J	K	L
1	伝票No	日付	得意先コー	得意先名	担当者コー	担当者	明細N	商品コード	品名	数量	単価	金額
2	1010981	2021/10/15	1	赤坂商事	1001	松川	1	W1100001201	ドレスシャツS	30	2,560	76,800
3	1010981	2021/10/15	1	赤坂商事	1001	松川	2	W1100001202	ドレスシャツM	15	2,560	38,400
4	1010981	2021/10/15	1	赤坂商事	1001	松川	3	W1100001203	ドレスシャツL	10	2,560	25,600
5	1010981	2021/10/15	1	赤坂商事	1001	松川	4	W1100001101	ワイシャツS	20	2,100	42,000
6	1010981	2021/10/15	1	赤坂商事	1001	松川	5	W1100001102	ワイシャツM	20	2,100	42,000
7	1010982	2019/11/16	2	大手ホールディングス	1001	松川	1	W1200001201	カジュアルシャツ	50	1,890	94,500
8	1010982	2019/11/16	2	大手ホールディングス	1001	松川	2	W1200001202	カジュアルシャツ	30	1,890	56,700
9												

売上明細

図11-2-7　TableStyleLight3は「薄いオレンジ、テーブルスタイル（淡色）3」に該当

「薄いオレンジ、テーブルスタイル（淡色）3」が適用されたのと同じスタイルになりました。

TableStyleInfoオブジェクトのもうひとつの引数showRowStripesでは、1行ごとの網かけを設定します。ここをTrueにすると、行が網掛けで表示されます。

なお、このプログラムではテーブルスタイルを変えて何度でも試すことができるように、読み込んだExcelファイルを上書きせずに、sample11_2_new.xlsxと別名で保存しています。

11-3

全角・半角の混在を解消する

追加で使用するライブラリ：unicodedata

104: normalize_01.py

```
01  import openpyxl
02  import unicodedata
03
04
05  wb = openpyxl.load_workbook(r"..\data\sample11_3.
    xlsx")
06
07  for ws in wb:
08      for row in ws.iter_rows(min_row=2, max_
        row=11,min_col=1, max_col=7 ):
09          for col in row:
10              if type(col.value) is str:
11                  ws.cell(row[0].row, col.col_idx).
                    value = unicodedata.
                    normalize('NFKC', col.value)
12
13  wb.save(r"..\data\sample11_3_new.xlsx")
```

半角カタカナを積極的に使う人は、さすがに減ってきましたが、ビジネス文書には英字が全角になっていたり、半角になっていたり、日付の数字は半角だけど、それ以外の数字は全角になっていたりと、全角・半角が混在しているものをよく見掛けます。どうしても複数メンバーでExcelファイルを共有して編集したり、複数のファイルを集めて、ひとつのブックにまとめたりするとなかなか表記を統一しきれず、全角・半角のゆれが発生しがちです。

これを目で見て探して修正するというのを、Excel上で漏れなく対応するのは難しいでしょう。そこで、売上伝票となるシートを複数集めたブックがあるとして、そうした表記のゆれを以下のように修正するプログラムを作成しようと思います。

その際のルールとして、

❶ 半角カタカナは全角カタカナへ

❷ 全角アルファベットは半角アルファベットへ

❸ 全角数字は半角数字へ

で表記を表記を統一することにしました。

ここではプログラムをわかりやすくするために、表記のゆれを直したい範囲を売上伝票の明細部に限定することにしました。実際にどういうデータが対象になるのかを見ておきましょう。ここではサンプルファイルのブック「Sample11_3」を取り上げます。

	A	B	C	D	E	F	G	H
1	No	商品コード	品名	数量	単価	金額	備考	
2	1	W1100001201	ドレスシャッツS	30	2,560	76,800	２０１９秋ﾓﾃﾞﾙ	
3	2	W1100001202	ドレスシャッツM	15	2,560	38,400		
4	3	W1100001203	ドレスｼｬｯﾂL	10	2,560	25,600	少し大きめ	
5	4							
6	5							
7	6							

図11-3-1　**表記のゆれのある売上伝票明細（Sheet1）**

Sheet1の売上伝票明細の表記のゆれは、セルC4の「ドレスｼｬｯﾂL」に半角カタカナが使われており、セルG2の「２０１９秋ﾓﾃﾞﾙ」は数字が全角で、「ﾓﾃﾞﾙ」が半角カタカナになっています。

Sheet2では、セルG2の「２０２０ニューﾓﾃﾞﾙ」の数字が全角で、「ﾓﾃﾞﾙ」が半角カタカナになっており、セルG4の「Ｌが売れ筋」の英字が全角です。

	A	B	C	D	E	F	G	H
1	No	商品コード	品名	数量	単価	金額	備考	
2	1	M1000043001	ポロシャツS	100	2,100	210,000	２０２０ニューﾓﾃﾞﾙ	
3	2	M1000043002	ポロシャツM	120	2,100	252,000		
4	3	M1000043003	ポロシャツL	150	2,100	315,000	Ｌが売れ筋	
5	4	M1000043004	ポロシャツLL	130	2,100	273,000		
6	5	M1000043005	ポロシャツXL	100	2,100	210,000		
7	6							
8	7							
9	8							

図11-3-2　**表記のゆれのある売上伝票明細（Sheet2）**

こうした表記のゆれを修正するのが、冒頭のプログラムnormalize_01.pyです。

全角・半角の表記のゆれをなくすには、標準ライブラリであるunicodedataをインポートします（2行目）。これはunicodedataのnormalizeメソッドを使って、正規化を行うためです。

7行目で、ブックのすべてのシートについて順々に見ていく繰り返し処理が始まります。ブックオブジェクトのwbから、順々に取り出したシートをオブジェクト変数wsとして扱えるようになります。

8行目で、wsのiter_rowsメソッドの引数に指定している

```
min_row=2, max_row=11,min_col=1, max_col=7
```

は、表記のゆれをチェックする対象となる範囲です。行（row）から列（col）を取得して（9行目）、1セルずつtype関数でcol.valueがstr（文字列）かどうか調べます（10行目）。その結果がTrueで、値が文字列だった場合、normalizeメソッドに正規化形式を示す'NFKC'とcol.valueを渡して実行します。

正規化形式には他にもNFD、NFC、NFKDなどがありますが、ここではNFKCを使いました[*1]。

正規化した結果を同じセルに代入するのですが、現在扱っているセル位置

*1　Unicodeの正規化形式は複雑なため、ここでは詳しくは説明しません。全角・半角の統一であれば、NFKCを使えばいいと覚えておけばいいでしょう。

はrow[n].row*2およびcol.col_idxプロパティでわかります。

このプログラムでは表記のゆれが直ったか比較しやすいように、最後にsaveメソッドで別のファイル（sample11_3new.xlsx）に出力しています。修正後のデータを見てみましょう。

	A	B	C	D	E	F	G	H
1	No	商品コード	品名	数量	単価	金額	備考	
2	1	W1100001201	ドレスシャッツS	30	2,560	76,800	2019秋モデル	
3	2	W1100001202	ドレスシャッツM	15	2,560	38,400		
4	3	W1100001203	ドレスシャッツL	10	2,560	25,600	少し大きめ	
5	4							
6	5							
7	6							
8	7							
9	8							

図11-3-3　表記のゆれを修正した売上伝票明細（Sheet1）

	A	B	C	D	E	F	G	H
1	No	商品コード	品名	数量	単価	金額	備考	
2	1	M1000043001	ポロシャツS	100	2,100	210,000	2020ニューモデル	
3	2	M1000043002	ポロシャツM	120	2,100	252,000		
4	3	M1000043003	ポロシャツL	150	2,100	315,000	Lが売れ筋	
5	4	M1000043004	ポロシャツLL	130	2,100	273,000		
6	5	M1000043005	ポロシャツXL	100	2,100	210,000		
7	6							
8	7							
9	8							

図11-3-4　表記のゆれを修正した売上伝票明細（Sheet2）

半角カタカナは全角カタカナへ、全角アルファベットは半角アルファベットへ、全角数字は半角数字へに直っていることが確認できます。

*2　row[n].row、つまりrow[0].row、row[1].rowなどはいずれも同じ値（その時点で処理の対象となっている行）を返します。処理中のセルの列番号がいくつであれ、その行番号は変わらないからです。

11-4

改ページを挿入する

105: page_break_01.py

```
01  import openpyxl
02  from openpyxl.worksheet.pagebreak import Break
03
04
05  wb = openpyxl.load_workbook(r"..\data\sample11_4.
    xlsx")
06  ws = wb["印刷用"]
07
08  for i in range(1,12):
09      page_break = Break(i * 20)
10      ws.row_breaks.append(page_break)
11
12  wb.save(r"..\data\sample11_4.xlsx")
```

1枚のシートをキリのいいところで区切りを入れる方法のひとつが、改ページの挿入です。特に印刷することを前提とした文書の場合に有用です。

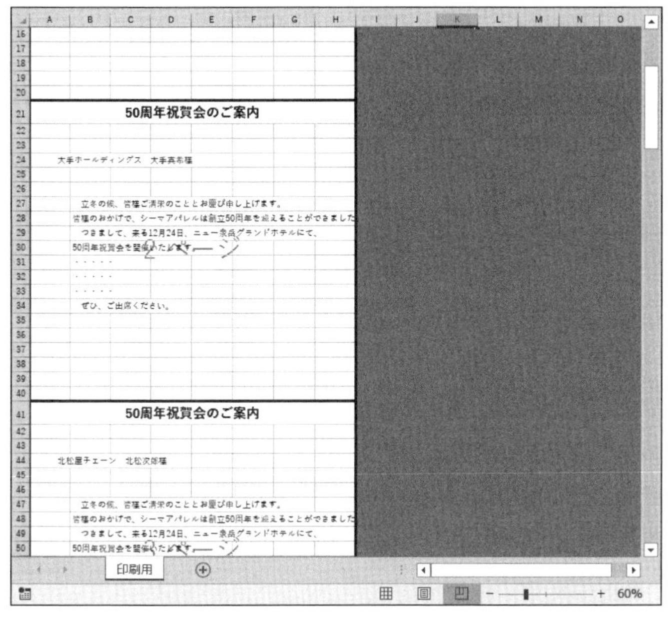

図11-4-1　ページを区切った文書を「改ページプレビュー」で表示したところ

ここでは、宛先ごとに取引先の名前を入れたイベントの案内文をExcel文書で作成したものがあると想定し、これに区切りよく一定の行ごとに改ページを挿入するプログラムを考えてみましょう。サンプルとなるデータは、ブック「sample11_4」のシート「印刷用」にあります。このシートには、同じ案内文書を11の顧客宛てに作成してあります。案内文は同じなので、20行ごとに改ページを挿入ししようと思います。それを実現するのが冒頭のプログラムです。

改ページを挿入するにはopenpyxl.worksheet.pagebreakモジュールから、Breakクラスをインポートすると良いでしょう（2行目）。

改ページを挿入する処理は8行目から始まります。その8行目では

```
for in range(1,12):
```

による繰り返し処理で、ページブレイクオブジェクトを宛先の数に応じて作成します。range関数に開始値と終了値を与えると、このコードでは1 ≦ i <

12の範囲でBreakオブジェクトが作成されます。

Breakオブジェクトを作っているのが9行目です。案内文は20行でひとまとまりなので、i番目の文書に入れる改ページは、i×20行目になるという計算です。これを

```
Break(i * 20)
```

の引数にある「I * 20」で表しています。このBreakオブジェクトを、10行目でワークシートのrow_breaksにappend()します。これで、シートの中で改ページを挿入する位置がすべて決まりました。最後にブックを保存すれば、改ページされた状態が保存されます(12行目)。

なお、改ページを解除するには、「ページレイアウト」タブの「改ページ」をクリックして表示されるメニューから、「すべての改ページを解除」を選択してください。

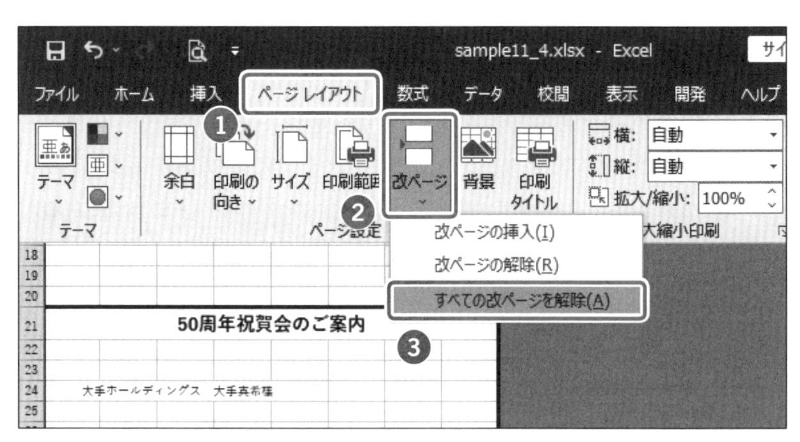

図11-4-2 **改ページを解除する手順**

11-5

印刷設定をする

106: print_setting_01.py

```
01  import openpyxl
02
03
04  wb = openpyxl.load_workbook(r"..\data\sample11_5.
    xlsx")
05  ws = wb["章構成"]
06
07  ws.oddHeader.left.text = "&D"
08  ws.oddHeader.center.text = "&F"
09  ws.oddHeader.right.text = "&A"
10
11  ws.oddFooter.center.text = "&P / &Nページ"
12
13  wb.save(r"..\data\sample11_5_new.xlsx")
```

Excelの印刷は意外と面倒ものです。そう感じているのは筆者だけではないと思いますが、いかがでしょうか。

ヘッダー、フッターの設定がちょっと回りくどかったり、表を全部印刷しようと思ったら、右側の列だけ次のページに送られてしまったり、シートの一部だけ印刷したいときに用紙の左上隅にちんまり印刷されてしまったりと、思った通りには印刷できないことがありがちです。そのせいで、もう一度設定を見直して印刷し直すといったことがしばしばあります。いつもあらかじめ設定を確認・変更してから印刷すればいいのでしょうが、なかなかそうもいかないですよね。

特定の印刷設定が決まっているのなら、それをプログラムにしておけば、まとめて印刷設定を適用することができます。これなら設定項目が多岐に渡っても、プログラムを実行する手間だけで済みます。これで印刷ミスを減らせる人も多いのではないでしょうか。

ここでは、印刷でよく使う設定項目別にプログラムを考えてみました。必要な機能を集めてひとつにまとめたプログラムにするといった形で応用し、自分用の印刷設定プログラムを作ってみてください。

ここでサンプルにしたデータは、ブック「sample11_5」のシート「章構成」です。このシートを対象に印刷設定をします。ちなみにこのデータは、本書の構成を考えるときに作ったシートです*1。

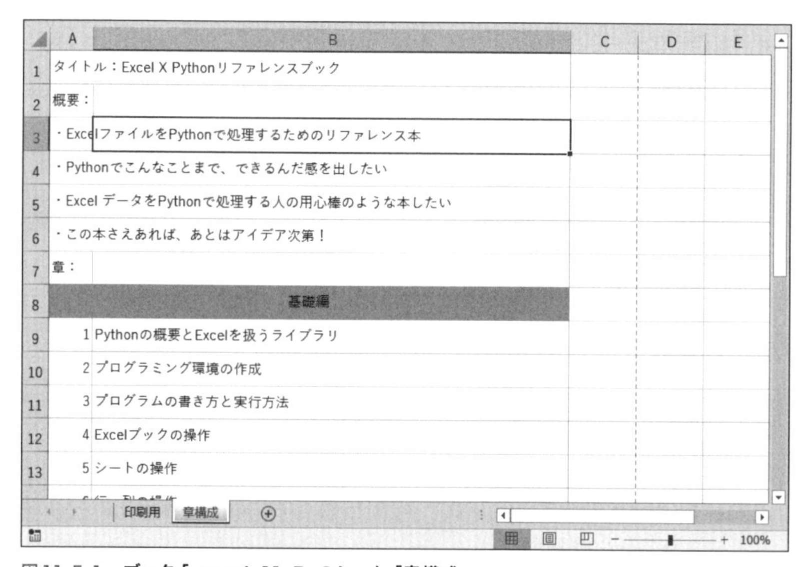

図11-5-1　**ブック「sample11_5」のシート「章構成」**

前ページのprint_setting_01.pyはヘッダー、フッターを設定するプログラムです。まず、この設定から見ていきましょう。

ご存じのようにヘッダー、フッターは左側（left）、中央部（center）、右側

---

*1　本書の企画段階で考えた章構成です。実際の構成と異なる点はご容赦ください。

（right）の3パーツに分かれます。

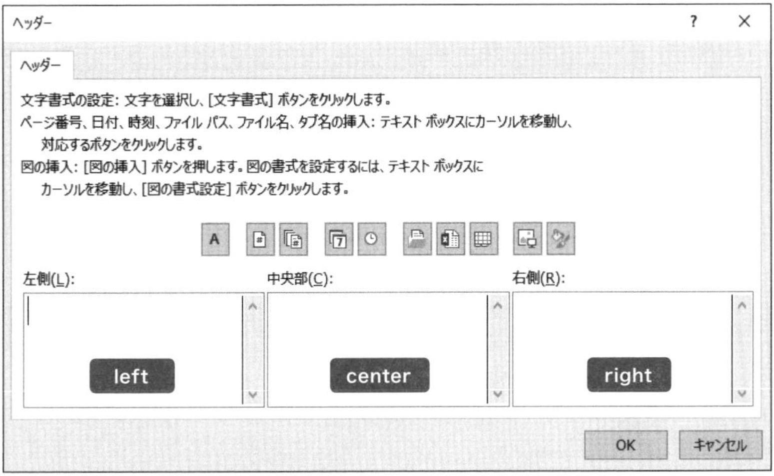

図11-5-2　**Excelで設定する場合のヘッダー**

これをPythonで設定するのが7〜9行目です。7行目の

```
07　ws.oddHeader.left.text = "&D"
```

のようにヘッダーに印刷する項目を指定します。oddHeaderとevenHeaderが利用できますが、oddHeaderに指定すると表示されました*2。

ヘッダー／フッターとしては、&Dは現在の日付（7行目）、&Fはファイル名（8行目）、&Aはシート見出し（9行目）を、それぞれ指定できます。ちなみに印刷時刻を表示したいときは&Tを指定します。11行目でフッターに指定している&Pはページ番号で、&Nは総ページ数です。

ヘッダー、フッターを設定した結果はsample11_5_new.xlsxファイルに保存していますが、プログラムを実行後にこのファイルを開き、「表示」タブ→

*2　詳細な仕様が明らかになってはいないのですが、oddHeaderが奇数ページ用、evenHeaderが偶数ページ用で、この文書は1枚の用紙に印刷できる分量なのでoddHeaderに設定する必要があったのではないかと推測しています。

「ページレイアウト」でシートの表示を確認すると、次のようにヘッダー、フッターが設定されています。

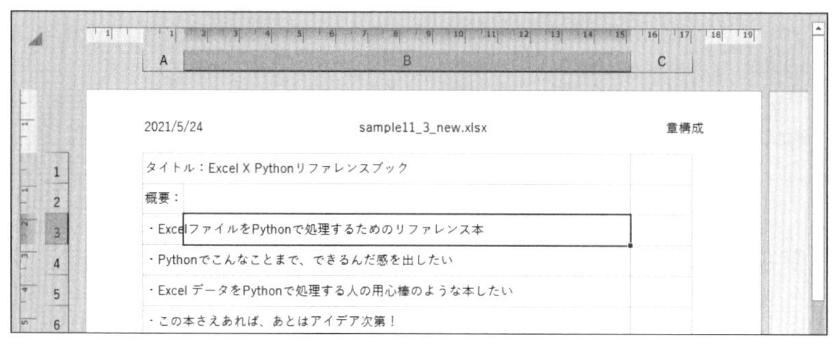

図11-5-3　sample11_5_new.xlsxのヘッダー

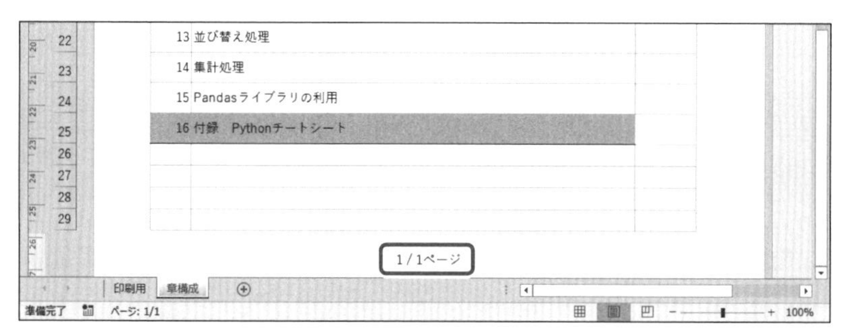

図11-5-4　sample11_5_new.xlsxのフッター

次は印刷が複数ページに分かれるときに特定の行を全ページに印刷する設定を紹介します。次のprint_setting_02.pyでは、それに加えて用紙の印刷方向、用紙サイズも指定します。

コード11-5-1　**見出し行を全ページに入れて、印刷方向、用紙サイズも指定する**

107: print_setting_02.py

```
01  import openpyxl
02
03
04  wb = openpyxl.load_workbook(r"..\data\sample11_5.
```

```
    xlsx")
05  ws = wb["章構成"]
06
07  ws.print_title_rows = "1:1"
08  ws.page_setup.orientation = "landscape"
09  ws.page_setup.paperSize = ws.PAPERSIZE_A4
10
11  wb.save(r"..\data\sample11_5_new.xlsx")
```

7行目を見てください。ここが全ページに表示される見出し行の設定です。ワークシートオブジェクト変数wsのprint_title_rowsに指定した1:1で、シートの1行目から1行目までがタイトル行として各ページに印刷されます。1:2と指定すると、今度はシートの1行目から2行目までがタイトル行になります。

次の行（8行目）のpage_setup.orientationに印刷方向を指定します。landscapeが横向き、portraitが縦向きです。9行目のpage_setup.paperSizeには、用紙サイズを定数で指定することができます。用紙サイズの定数には、PAPERSIZE_A4、PAPERSIZE_A3などが用意されています。このプログラムでは、A4の用紙を横向きに使って印刷するように記述しました。

ここでプログラムを実行後のブックを開き、印刷プレビューで正しく設定できているか、確かめておきましょう。

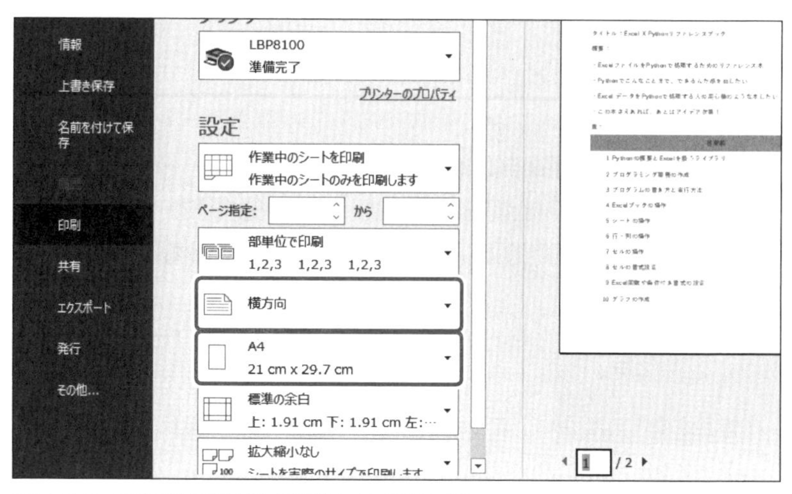

図11-5-5　印刷方向は横向き、用紙はA4に設定できた

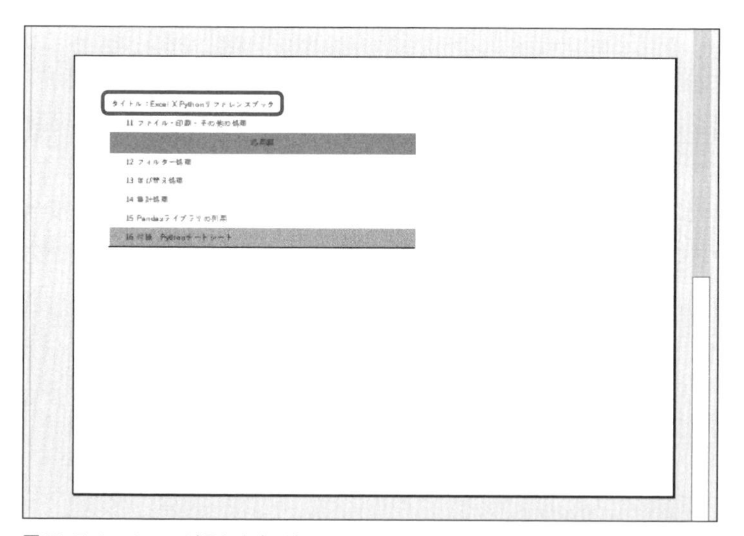

図11-5-6　2ページ目にもタイトル：Excel X Pythonリファレンスブックが表示されている

次は印刷範囲の幅が広すぎて、そのまま印刷するとはみ出ししまうケースへの対応です。

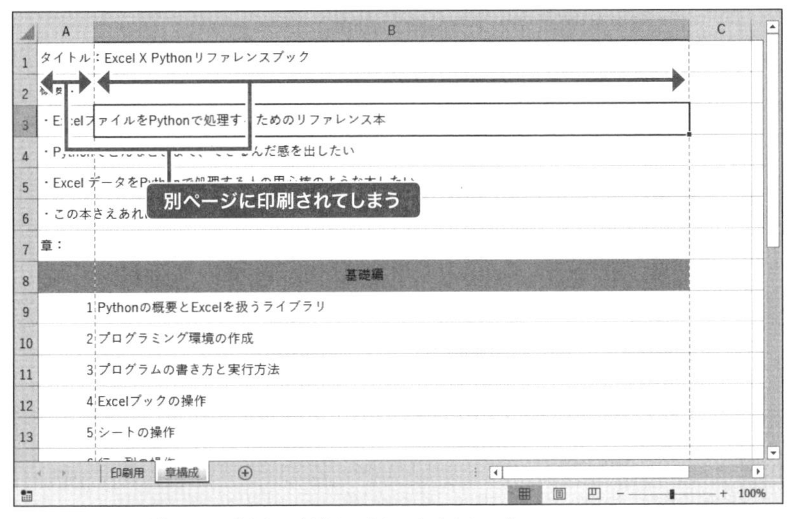

図11-5-7　**印刷範囲から右側の列がはみ出してしまうシート**

B列にもっとたくさん文字が入力されるはずと思って列幅を広げていたのですが、そのせいですべての列が1枚の用紙には収まらなくなってしまいました。印刷ページの区切りを示す点線が2本あるようにこのまま印刷すると、2ページに分かれてしまいます。

そこで、プログラムで横方向、つまりすべての列が1ページに収まるように、縮小印刷を設定します。

コード11-5-2　**すべての列を1ページに印刷する設定に**

108: print_setting_03.py

```
01  import openpyxl
02
03
04  wb = openpyxl.load_workbook(r"..\data\sample11_5.xlsx")
05  ws = wb["章構成2"]
06
07  ws.page_setup.orientation = "portrait"
```

```
08  ws.page_setup.fitToWidth = 1 #横1ページ
09  ws.page_setup.fitToHeight = 0 #縦は指定なし
10  ws.sheet_properties.pageSetUpPr.fitToPage = True
11
12  wb.save(r"..\data\sample11_5_new.xlsx")
```

印刷方向を設定するpage_setup.orientationはportrait（縦）にしています（7行目）。8行目の

```
08  page_setup.fitToWidth = 1
```

が「すべての列を1ページに印刷」する指定です。次の行の

```
09  page_setup.fitToHeight = 0
```

は縦は指定なし（自動）です。これで、横方向は分割されずに印刷できるようになりました。

10行目の

```
sheet_properties.pageSetUpPr.fitToPage
```

をTrueにすることで、fitToWidthとfitToHeightの指定が有効になります。

これを実行後の印刷プレビューを見てみましょう。

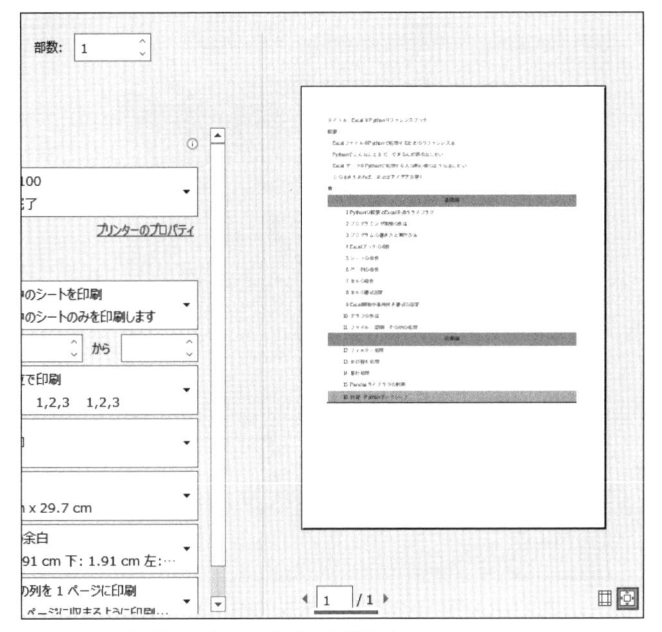

図11-5-8　**印刷プレビューで収まりを確認する**

これで、すべての列が1ページで印刷できるようになっていることがわかります。

印刷最後のサンプルはシート全体ではなく、印刷範囲を指定して印刷するケースです。特定のセル範囲のみを、水平方向、垂直方向とも用紙の中央に印刷したいときの設定です。

図11-5-9　指定した範囲のみを用紙の中央に印刷したい

これは次のプログラムを見てください。

コード11-5-3　一部の範囲を指定した位置に印刷

109: print_setting_04.py

```
01  import openpyxl
02
03
04  wb = openpyxl.load_workbook(r"..\data\sample11_5.
    xlsx")
05  ws = wb["章構成"]
06
07  ws.print_area = "A8:B25"
08  ws.print_options.horizontalCentered = True
09  ws.print_options.verticalCentered = True
10
```

```
11  wb.save(r"..\data\sample11_5_new.xlsx")
```

セルの範囲を指定しているのは7行目です。

```
07  ws.print_area = "A8:B25"
```

と記述することで、印刷範囲を指定します。

印刷範囲が用紙サイズに比べて小さいことがわかっているので、ここでは用紙のセンターに印刷しようと思っています。そこで、印刷位置を8行目、9行目のようにprint_options.horizontalCenteredで水平方向の中央揃えを、同じくverticalCenteredで垂直方向の中央揃えを設定します。これで横位置、縦位置ともに中央に寄せられます。

これを実行して、ブックの印刷プレビューを見てみましょう。

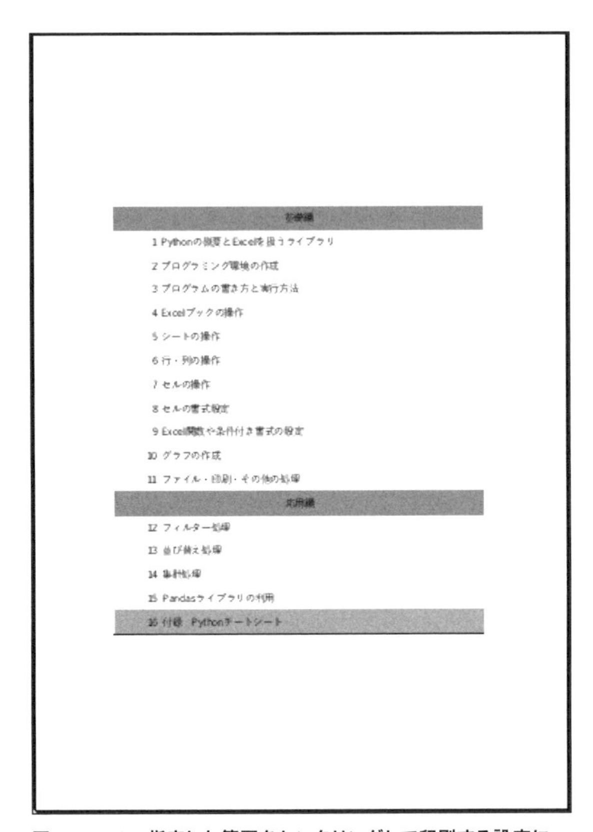

図11-5-10　**指定した範囲をセンタリングして印刷する設定に**

ちなみに、こうして設定した印刷範囲をExcdelで解除するには、「ページレイアウト」タブの「印刷範囲」を選び、表示されるメニューから「印刷範囲のクリア」をクリックします。

Chapter

12

【応用】フィルター、並び替え、集計

12-1
if文で抽出する

110: filter_01.py

```
01  import openpyxl
02
03
04  wb = openpyxl.load_workbook(r"..\data\sample12_1.
    xlsx")
05  ws = wb["売上明細"]
06
07  for row in range(2, ws.max_row + 1):
    if ws["I" + str(row)].value == "ドレスシャッツS" or
    \
08          ws["I" + str(row)].value == "ドレスシャッツM" or
            \
09          ws["I" + str(row)].value == "ドレスシャッツL":
10          print(ws["H" + str(row)].value, ws["I" +
            str(row)].value)
```

膨大な量のデータから、何らかの基準でデータを選択することを抽出処理(フィルター処理)と呼びます。次のような売上明細のデータがあるとします。

	A	B	C	D	E	F	G	H	I	J	K	L
1	伝票No	日付	得意先コード	得意先名	担当者コード	担当者名	明細No	商品コード	品名	数量	単価	金額
2	1010981	2021/10/15	1	赤坂商事	1001	松川	1	W1100001201	ドレスシャッツS	30	2,560	76,800
3	1010981	2021/10/15	1	赤坂商事	1001	松川	2	W1100001202	ドレスシャッツM	15	2,560	38,400
4	1010981	2021/10/15	1	赤坂商事	1001	松川	3	W1100001203	ドレスシャッツL	10	2,560	25,600
5	1010981	2021/10/15	1	赤坂商事	1001	松川	4	W1100001101	ワイシャッツS	20	2,100	42,000
6	1010981	2021/10/15	1	赤坂商事	1001	松川	5	W1100001102	ワイシャッツM	20	2,100	42,000
7	1010982	2021/11/16	2	大手ホールディングス	1001	松川	1	W1200001201	カジュアルシャッツ	50	1,890	94,500
8	1010982	2021/11/16	2	大手ホールディングス	1001	松川	2	W1200001202	カジュアルシャッツ	30	1,890	56,700
9	1010983	2021/11/17	3	北松屋チェーン	1002	小原	1	W1100001201	ドレスシャッツS	20	2,560	51,200
10	1010983	2021/11/17	3	北松屋チェーン	1002	小原	2	W1100001202	ドレスシャッツM	20	2,560	51,200
11	1010983	2021/11/17	3	北松屋チェーン	1002	小原	3	W1100001203	ドレスシャッツL	30	2,560	76,800
12	1010984	2021/11/18	4	OSAKA BASE	1003	前原	1	W1100001101	ワイシャッツS	50	2,100	105,000
13	1010984	2021/11/18	4	OSAKA BASE	1003	前原	2	W1100001102	ワイシャッツM	60	2,100	126,000
14	1010985	2021/11/20	1	赤坂商事	1001	松川	1	W1100001201	ドレスシャッツS	10	2,560	25,600
15	1010985	2021/11/20	1	赤坂商事	1001	松川	2	W1100001202	ドレスシャッツM	15	2,560	38,400
16	1010985	2021/11/20	1	赤坂商事	1001	松川	3	W1100001203	ドレスシャッツL	20	2,560	51,200
17												

売上明細

準備完了　14 レコード中 14 個が見つかりました　100%

図12-1-1　**元データとなる売上明細一覧（ブック「sample12_1」のシート「売上明細」）**

このシートのように、一覧形式でデータを入力していて、項目名が設定されていれば、Excelのフィルター機能でデータを抽出することができます。

それには、表内の任意のセルを選択して、「データ」タブから「フィルターの詳細設定」を選びます。すると「フィルターオプションの設定」ダイアログボックスが開くので、該当する範囲が、項目名のセルも含まれている状態で選択されていることを確認し、リスト範囲に指定します。これで、各項目でフィルター処理が可能になります。

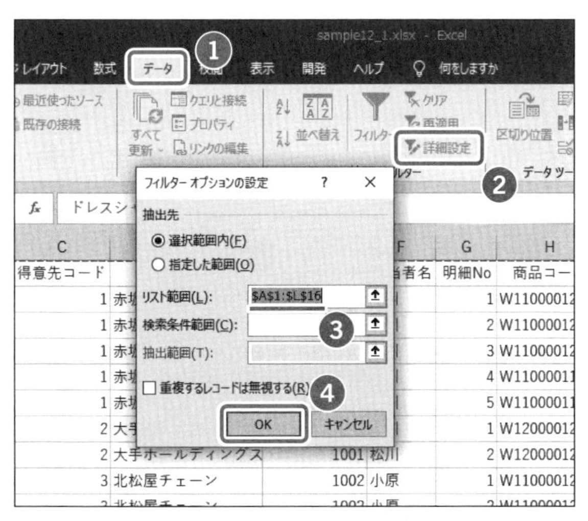

図12-1-2　**「フィルターオプションの設定」ダイアログボックスでリスト範囲を確認して「OK」ボタン**

これで、各項目名の右側にある三角マークのボタンをクリックしてフィルターを掛けることができるようになります。

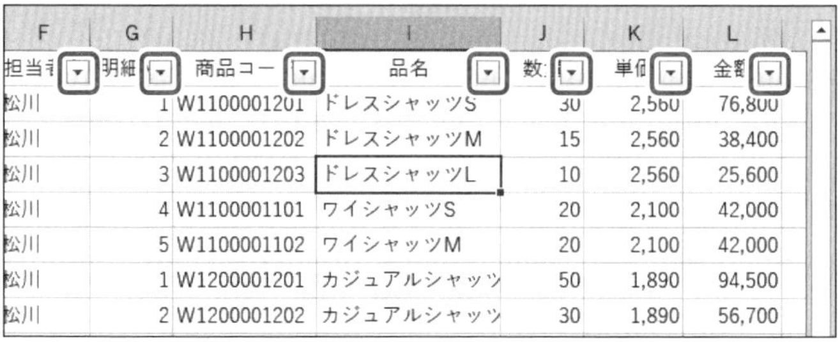

担当者	明細	商品コード	品名	数量	単価	金額
松川	1	W1100001201	ドレスシャッツS	30	2,560	76,800
松川	2	W1100001202	ドレスシャッツM	15	2,560	38,400
松川	3	W1100001203	ドレスシャッツL	10	2,560	25,600
松川	4	W1100001101	ワイシャッツS	20	2,100	42,000
松川	5	W1100001102	ワイシャッツM	20	2,100	42,000
松川	1	W1200001201	カジュアルシャッツ	50	1,890	94,500
松川	2	W1200001202	カジュアルシャッツ	30	1,890	56,700

図12-1-3　**各項目名に下向きの三角のボタンが付いてフィルター処理が可**

たとえば、品名列で「ドレスシャッツ」だけに絞り込んで見ましょう。それには、「すべて選択」のチェックをオフにします。次に、ドレスシャッツはL、M、Sとサイズ別に３種類あるので、そのすべてにチェックを付けます。

担当者コード	担当者	数量	単価	金額
1001	松川	30	2,560	76,800
1001	松川	15	2,560	38,400
1001	松川	10	2,560	25,600
1001	松川	20	2,100	42,000
1001	松川	20	2,100	42,000
1001	松川	50	1,890	94,500
1001	松川	30	1,890	56,700
1002	小原	20	2,560	51,200
1002	小原	20	2,560	51,200
1002	小原	30	2,560	76,800
1003	前原	50	2,100	105,000
1003	前原	60	2,100	126,000
1001	松川	10	2,560	25,600
1001	松川	15	2,560	38,400
1001	松川	20	2,560	51,200

図12-1-4　**品名列でフィルター**

これで、ドレスシャッツに絞り込むことができました。

	A	B	C	D	E	F	G	H	I	J	K	L
1	伝票No	日付	得意先コー	得意先名	担当者コー	担当者	明細N	商品コード	[illegible]	数量	単価	金額
2	1010981	2021/10/15	1	赤坂商事	1001	松川	1	W110000120	ドレスシャッツS	30	2,560	76,800
3	1010981	2021/10/15	1	赤坂商事	1001	松川	2	W110000120	ドレスシャッツM	15	2,560	38,400
4	1010981	2021/10/15	1	赤坂商事	1001	松川	3	W110000120	ドレスシャッツL	10	2,560	25,600
9	1010983	2021/11/17	3	北松屋チェーン	1002	小原	1	W110000120	ドレスシャッツS	20	2,560	51,200
10	1010983	2021/11/17	3	北松屋チェーン	1002	小原	2	W110000120	ドレスシャッツM	20	2,560	51,200
11	1010983	2021/11/17	3	北松屋チェーン	1002	小原	3	W110000120	ドレスシャッツL	30	2,560	76,800
14	1010985	2021/11/20	1	赤坂商事	1001	松川	1	W110000120	ドレスシャッツS	10	2,560	25,600
15	1010985	2021/11/20	1	赤坂商事	1001	松川	2	W110000120	ドレスシャッツM	15	2,560	38,400
16	1010985	2021/11/20	1	赤坂商事	1001	松川	3	W110000120	ドレスシャッツL	20	2,560	51,200
17												
18												

売上明細

準備完了 15 レコード中 9 個が見つかりました 100%

図12-1-5 **ドレスシャッツだけが抽出された**

これで、ドレスシャッツだけが抽出されたわけですが、試しにこの状態でブックを保存し、Pythonプログラムでシート「売上明細」を読み込むと、全データを読み込んでしまいます。つまり、Excel上ではフィルター対象のデータだけが表示されているけど、ブックとしてはすべてのデータがある状態なので、Pythonではフィルターにより表示されていないデータも読み込んでしまうわけです。このため、抽出したデータをプログラムで利用する場合は、プログラムで抽出する必要があります。もちろん、Excel上でフィルターされたデータだけコピーして、別シートなどに貼り付け、それを保存すれば、そのブックを読み込むことで抽出したデータだけを処理することは可能ですが、どうせならそこも自動化したいですね。

そこで、プログラムで抽出する方法を見ていきましょう。冒頭のプログラムは、このデータに対してドレスシャッツのみを抽出する処理を実装したものです。商品名が「ドレスシャッツだったら」という抽出条件はif文で作成します。

シート「売上明細」から行を読み込むにあたって、7行目のfor-in文では、

```
range(2, ws.max_row + 1)
```

と、range関数の引数に、開始値として2、終了値としてws.max_row + 1を指定しています。range関数は開始値≦i＜終了値の値を返すのでしたね。終

了値の「+1」は、最後の行まで繰り返し処理の対象にするためのコードです。

そして、次の8行目から各行の品名列（I列）の値が「ドレスシャッツS」と等しいか、「ドレスシャッツM」と等しいか、あるいは「ドレスシャッツL」と等しいか、について比較演算子を使って調べています。8行目、9行目の行末にあるor*1は、「または」を意味するブール（論理）演算子です。

このプログラムを実行してみましょう。

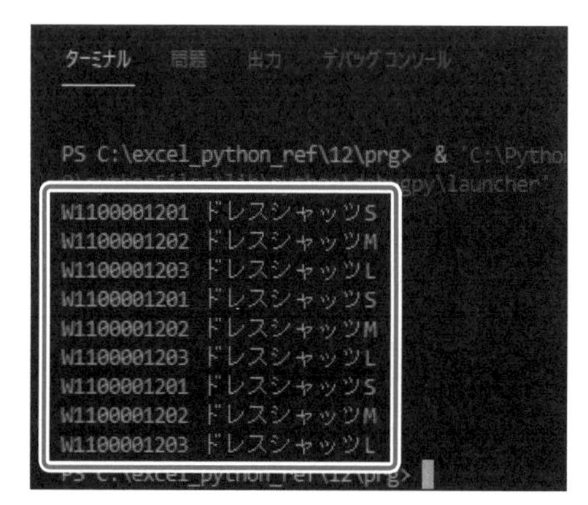

図12-1-6　**プログラムの実行結果**

これで、「ドレスシャッツS」「ドレスシャッツM」「ドレスシャッツL」をまとめてを抽出することができます。もし「ドレスシャッツLL」とか「ドレスシャッツXL」なども含めたいといったように種類が増えて、抽出する条件が増えた場合でも、基本的なプログラムは同じです。orは論理和なので、この例のようにorでつないでどんどん条件を増やしていくことで対応できます。ただ、それではプログラムとしては冗長な書き方になってしまいます。いちいち、すべての条件を列挙するのではなく、「ドレスシャッツ」でサイズにかかわらずすべて抽出できたらよさそうですね。そこで、次の「12-2　スライスで抽出する」ではPythonの特徴的な機能「スライス」を使ったフィルタリングを紹介します。

---

*1　orの後ろにある\（バックスラッシュ）はPythonの行継続子です。改行はせず、まだ行が続いていることを示しまます。環境によっては¥マークで表示されることがあります。

12-2

スライスで抽出する

111: filter_02.py

```
01 import openpyxl
02 
03 
04 wb = openpyxl.load_workbook(r"..\data\sample12_2.
   xlsx")
05 ws = wb["売上明細"]
06 
07 for row in range(2, ws.max_row + 1):
08     if ws["I" + str(row)].value[:7] == "ドレスシャッツ":
09         print(ws["A" + str(row)].value, ws["I" +
           str(row)].value)
```

フィルタリングする際、データの文字列の一部を使って抽出したいという場合に、Pythonの「スライス」という機能を使います。たとえば、「ドレスシャッツS」「ドレスシャッツM」「ドレスシャッツL」という品名があったとき、サイズを考慮せずに「ドレスシャッツ」でフィルタリングしたいといった場合にスライスを使います。具体的にスライスを使ったプログラムfilter_02.pyで見てみましょう。このプログラムは、ブック「sample12_2」のシート「売上明細」から、スライスを使って品名列の値の先頭から7文字が「ドレスシャッツ」に相当するデータを抽出するプログラムです。

スライスを使っているのが8行目です。if文の条件の記述である

```
ws["I" + str(row)].value[:7]
```

の[:7]の部分がスライスです。これで、品名の上7桁を切り出し「ドレスシャッツ」と比較します*1。

実行結果を見ると、「12-1　if文で抽出する」のfileter_01.pyと同様に、9件の「ドレスシャッツ」で始まる品名が出力されています。

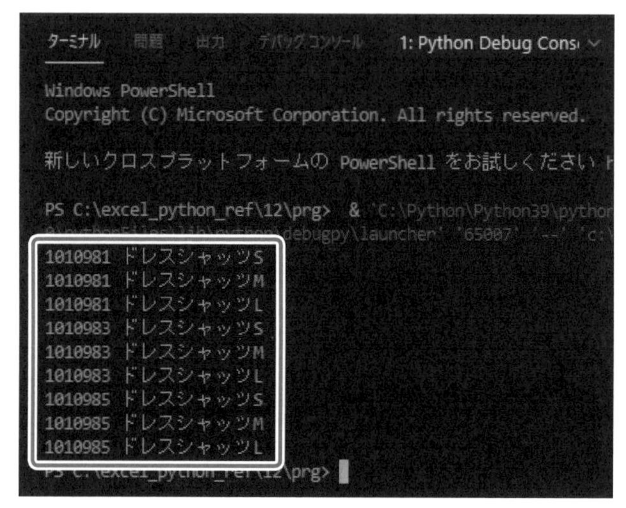

図12-2-1　**「ドレスシャッツ」で始まる品名が9件出力されている**

スライス（slice）についてもっと詳しく説明したいと思います。が、その前に文字列についても説明しておく必要がありますね。

文字列（str）型はシーケンス型に分類されます。シーケンスとは複数の値を順に並べたものをひとかたまりにメモリに格納するデータの型です。特徴としては、値である要素を順に扱ったり、特定の要素にインデックスでアクセスしたりできます。他のプログラミング言語では配列と呼ばれたりするリストやタプルもシーケンスです。ここでは、文字列を扱う簡単な例を見ていきましょう。

次のようなプログラムで、シーケンス型の取り扱い方を見てください。

---

*1　Python3.xは文字エンコーディングにUTF-8を採用していますので、エンコーディングの指定（# coding: utf-8）の指定なしで日本語を扱うことができます。

コード12-2-1　**文字列をシーケンスとして取り扱う方法**

112: str_sample.py

```
01  str1 = "ドレスシャッツ"
02  print(type(str1))
03  for char1 in str1:
04      print(char1)
05
06  print(str1[0])
07  print(str1[1])
08  print(str1[2])
```

1行目で変数str1にドレスシャッツという文字列を代入しています。以下の実行結果と比較しながら見ていただきたいのですが、type関数は引数の型を返してくれます。str1を渡すと<class 'str'>と返ってくるので、変数str1は文字列型です。2行目では確認のため、これをprint関数で出力するようにしています。

続く3行目で、for in文でstr1から1文字ずつ変数char1に取り出します。文字列がシーケンス型なので、in演算子の対象を文字列にすることで、1要素つまり1文字ずつ順に取り出して処理することになります。

4行目で、繰り返し処理の中で取り出した文字を、そのつど出力します。その実行結果を見てみましょう。

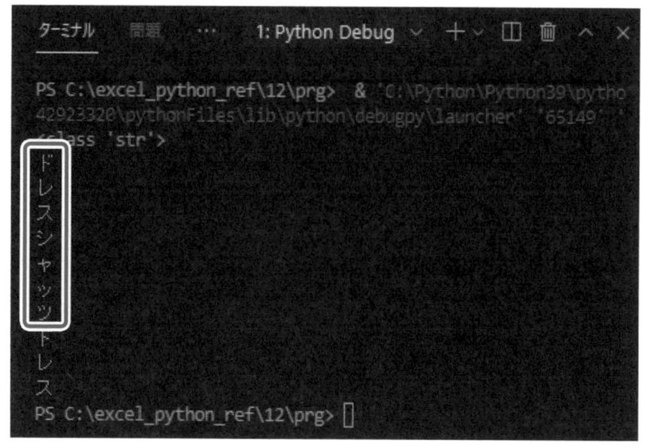

図12-2-2　「ドレスシャッツ」が先頭から1文字ずつ出力された

このように、「ドレスシャッツ」が順に1文字ずつ出力されます。文字列は文字が順番に並んだシーケンス型なので、このように順に取り出すことができるのです。

繰り返しのループで1文字取り出せるのと同様に、インデックス（添え字）でシーケンスから文字を取り出すこともできます。str1[0]は「ド」、str1[1]は「レ」……という具合に、str1[6]なら「ツ」といったような記述で文字を取り出すことができます。

文字列をはじめ、このような性質を持つシーケンス型であればスライスで操作することができます。スライスの基本構文は

```
シーケンス [ 開始値 : 停止値 : 間隔 ]
```

です。このようにインデックスを指定して文字列の部分を取り出すことができます。その際のインデックスは、開始値≦ i ＜ 停止値の範囲で値を取り出します。最初の「ド」のインデックスは0なので、最後（7文字目）の「ツ」のインデックスは6になります。

表12-2-1　文字列とインデックス

文字列	ド	レ	ス	シ	ャ	ッ	ツ
インデックス	0	1	2	3	4	5	6

このようにインデックスは0から始まるので、

```
print(str1[1:4])
```

と記述すると、インデックス[1]を開始値とし、停止値[4]の前までの3文字が対象になりますので、str1から「レスシ」を取り出します。

こうしたスライスによる記述を引数にしてprint関数を使うと、その結果を出力できるというわけです。たとえば、

```
print(str1[:5])
```

のように停止値だけを指定すると、開始値は自動的に先頭の0になります。このため、このコードではインデックス[0]から[4]までの5文字「ドレスシャ」を取得し、出力します。

逆に

```
print(str1[5:])
```

のように開始値だけを指定すると、指定したインデックス[5]から最後までを取得し、「ッツ」と出力します。

別のパターンも見てみましょう。

```
print(str1[1:4:2])
```

このように記述した場合、最後の2は間隔を示します。こう指定すると、インデックス[1]から始め、ひとつおきに[4]の手間までを取得するので、「レシ」

と出力します。「ド【レ】ス【シ】ャッツ」というわけですね。

引数の使い方で、こんな取り出し方もできます。

```
print(str1[::-1])
```

このように間隔だけを、それもマイナスで指定してみました。すると、「ツッャシスレド」のように文字列を逆順に取得することができます。もちろん逆順のときも、開始値や停止値を指定することができます。

スライスがわかったところで、選択したデータを別のExcelファイルに保存するプログラムに進みましょう。

コード12-2-2 **抽出したデータを別ファイルに書き出す**

113: data_extract_01.py

```
01  import openpyxl
02
03
04  wb_in = openpyxl.load_workbook(r"..\data\
    sample12_2.xlsx")
05  ws_in = wb_in["売上明細"]
06
07  wb_out = openpyxl.Workbook() #出力ファイル:抽出済データ
                                                      _1.xlsx
08  ws_out = wb_out.active
09  list_row = 1
10  for row in ws_in.iter_rows():
11      if row[8].value[:7] == "ドレスシャッツ" or list_row
        == 1:
12          for cell in row:
13              ws_out.cell(list_row,cell.col_idx).value
                = cell.value
14
```

```
15          list_row += 1
16
17  wb_out.save(r"..\data\抽出済データ_1.xlsx")
```

このプログラムでは異なるブックを扱うので、4行目から見ていきたいと思います。まず、プログラムは、ワークブックオブジェクト変数wb_inにsample12_2.xlsxを読み込みます。

続く5行目で、ワークシートオブジェクト変数ws_inにはシート「売上明細」を読み込みます。ここで、このシートがどうなっているか、見ておいてください。

	A	B	C	D	E	F	G	H	I	J	K	L
1	伝票No	日付	得意先コード	得意先名	担当者コード	担当者名	明細No	商品コード	品名	数量	単価	金額
2	1010981	2021/10/15	1	赤坂商事	1001	松川	1	W1100001201	ドレスシャッツS	30	2,560	76,800
3	1010981	2021/10/15	1	赤坂商事	1001	松川	2	W1100001202	ドレスシャッツM	15	2,560	38,400
4	1010981	2021/10/15	1	赤坂商事	1001	松川	3	W1100001203	ドレスシャッツL	10	2,560	25,600
5	1010981	2021/10/15	1	赤坂商事	1001	松川	4	W1100001101	ワイシャッツS	20	2,100	42,000
6	1010981	2021/10/15	1	赤坂商事	1001	松川	5	W1100001102	ワイシャッツM	20	2,100	42,000
7	1010982	2021/11/16	2	大手ホールディングス	1001	松川	1	W1200001201	カジュアルシャッツ	50	1,890	94,500
8	1010982	2021/11/16	2	大手ホールディングス	1001	松川	2	W1200001202	カジュアルシャッツ	30	1,890	56,700
9	1010983	2021/11/17	3	北松屋チェーン	1002	小原	1	W1100001201	ドレスシャッツS	20	2,560	51,200
10	1010983	2021/11/17	3	北松屋チェーン	1002	小原	2	W1100001202	ドレスシャッツM	20	2,560	51,200
11	1010983	2021/11/17	3	北松屋チェーン	1002	小原	3	W1100001203	ドレスシャッツL	30	2,560	76,800
12	1010984	2021/11/18	4	OSAKA BASE	1003	前原	1	W1100001101	ワイシャッツS	50	2,100	105,000
13	1010984	2021/11/18	4	OSAKA BASE	1003	前原	2	W1100001102	ワイシャッツM	60	2,100	126,000
14	1010985	2021/11/20	1	赤坂商事	1001	松川	1	W1100001201	ドレスシャッツS	10	2,560	25,600
15	1010985	2021/11/20	1	赤坂商事	1001	松川	2	W1100001202	ドレスシャッツM	15	2,560	38,400
16	1010985	2021/11/20	1	赤坂商事	1001	松川	3	W1100001203	ドレスシャッツL	20	2,560	51,200

売上明細

準備完了　　100%

図12-2-3　ブック「sample12_2」のシート「売上明細」

7行目では抽出したデータを書き出すブックのオブジェクトを作ります。

```
openpyxl.Workbook()
```

で新しいワークブックオブジェクトを作成し、変数名をwb_outとします。次の8行目の

```
wb_out.active
```

で、7行目のWorkbook()により自動的に作成されたワークシートオブジェク

トを変数ws_outで扱えるようにします。

9行目で、変数list_rowに1を代入します。list_rowはws_outシートの書き込み行を示します。これで、データを抽出する準備ができました。

10行目からが、取り出したいデータを抽出する処理です。シートから1行ずつ取り出しながら、抽出するデータかどうかを判断していきます。

10行目の

```
10   for row in ws_in.iter_rows():
```

で、シート「売上明細」の各行をrowに取得します。iter_rowsメソッドは、引数を指定しないデフォルトでは1列目から（データのある範囲の）最終列、1行目から（同じく、データのある範囲の）最終行までループ処理します。

次の行のif文では、

```
row[8].value[:7]
```

とrow[8]の値にスライス処理をしています。row[8]は9列目つまり品名を記録したI列を示します。A列がrow[0]から始まるわけですね。

このスライス処理により、品名の上7桁（文字）が「ドレスシャッツ」と等しいとき、あるいは

```
list_row == 1
```

のとき、つまり1行目のときも、その行が転記の対象となるような条件にしました。1行目も対象にしているのは、表のヘッダー（項目名）も元のデータと同じように取り込みたいためです。

次の12行目からがデータを転記する処理です。12行目で

```
12   for cell in row:
```

とすることで、処理対象の行から各セル（cell）を取り出します。次の

```
13  ws_out.cell(list_row,cell.col_idx).value = cell.
    value
```

は、list_rowが示す行の、出力先のcellの列インデックスであるcell.col_idxが示す列にcell.valueを代入するという処理を示します。これで入力側と出力側の列順が同じになります。

そして、1行分の各列を転記したら

```
list_row += 1
```

で、処理対象を次の行に移すよう、list_rowに1を加えます。

最後に、wb_out.saveメソッドで抽出したデータをまとめた、出力用のワークブックオブジェクトを抽出済データ_1.xlsxの名前で保存します。

これを実行し、プログラムがうまく動作したかどうかを確認してみましょう。

伝票No	日付	得意先コー	得意先名	担当者コー	担当者名	明細No	商品コード	品名	数量	単価	金額
1010981	2021-10-15 0:00:00	1	赤坂商事	1001	松川	1	W1100001201	ドレスシャッツS	30	2560	76800
1010981	2021-10-15 0:00:00	1	赤坂商事	1001	松川	2	W1100001202	ドレスシャッツM	15	2560	38400
1010981	2021-10-15 0:00:00	1	赤坂商事	1001	松川	3	W1100001203	ドレスシャッツL	10	2560	25600
1010983	2021-11-17 0:00:00	3	北松屋チェ	1002	小原	1	W1100001201	ドレスシャッツS	20	2560	51200
1010983	2021-11-17 0:00:00	3	北松屋チェ	1002	小原	2	W1100001202	ドレスシャッツM	20	2560	51200
1010983	2021-11-17 0:00:00	3	北松屋チェ	1002	小原	3	W1100001203	ドレスシャッツL	30	2560	76800
1010985	2021-11-20 0:00:00	1	赤坂商事	1001	松川	1	W1100001201	ドレスシャッツS	10	2560	25600
1010985	2021-11-20 0:00:00	1	赤坂商事	1001	松川	2	W1100001202	ドレスシャッツM	15	2560	38400
1010985	2021-11-20 0:00:00	1	赤坂商事	1001	松川	3	W1100001203	ドレスシャッツL	20	2560	51200

図12-2-4　**data_extract_01.pyで作成した抽出済データ_1.xlsx**

ドレスシャッツの売上データが抽出済データ_1.xlsxに抽出できました。

抽出済データ_1.xlsxに抽出したデータをよく見ると、日付に0:00:00が付いています。これはどう見ても不要です。

元データ（sample12_2.xlsx）の日付のセルで書式設定を確認すると、分類が日付になっています。

図12-2-5　**元データ側の日付列のセルの書式設定**

ところが、openpyxlではこれを転記するとDateTime型として扱うので、日付だけでなく0:00:00と時分秒が付いてしまう仕様になっているようです。

そこで、data_extract_01.pyを改良し、この不要な情報を削除した形で転記するプログラムにしてみました。

具体的には日付を転記する際、date()メソッドを使って、DateTime型から日付部分だけを取り出すように改変しました。

コード12-2-3　**転記後に日付の書式を整える**

114: data_extract_02.py

```
01  import openpyxl
02
03
04  wb_in = openpyxl.load_workbook(r"..\data\
    sample12_2.xlsx")
05  ws_in = wb_in["売上明細"]
```

```
06
07  wb_out = openpyxl.Workbook() #出力ファイル:抽出済データ
    _1.xlsx
08  ws_out = wb_out.active
09  list_row = 1
10  for row in ws_in.iter_rows():
11      if row[8].value[:7] == "ドレスシャッツ" or list_row
        == 1:   #row[]はrow[0]
12          for cell in row:
13              if cell.col_idx == 2 and list_row != 1:
                #col_idxは1から
14                  ws_out.cell(list_row,cell.col_idx).
                    value = cell.value.date()
15              else:
16                  ws_out.cell(list_row,cell.col_idx).
                    value = cell.value
17
18          list_row += 1
19
20  wb_out.save(r"..\data\抽出済データ_1.xlsx")
```

変わったのは、13行目から16行目です。16行目自体は、旧13行目とほとんど同じですが、新たに13行目から15行目のコードが加わったことにより、インデントが1段階深くなりました。

変更点を具体的に見ていきましょう。data_extract_02.pyの13行目では、col_idxが2でかつ、list_rowが1でないとき（!= 1）という条件でif文を作りました。これがTrueの場合には、14行目のdateメソッドによりDateTime型から日付部分だけを取り出すようにしています。rowのインデックスが0から始まるの対し、cellのcol_idxプロパティは1から始まることに注意してください。

15行目のelseにより、13行目の条件にマッチしなかった場合に、16行目が実行されることになります。16行目は旧13行目と同じです。日付以外のデータは問題なかったので、特に処理を変える必要はないためです。

これを実行したところ、日付から時刻の表示はなくなり、思った通りのデータが得られました。

	A	B	C	D	E	F	G	H	I
1	伝票No	日付	得意先コー	得意先名	担当者コー	担当者名	明細No	商品コード	品名
2	1010981	2021-10-15	1	赤坂商事	1001	松川	1	W110000120 1	ドレスシャツ
3	1010981	2021-10-15	1	赤坂商事	1001	松川	2	W110000120 2	ドレスシャツ
4	1010981	2021-10-15	1	赤坂商事	1001	松川	3	W110000120 3	ドレスシャツ
5	1010983	2021-11-17	3	北松屋チェ	1002	小原	1	W110000120 1	ドレスシャツ
6	1010983	2021-11-17	3	北松屋チェ	1002	小原	2	W110000120 2	ドレスシャツ
7	1010983	2021-11-17	3	北松屋チェ	1002	小原	3	W110000120 3	ドレスシャツ
8	1010985	2021-11-20	1	赤坂商事	1001	松川	1	W110000120 1	ドレスシャツ
9	1010985	2021-11-20	1	赤坂商事	1001	松川	2	W110000120 2	ドレスシャツ
10	1010985	2021-11-20	1	赤坂商事	1001	松川	3	W110000120 3	ドレスシャツ

図12-2-6　**日付のみを取り出した抽出済データ_1.xlsx**

12-3

sorted 関数で並べ替える

追加で使用するライブラリ：pprint、operator

115: sort_01.py

```
01  import openpyxl
02  from pprint import pprint
03  from operator import itemgetter
04
05
06  wb = openpyxl.load_workbook("..\data\抽出済データ
    _3.xlsx")
07  ws = wb.active
08
09  sales_list = [] #ここから辞書のリストを作る
10  for row in ws.iter_rows():
11      if row[0].row == 1:
12          header_cells = row
13      else:
14          row_dic = {}
15          for k, v in zip(header_cells, row): # zip 複
            数のリストの要素を取得する
16              row_dic[k.value] = v.value
17          sales_list.append(row_dic)
18
19  pprint(sales_list, sort_dicts=False)
20
21  sorted_list_a = sorted(sales_list, key=itemgetter("
    得意先コード", "日付")) #ここからのプログラムの後半部分で並
    び替えをする
```

```
22  pprint(sorted_list_a, sort_dicts=False)
```

Excel上のデータを並べ替える目的は何でしょうか。

- 見やすくしたい
- 並び替えたキー項目で、数量や金額の累積合計を取りたい

などが考えられます。Excelは並べ替え機能も強力です。

ブック「抽出済データ_1」のシート「Sheet」上のデータを得意先コード、日付順に並べ替えてみます。

	B	C	D	E	F	G	H	I	J	K	L	M
1	日付	得意先コード	得意先名	担当者コー	担当者名	明細No	商品コード	品名	数量	単価	金額	
2	2021-10-15	1	赤坂商事	1001	松川	1	W1100001201	ドレスシャッツS	30	2560	76800	
3	2021-10-15	1	赤坂商事	1001	松川	2	W1100001202	ドレスシャッツM	15	2560	38400	
4	2021-10-15	1	赤坂商事	1001	松川	3	W1100001203	ドレスシャッツL	10	2560	25600	
5	2021-11-17	3	北松屋チェーン	1002	小原	1	W1100001201	ドレスシャッツS	20	2560	51200	
6	2021-11-17	3	北松屋チェーン	1002	小原	2	W1100001202	ドレスシャッツM	20	2560	51200	
7	2021-11-17	3	北松屋チェーン	1002	小原	3	W1100001203	ドレスシャッツL	30	2560	76800	
8	2021-11-20	1	赤坂商事	1001	松川	1	W1100001201	ドレスシャッツS	10	2560	25600	
9	2021-11-20	1	赤坂商事	1001	松川	2	W1100001202	ドレスシャッツM	15	2560	38400	
10	2021-11-20	1	赤坂商事	1001	松川	3	W1100001203	ドレスシャッツL	20	2560	51200	

図12-3-1　**このデータを得意先コード順、日付順に並べ替えたい**

まずシート全体を選択した上で、「ホーム」タブから、「並べ替えとフィルター」→「ユーザー設定の並べ替え」を選びます。シート全体を選ぶには、行番号1のひとつ上（列番号Aの左）をクリックします。

「並べ替え」ダイアログボックスが表示されます。並べ替えのキーは列の項目名で指定します。

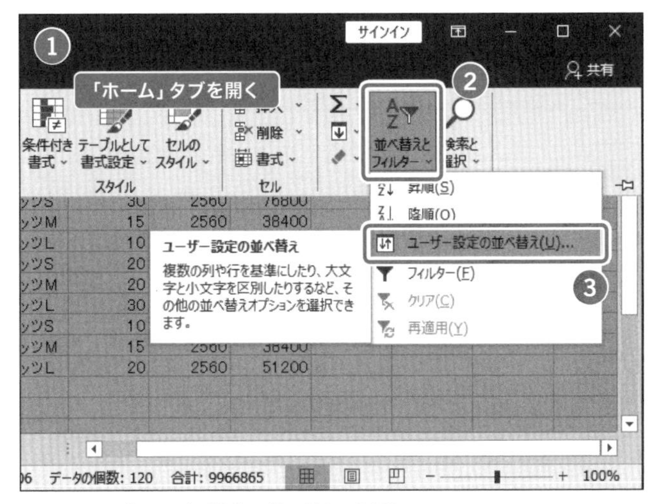

図12-3-2 **「ユーザー設定の並べ替え」を選ぶ**

最優先されるキーには「得意先コード」を指定します。並べ替えのキーは「セルの値」です。順序は「小さい順」です。「小さい順」はプログラマの用語では昇順です。大きいものから並べることは降順と呼びます。

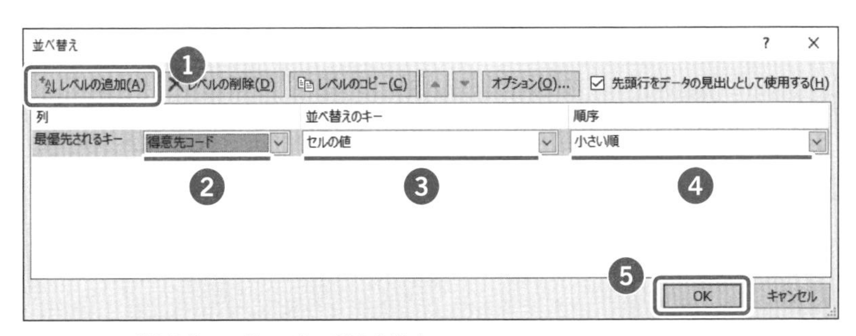

図12-3-3 **「得意先コード」で並べ替えを設定**

もうひとつキーを追加したいので、「レベルの追加」をクリックします。すると、次に優先されるキーを入力できるようになります。

そこで、日付を選択します。並べ替えはセルの値、順序は古い順です。ちなみに、この順序を古い順ではなく、新しい順にすると日付の若いもの順に並びます。

図12-3-4　「次に優先されるキー」に「日付」での並べ替えを設定

得意先コードの小さい順、日付の古い順で並べ替えてみす。「OK」をクリックすると並べ替えを実行します。

	B	C	D	E	F	G	H	I	J	K	L
1	日付	得意先コード	得意先名	担当者コー	担当者名	明細No	商品コード	品名	数量	単価	金額
2	2021-10-15	1	赤坂商事	1001	松川	1	W1100001201	ドレスシャッツS	30	2560	76800
3	2021-10-15	1	赤坂商事	1001	松川	2	W1100001202	ドレスシャッツM	15	2560	38400
4	2021-10-15	1	赤坂商事	1001	松川	3	W1100001203	ドレスシャッツL	10	2560	25600
5	2021-11-20	1	赤坂商事	1001	松川	1	W1100001201	ドレスシャッツS	10	2560	25600
6	2021-11-20	1	赤坂商事	1001	松川	2	W1100001202	ドレスシャッツM	15	2560	38400
7	2021-11-20	1	赤坂商事	1001	松川	3	W1100001203	ドレスシャッツL	20	2560	51200
8	2021-11-17	3	北松屋チェーン	1002	小原	1	W1100001201	ドレスシャッツS	20	2560	51200
9	2021-11-17	3	北松屋チェーン	1002	小原	2	W1100001202	ドレスシャッツM	20	2560	51200
10	2021-11-17	3	北松屋チェーン	1002	小原	3	W1100001203	ドレスシャッツL	30	2560	76800

図12-3-5　「得意先コード」と「日付」での並べ替え

これでデータが「得意先コード」順に並べ替えられ、その上で得意先ごとに日付順で並べ替えられました。このシートをPythonのプログラムで読み込めば、並べ替えた順序のまま読み込むことができます。Excelで自由自在に並べ替えができますね。このほうが手っ取り早いと思う人がいるかもしれません。

そこで、PythonでExcelデータを並べ替えるメリットを考えていきましょう。まず、実際に並べ替えるプログラムを作ってみました。それが冒頭のsort_01.pyです。

本章は応用に焦点を当てて、現実的な処理を意識してプログラミングしています。このため、少しプログラムが難しくなったように感じられるかもしれません。シーケンス型のリスト（list）と同じくイテラブルである辞書（dictionary）がプログラムに登場したので、メモリ上でデータがどうなっているのかイメージしづらいかもしれませんね。

イテラブル（iterable）は「反復可能な」や「繰り返し可能な」という意味です。シーケンス型であるリスト、タプル、文字列はイテラブルです。ちなみに、openpyxlのシートオブジェクトにはiter_rows()というメソッドがあります。本書でも何度も登場していますが、このメソッドはその名から想像できる通り、シートからrow（行）を繰り返し取得します。

では、冒頭のコード（sort_01.py）を詳しく見ていきましょう。見慣れないインポート文が出てきましたね。2行目と3行目の

```
02  from pprint import pprint
03  from operator import itemgetter
```

については、後で説明することにして、ここではスキップします。

for in文によるループ処理内で辞書のリストを作る部分が、このプログラムの最重要ポイントです。

for in文の前にある9行目の

```
09  sales_list = []
```

はリストの初期化です。リストは、他のプログラミング言語で配列と呼ばれるものに似ています。リストは0個以上の要素の並びを表現します。同じシーケンス型である文字列型との違いは、文字列型には文字しか格納できませんが、リストにはさまざまなデータ型が格納できるということです。ここでは辞書をリストに格納するわけです。リストは角カッコ（[　]＝ブラケットとも言います）で要素全体を囲みます。

簡単な例として、得意先ごとの販売単価を列挙したデータを考えてみましょう。同じ商品でも得意先によって複数の単価がある場合がありますね。それをリストに記憶するとします。これをプログラム中で使えるようにするに

は、

```
price_lst =[3500,3600,3700]
```

のように要素である単価をカンマで区切り、全体を[　]で囲みます。これがリストprice_lstとして、以降の処理でprice_lstとして利用できるようになります。

9行目の

```
09  sales_list = []
```

という初期化は、これからどんな要素をいくつsales_listに入れるかわからないけど、まずは何も入っていない状態でsales_listというリストを作るんだという意味です。

また、Pythonにはリストによく似たタプル（tuple）というデータ構造があります。タプルは

```
price_tpl =(3500,3600,3700)
```

のように丸カッコ（(　)）で全体を囲みます。リストとタプルの違いはミュータブルか否かです。ミュータブルとは、作成後に変更可能であるという意味です。リストはミュータブルなので、プログラム内で要素の書き換えができるため、リストを作成後に要素を削除したり、追加したりすることができます。一方、タプルはイミュータブルなので、要素の書き換えはできません。どちらもインデックス番号でアクセス可能で、異なる型の要素を混在可能です。

リスト、タプルと並んで、Pythonでよく使うデータ構造が辞書（ディクショナリー）です。row_dic = {}が辞書の初期化です。辞書は、他のプログラミングでは連想配列やハッシュテーブル、キーバリューペアなどと呼ばれるもので、キーと値のペアでデータを記憶します。値を読み書きするときはキーで指定します。辞書にはこんな特徴があります。

表12-3-1　**辞書の特徴**

辞書（ディクショナリー）
● キーと値の組み合わせで記録する ● 波かっこ{ }（ブレース）で全体を囲む ● 各要素はカンマ(,)で区切る 例）persons = {1001:"松原",1002:"小原",1003:"前原"} ● キーで要素の値にアクセスする 例）persons[1002]は小原を返す ● 要素の書き換えができる（ミュータブル） 例）persons[1002] = "大原"

辞書はミュータブルなので、要素の書き換えや追加、削除ができます。

リスト、タプル、辞書はいずれも入れ子にできます。リストの各要素がリストになっていたり、タプルの要素がさらにタプルになっていたり、あるいは辞書の値がリストになっていたり、といったように多次元なデータを作成できます。

さて、次に難しいのzip関数でしょう。zip関数は引数として与えられた複数のイテラブル（リスト、タプル、文字列など）オブジェクトを組み合わせて、新しいイテラブルオブジェクトを作るのに便利な関数です。具体的なコードで、その使い方を見てみましょう。

zip関数が出てくる直前のところから説明します。10行目に出てくるiter_rowsメソッドは、cell（セル）オブジェクトを要素とするタプルを戻り値として返します。row[0].rowプロパティが1のときは1行目ですから（11行目）、rowオブジェクトには項目名が含まれています。そこで、header_cellsに代入するようにしました（12行目）。

項目名ではない行のオブジェクトの処理が13行目から始まります。その処理では15行目の

```
for k, v in zip(header_cells, row):
```

に注目しましょう。

rowは各行のcellオブジェクトを要素とするタプルです*1。この記述により、zip関数はheader_cells（項目名）とrow(項目値)のふたつのタプルから同時に要素を取得して、それぞれ変数kとvに入れてくれます。

その前の行のrow_dicは{　}で初期化しているので、辞書になるんでしたね。このため、16行目の

```
row_dic[k.value] = v.value
```

で項目名をキーとし、各行のセルの値を、キーとひも付けた値とする辞書を作成します。

この14行目から16行目の処理により、1行分で以下のような辞書がrow_dicにできます。

```
{'伝票No': 1010981, '日付': datetime.datetime(2021,
10, 15, 0, 0), '得意先コード': 1, '得意先名': '赤坂商事',
'担当者コード': 1001, '担当者名': '松川', '明細No': 1, '商
品コード': 'W1100001201', '品名': 'ドレスシャッツS', ' 数量
': 30, '単価': 2560, '金額': 76800}
```

このようにして作成した辞書row_dicをsales_listリストのappendメソッドの引数に指定して、リストに追加するわけです。リストはオブジェクトなのでメソッドを持っています。

さて、ここからがプログラムの2行目でPythonの標準ライブラリpprintモジュールからインポートしておいたpprint関数の出番です。

pprintを使うと、リストや辞書などのイテラブルをきれいに整形して出力してくれます。

---

*1　値を持つセルがすべて含まれる範囲のセルがオブジェクトになります。

```
02  from pprint import pprint
```

とインポートしたのは、いちいち

```
pprint.pprint()
```

と書かずに済ませるためです。pprint関数の第2引数

```
sort_dicts=False
```

はキーで辞書を並び変えないことを指定します。sort_dicts=Trueにするか、sort_dictsのを指定を省略すると、キーによって並べ替えられます。

このように項目名と値を辞書として追加したsales_listをpprint関数で出力すると、次のようにターミナルに表示されます。

```
[{'伝票No': 1010981,
  '日付': datetime.datetime(2021, 10, 15, 0, 0),
  '得意先コード': 1,
  '得意先名': '赤坂商事',
  '担当者コード': 1001,
  '担当者名': '松川',
  '明細No': 1,
  '商品コード': 'W1100001201',
  '品名': 'ドレスシャッツS',
  '数量': 30,
  '単価': 2560,
  '金額': 76800},
 {'伝票No': 1010981,
  '日付': datetime.datetime(2021, 10, 15, 0, 0),
  '得意先コード': 1,
  '得意先名': '赤坂商事',
```

```
  '担当者コード': 1001,
  '担当者名': '松川',
  '明細No': 2,
  '商品コード': 'W1100001202',
  '品名': 'ドレスシャッツM',
  '数量': 15,
  '単価': 2560,
  '金額': 38400},
    …(縦中横的な感じで縦に)
    (中略)
    …(縦中横的な感じで縦に)
 {'伝票No': 1010983,
  '日付': datetime.datetime(2021, 11, 17, 0, 0),
  '得意先コード': 3,
  '得意先名': '北松屋チェーン',
  '担当者コード': 1002,
  '担当者名': '小原',
  '明細No': 3,
  '商品コード': 'W1100001203',
  '品名': 'ドレスシャッツL',
  '数量': 30,
  '単価': 2560,
  '金額': 76800}]
```

このようにpprint関数で出力すれば、辞書がシートの行の順番通りにリストに追加されていることがわかります。

このリストを並べ替えます。それにはsorted関数を使ってリストをソートします。リストの中には、辞書が並んでいるので、正確に言えばリストの中の辞書を並べ替えるわけです。sorted関数を使うとリストや辞書、タプルなどのデータを並べ替えることができます。sorted関数は並べ替えた新しいリストを戻り値として返します。

ここで、3行目で

```
03  from operator import itemgetter
```

としてインポートしておいたitemgetterを使います。sorted関数の引数には、順にイテラブルオブジェクト、key、reverseを指定できるのですが、keyにitemgetterを使うと、簡単に辞書のキーをソート順に指定することができます。

たとえば

```
sorted(sales_list, key=itemgetter("得意先コード", "日付"))
```

とすると、得意先コード、日付の昇順に並べ替えた結果を返してくれます。これを使って、以下のような処理を記述します。

```
sorted_list_a = sorted(sales_list, key=itemgetter("得意先コード", "日付"))
pprint(sorted_list_a, sort_dicts=False)
```

これを実行した結果は、以下のようになります。

```
[{'伝票No': 1010981,
  '日付': datetime.datetime(2021, 10, 15, 0, 0),
  '得意先コード': 1,
  '得意先名': '赤坂商事',
  '担当者コード': 1001,
  '担当者名': '松川',
  '明細No': 1,
  '商品コード': 'W1100001201',
  '品名': 'ドレスシャッツS',
```

```
  '数量': 30,
  '単価': 2560,
  '金額': 76800},
 {'伝票No': 1010981,
  '日付': datetime.datetime(2021, 10, 15, 0, 0),
  '得意先コード': 1,
  '得意先名': '赤坂商事',
  '担当者コード': 1001,
  '担当者名': '松川',
  '明細No': 2,
  '商品コード': 'W1100001202',
  '品名': 'ドレスシャッツM',
  '数量': 15,
  '単価': 2560,
  '金額': 38400},
    …(縦中横的な感じで縦に)
    (中略)
    …(縦中横的な感じで縦に)
 {'伝票No': 1010985,
  '日付': datetime.datetime(2021, 11, 20, 0, 0),
  '得意先コード': 1,
  '得意先名': '赤坂商事',
  '担当者コード': 1001,
  '担当者名': '松川',
  '明細No': 1,
  '商品コード': 'W1100001201',
  '品名': 'ドレスシャッツS',
  '数量': 10,
  '単価': 2560,
  '金額': 25600},
      ⋮
```

```
    (中略)
      ⋮
{'伝票No': 1010983,
 '日付': datetime.datetime(2021, 11, 17, 0, 0),
 '得意先コード': 3,
 '得意先名': '北松屋チェーン',
 '担当者コード': 1002,
 '担当者名': '小原',
 '明細No': 1,
 '商品コード': 'W1100001201',
 '品名': 'ドレスシャッツS',
 '数量': 20,
 '単価': 2560,
 '金額': 51200},
{'伝票No': 1010983,
 '日付': datetime.datetime(2021, 11, 17, 0, 0),
 '得意先コード': 3,
 '得意先名': '北松屋チェーン',
 '担当者コード': 1002,
 '担当者名': '小原',
 '明細No': 2,
 '商品コード': 'W1100001202',
 '品名': 'ドレスシャッツM',
 '数量': 20,
 '単価': 2560,
 '金額': 51200},
{'伝票No': 1010983,
 '日付': datetime.datetime(2021, 11, 17, 0, 0),
 '得意先コード': 3,
 '得意先名': '北松屋チェーン',
 '担当者コード': 1002,
```

```
    '担当者名': '小原',
    '明細No': 3,
    '商品コード': 'W1100001203',
    '品名': 'ドレスシャッツL',
    '数量': 30,
    '単価': 2560,
    '金額': 76800}]
```

このように、得意先コードの値を第1優先キー、日付を第2優先キーとして並べ替えられています

ここまでだと、Pythonによる並べ替え処理が便利だと感じてもらうことはたぶんまだ難しいでしょうね。逆に「何か面倒くさい」と思われたかもしれません。

でも、このように辞書のリストとしてデータを作っておけば、どのキーで並べ替えようとしても、簡単にできるようになります。たとえば、「商品コード」→「得意先コード」の順で並べ替えたいならば

```
sorted_list_b = sorted(sales_list, key=itemgetter("商
品コード", "得意先コード"))
```

を追加し、pprint出力してやれば良いだけです。Excelでやろうと思うと、いちいち既存の並べ替え設定を無効化して、新しく「優先するキー」の設定を作る必要があります。

このようにプログラムを作って並べ替えるメリットは、一度、辞書のリストとしてメモリに読み込んでしまえば、いろいろなキーで何度でも並べ替えられることだと思います。さまざまな角度からデータを分析したいというときには、やはりプログラムで対応するのが便利な局面が多いのではないでしょうか。

リストのsortメソッド

ここまでsorted関数による辞書のリストの並べ替えを見てきたわけですが、リストにはsortメソッドがあります。その使い方にも触れておきましょう。

sortメソッドはsorted関数とは違い、リストそのものを並べ替えます。こんなプログラムを見てください。

コード12-3-1　**sortメソッドを使った、リストを並べ替えるプログラムの例**

116: sort_02.py

```
01  price_lst =[3600,3700,3500]
02  price_lst.sort()
03  print(price_lst)
```

このプログラムの実行結果は、ターミナルにprice_lstを昇順に並べ替えた結果を

```
[3500, 3600, 3700]
```

と出力します。

また、次のようにsortメソッドの引数にreverse=Trueを指定すると、降順に並べ替えることができます。

```
price_lst.sort(reverse=True)
```

これを実行した結果は

```
[3700, 3600, 3500]
```

となります。

12-4

キーブレイクで集計する

追加で使用するライブラリ：operator

117: sum_quantity_01.py

```
01  import openpyxl
02  from operator import itemgetter
03
04
05  wb1 = openpyxl.load_workbook(r"..\data\抽出済データ
    _4.xlsx")
06  ws1 = wb1.active
07
08  sales_list = [] #ここから辞書のリストを作る
09  for row in ws1.iter_rows():
10      if row[0].row == 1:
11          header_cells = row
12      else:
13          row_dic = {}
14          for k, v in zip(header_cells, row): # zip 複
            数のリストの要素を取得する
15              row_dic[k.value] = v.value
16          sales_list.append(row_dic)
17
18  sorted_list_a = sorted(sales_list, key=itemgetter("
    商品コード", "日付")) #まず、商品コード別の集計表を作る
19
20  wb2 = openpyxl.Workbook() #出力ファイル
21  ws2 = wb2.active
22  ws2.title = "商品コード別数量"
```

```
23  list_row = 1
24
25  ws2.cell(list_row,1).value = "商品コード"
26  ws2.cell(list_row,2).value = "日付"
27  ws2.cell(list_row,3).value = "品名"
28  ws2.cell(list_row,4).value = "数量"
29  ws2.cell(list_row,5).value = "合計"
30
31  sum_q = 0
32  old_key = ""
33  for dic in sorted_list_a:
34      if old_key == "":
35          old_key = dic["商品コード"]
36
37      if old_key == dic["商品コード"]:
38          sum_q += dic["数量"]
39      else:
40          ws2.cell(list_row,5).value = sum_q
41          sum_q = dic["数量"]
42          old_key = dic["商品コード"]
43
44      list_row += 1
45      ws2.cell(list_row,1).value = dic["商品コード"]
46      ws2.cell(list_row,2).value = dic["日付"].date()
47      ws2.cell(list_row,3).value = dic["品名"]
48      ws2.cell(list_row,4).value = dic["数量"]
49
50  ws2.cell(list_row,5).value = sum_q
51
52  wb2.save(r"..\data\売上数量集計_1.xlsx")
```

並べ替えに指定したキー項目を使って、そのまま集計処理を作成することができます。この、並べ替えを前提にした集計方法を「キーブレイク集計(キー割れ集計)」と呼びます。前項の「12-3　sorted関数で並べ替える」では、最後に商品コード、日付の順に並べ替える処理を紹介しました。そこで、その処理を発展させて商品コードで数量を合計してみましょう。

ここではブック「抽出済データ_4」のシート「Sheet」にあるデータを商品コード、日付の順に並べ替えます。

	B	C	D	E	F	G	H	I	J	K	L
1	日付	得意先コード	得意先名	担当者コー	担当者名	明細No	商品コード	品名	数量	単価	金額
2	2021-10-15	1	赤坂商事	1001	松川	1	W1100001201	ドレスシャッツS	30	2560	76800
3	2021-10-15	1	赤坂商事	1001	松川	2	W1100001202	ドレスシャッツM	15	2560	38400
4	2021-10-15	1	赤坂商事	1001	松川	3	W1100001203	ドレスシャッツL	10	2560	25600
5	2021-11-20	1	赤坂商事	1001	松川	1	W1100001201	ドレスシャッツS	10	2560	25600
6	2021-11-20	1	赤坂商事	1001	松川	2	W1100001202	ドレスシャッツM	15	2560	38400
7	2021-11-20	1	赤坂商事	1001	松川	3	W1100001203	ドレスシャッツL	20	2560	51200
8	2021-11-17	3	北松屋チェーン	1002	小原	1	W1100001201	ドレスシャッツS	20	2560	51200
9	2021-11-17	3	北松屋チェーン	1002	小原	2	W1100001202	ドレスシャッツM	20	2560	51200
10	2021-11-17	3	北松屋チェーン	1002	小原	3	W1100001203	ドレスシャッツL	30	2560	76800

図12-4-1　**ブック「抽出済データ_4」のシート「Sheet」**

このデータをもとに、ブック「売上数量集計_1」のシート「商品コード別数量」のように集計します。

	A	B	C	D	E
1	商品コード	日付	品名	数量	合計
2	W1100001201	2021-10-15	ドレスシャッツS	30	
3	W1100001201	2021-11-17	ドレスシャッツS	20	
4	W1100001201	2021-11-20	ドレスシャッツS	10	60
5	W1100001202	2021-10-15	ドレスシャッツM	15	
6	W1100001202	2021-11-17	ドレスシャッツM	20	
7	W1100001202	2021-11-20	ドレスシャッツM	15	50
8	W1100001203	2021-10-15	ドレスシャッツL	10	
9	W1100001203	2021-11-17	ドレスシャッツL	30	
10	W1100001203	2021-11-20	ドレスシャッツL	20	60

図12-4-2　**図12-4-1のデータを集計した結果**

これをプログラム化したのが、冒頭のsum_quantity_01.pyです。18行目でsorted_list_aに並べ替えた辞書のリストを代入するところまでは、前項の「12-3　sorted関数で並べ替える」で解説したsort_01.pyと同様の処理です。

それに続く20行目で

```
openpyxl.Workbook()
```

により新しいワークブックオブジェクトを作成し、wb2.activeで自動的に作成されるワークシートを選択したあと、

```
ws2.title = "商品コード別数量"
```

とタイトルプロパティに文字列「商品コード別数量」を代入しています。このようにして、シート名を付けることができます。

そして、23行目から29行目までのコードで、ws2（ワークシート）のセルA1からE1までの値として「商品コード」から順に項目名を入力しています。その後、数量集計のための変数sum_qとキー割れを判断するための変数old_keyを初期化します（31行目、32行目）。

33行目のfor dic in sorted_list_aで並べ替えたsorted_list_aから1行分の辞書をdicに取り出します。最初の辞書をdicに読み込んだ直後では、34行目の

```
if old_key == ""
```

はTrue（真）になります。ですから、35行目の

```
old_key = dic["商品コード"]
```

で、old_keyに最初の商品コードを入れます。この時点では、old_keyに最初の商品コードを入れたばかりなので、37行目の

```
if old_key == dic["商品コード"]
```

はTrueを返します。ですから、次の行の

```
sum_q += dic["数量"]
```

で数量をsum_qに加算します。そして、list_row += 1をして（44行目）、シートの2行目に商品コード、日付、品名、数量までを辞書から書き込んだら、ループの先頭（33行目）に戻ります。そして、リストsorted_list_aから次の辞書をdicに読み込みます。

プログラム上では、こうした並べ替えや集計処理はすべてメモリ上で行われるため、ブックを保存しない限り目には見えません。ただ、これは次のシートの状態をメモリ上で実現しているということなので、動作の参考にExcelでのイメージをご覧いただきましょう。

	B	C	D	E	F	G	H	I	J	K	L	M
1	[illegible]	得意先コード	得意先名	担当者コー	担当者名	明細No	[illegible]	品名	数量	単価	金額	
2	2021-10-15	1	赤坂商事	1001	松川		W1100001201	ドレスシャッツS	30	2560	76800	
3	2021-11-17	3	北松屋チェーン	1002	小原		W1100001201	ドレスシャッツS	20	2560	51200	
4	2021-11-20	1	赤坂商事	1001	松川		W1100001201	ドレスシャッツS	10	2560	25600	
5	2021-10-15	1	赤坂商事	1001	松川		W1100001202	ドレスシャッツM	15	2560	38400	
6	2021-11-17	3	北松屋チェーン	1002	小原		W1100001202	ドレスシャッツM	20	2560	51200	
7	2021-11-20	1	赤坂商事	1001	松川		W1100001202	ドレスシャッツM	15	2560	38400	
8	2021-10-15	1	赤坂商事	1001	松川		W1100001203	ドレスシャッツL	10	2560	25600	
9	2021-11-17	3	北松屋チェーン	1002	小原		W1100001203	ドレスシャッツL	30	2560	76800	
10	2021-11-20	1	赤坂商事	1001	松川		W1100001203	ドレスシャッツL	20	2560	51200	
11												

Sheet

準備完了 100%

図12-4-3　**ブック「抽出済データ_4」のシート「Sheet」を商品コード、日付順に並べ替えた状態**

データの並び順はこの図と同じなので、イメージしにくいところは図12-4-3と見比べながら読んでください。

さて、ここから2回目のループに入ります。シート上の次の行の商品コードはまだold_keyと同じですので、また数量の値をsum_qに加算します。このようにして、商品コードがW1100001201の辞書を3件分読み込む間に、sum_qの値は60になっています。

ループが、商品コードがW1100001202になっている辞書を読み込んだ段階で、34行目の

```
old_key == dic["商品コード"]
```

がFalse（偽）になります。ここで、繰り返し処理の中では39行目のelse側の処理が実行されます。

ここではsum_qを合計列に書き込み（40行目）、商品コードがW1100001202の最初の数量をそのままsum_qに代入します（41行目）。old_keyをW1100001202に更新して、44行目からのシートに転記に処理に進みます。転記が終わったら、また33行目に戻り、次の辞書を読み込んで集計という処理を繰り替えします。

このようにして商品コードの切り替わりをきっかけに、キーブレイク処理で数量を集計していくわけです。

forループを抜けたあとに、sum_qを合計列に書き込む処理がありますね（50行目）。これは、最後に集計した商品コードの数量は変数sum_qには書き込まれるものの、これを該当するセル位置に書き込む処理がforループの中には設けられないためです。この処理だけは漏れてしまうので、別途書き込む処理を記述します。

このようにして、商品コードのキーブレイクで数量を集計することができます。

では、今度は得意先コード別に商品コードで数量を集計したいというニーズがあるとします。どうしたら良いでしょうか？

得意先コードと商品コードのふたつをキーにキーブレイク処理で集計する方法が考えられます。でも、それではプログラムのロジックが少し複雑になります。せっかくExcelとPythonを組み合わせて業務を効率化する方法を考えているのですから、それぞれのいいところを利用して、Excel×Pythonらしい方法にしてみましょう。具体的には、得意先ごとにシートを分けて書き出すようにすれば、シートごとに商品コードで数量を集計するだけで済みます。ここまで見てきたキーブレイクを応用して、得意先コードが変わったときに書き出し先のシートを変更し、その中では商品コードが変わったときに集計をするようにします。こうすれば、プログラムの難易度は上がりません。すべての集計を1枚のシートにまとめようとすると、キーブレイク処理を二重に実行する必要があり、かなりプログラムは複雑になりそうです。このように工夫する余地や選択肢が増えるのが、Pythonを使うメリットかもしれません。

では、まず集計後のブックを見てもらいましょう。

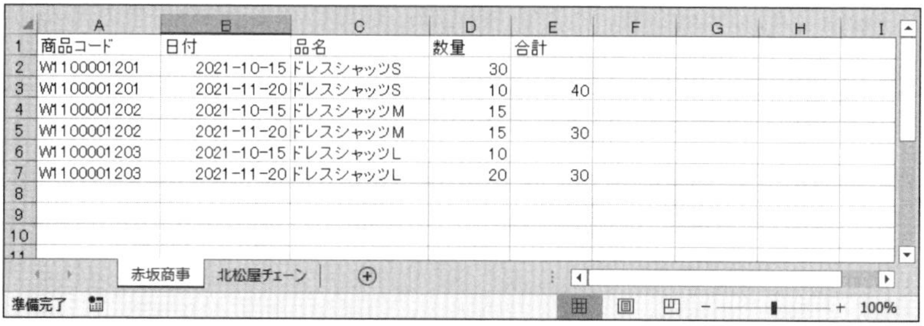

	A	B	C	D	E	F	G	H	I
1	商品コード	日付	品名	数量	合計				
2	W1100001201	2021-10-15	ドレスシャッツS	30					
3	W1100001201	2021-11-20	ドレスシャッツS	10	40				
4	W1100001202	2021-10-15	ドレスシャッツM	15					
5	W1100001202	2021-11-20	ドレスシャッツM	15	30				
6	W1100001203	2021-10-15	ドレスシャッツL	10					
7	W1100001203	2021-11-20	ドレスシャッツL	20	30				
8									
9									
10									

赤坂商事　北松屋チェーン

準備完了　100%

図12-4-4　**得意先別にシートを作成し、商品コードごとに数量を集計する**

ブック「抽出済データ_4」のシート「Sheet」をこのように集計するプログラムが、次のsum_quantity_02.pyです。

コード12-4-1　**得意先別にシートを分けて集計する**

118: sum_quantity_02.py

```
01  import openpyxl
02  from operator import itemgetter
03
04
05  wb1 = openpyxl.load_workbook(r"..\data\抽出済データ_4.xlsx")
06  ws1 = wb1.active
07
08  sales_list = [] #ここから辞書のリストを作る
09  for row in ws1.iter_rows():
10      if row[0].row == 1:
11          header_cells = row
12      else:
13          row_dic = {}
14          for k, v in zip(header_cells, row): # zip 複数のリストの要素を取得する
15              row_dic[k.value] = v.value
```

```
16          sales_list.append(row_dic)
17
18  wb2 = openpyxl.Workbook() #出力ファイル
19  sorted_list_b = sorted(sales_list, key=itemgetter("
    得意先コード", "商品コード", "日付"))
20
21
22  old_key = "" #ここから得意先別にシートに転記する
23  for dic in sorted_list_b:
24      if old_key != dic["得意先コード"]:
25          old_key = dic["得意先コード"]
26          ws2 = wb2.create_sheet(title=dic["得意先名"])
27          list_row = 1
28          ws2.cell(list_row,1).value = "商品コード"
29          ws2.cell(list_row,2).value = "日付"
30          ws2.cell(list_row,3).value = "品名"
31          ws2.cell(list_row,4).value = "数量"
32          ws2.cell(list_row,5).value = "合計"
33
34      list_row += 1
35      ws2.cell(list_row,1).value = dic["商品コード"]
36      ws2.cell(list_row,2).value = dic["日付"].date()
37      ws2.cell(list_row,3).value = dic["品名"]
38      ws2.cell(list_row,4).value = dic["数量"]
39
40  wb2.remove(wb2["Sheet"])
41
42  for ws2 in wb2: #全シートをループして、商品コードで集計する
43      sum_q = 0
44      old_key = ""
45      for i in range(2, ws2.max_row + 1):
```

```
46            if old_key == "":
47                old_key = ws2.cell(i,1).value
48
49            if old_key == ws2.cell(i,1).value:
50                sum_q += ws2.cell(i,4).value
51            else:
52                ws2.cell(i-1,5).value = sum_q
53                sum_q = ws2.cell(i,4).value
54                old_key = ws2.cell(i,1).value
55
56        ws2.cell(i,5).value = sum_q
57
58    wb2.save(r"..\data\売上数量集計_2.xlsx")
```

sorted関数による並べ替えから見て行きましょう。19行目では、得意先コード、商品コード、日付の順で辞書のリストを並べ替えます。sorted_list_bに並べ替えた結果が入ります。sorted_list_bと、冒頭のsumquantity_01.pyとは変数名を変えていますが、特に意味はありません。

そして、得意先別にシートに出力するために得意先コードをキーにキーブレイク処理を作成します。

今度のキーブレイク処理は先ほどのキーブレイク処理とは目的が違います。得意先コードを第一キーにして辞書のリストを並べ替えておいて、新しい得意先コードを読み込んだら、新しいシートを作るためにキーブレイク処理をします。

具体的には22行目からが、シート用のキーブレイク処理です。forループの前で、

```
22  old_key = ""
```

としてold_keyを空文字にします（22行目）。

forループでは、sorted_list_bからひとつずつ辞書を読み込み、dicに入

れます。最初（ループの1周目）では、old_keyは空文字です。このため、24行目の

```
24  if old_key != dic["得意先コード"]
```

が成り立ち、Trueを返します。そのときはold_keyに読み込んだ得意先コードを入れます。

次の25行目で、wb2.create_sheetメソッドにより新しいシートを作成します。その際に引数に

```
title=dic["得意先名"]
```

として、得意先名をシート名にします。次に、現在出力側のシートの何行目に書き出しているかを示すための変数list_rowを1にしています（27行目）。

さらに新しいシートを作成したときの処理が続きます。次に作成したシートの1行目に項目名を書き込みます（28〜32行目）。

1行目のときに項目名の行を作る処理が終わったら、list_rowに1を加算し、シートの2行目に各項目の値を書き込みます（プログラムの34〜38行目）。そしてforループを繰り返し、得意先コードが変わるまで、つまりdicに読み込んだ得意先コードがold_keyと同じなうちは同じシートに各行の値を書き込み、違う得意先コードが来たら、また新しいシートを作成して、項目名を書き込み、今度の得意先のデータを転記していくわけです。

40行目の

```
40  wb2.remove(wb2["Sheet"])
```

ですが、ワークブックオブジェクトのremoveメソッドはワークシートを削除します。引数にwb2["Sheet"]と指定しているシートは、ワークブック作成時に自動的に作成されたシートです。プログラムは得意先ごとにシートを作成するので、このシート「Sheet」は使いません。不要なシートなので削除する処理を入れています。これで残ったシートは得意先別のシートだけになるわ

けですね。

ここまでが、得意先ごとにシートを分ける処理です。

ここからは、各シートで商品コードごとの数量を集計します。

42行目のforループで、ブック内の全シートについて商品コードの数量の集計をしていきます。全シートに対する繰り返し処理を実行したいので

```
42  for ws2 in wb2:
```

でワークブックから順にシートを取り出して処理していきます。

各シートで繰り返す処理の中ではまず、数量集計用の変数sum_qを0にして、old_keyを空文字にします（43行目、44行目）。次に、for in range文を使って、各シートの2行目から最後の行までを対象に数量を集計します（45行目）。old_keyが空文字のときは最初の行なので、そのときはセルA2の値をold_keyに入れます（46行目）。

```
ws2.cell(i,1).value
```

が得意先ごとに分類した各シートのセルA2の値です。これをold_keyに代入します（47行目）。ちなみに1列目すなわちA列は商品コードが入力されています。

ループの2周目以降では、old_keyと現在操作している行の商品コードが同じなら、数量をsum_qに集計します（50行目）。old_keyと商品コードが違うときは、51行目からの処理でsum_qを合計列に書き込むわけですが、このとき52行目では

```
ws2.cell(i-1,5).value
```

と、書き込み先の行の指定を

```
i - 1
```

にしています。その時点で対象にしている行では、すでにキーとなる商品コードが変わってしまっています。このときにsum_qは直前までの商品コードの合計値です。書き込み先の行をずらすのは、前の商品コードの最後の行、つまり現在の行の1行上に商品ごとの合計を記入したいからです。

商品コードが切り替わったのを受け、sum_qに新しい商品の数量を代入し（53行目）、old_keyに新しい商品コードを代入し（54行目）、同じループをまた繰り替えします。

最終行を処理し終えたときは、iの値は増えませんので、今度は同じ行の合計列である

```
ws2.cell(i,5).value
```

にsum_qを代入します（56行目）。

これで得意先別、商品別に数量が集計できました。このプログラムでは、売上数量集計_2.xlsxというファイル名で集計結果を保存しています。想定した通りに分類、集計できていることを確認してください。

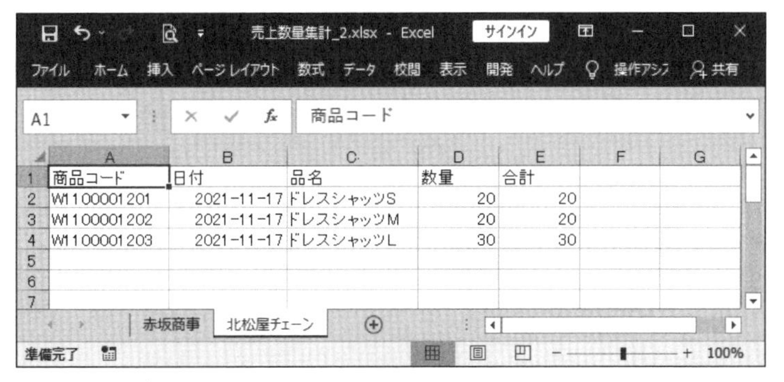

	A	B	C	D	E	F	G
1	商品コード	日付	品名	数量	合計		
2	W1100001201	2021-11-17	ドレスシャッツS	20	20		
3	W1100001202	2021-11-17	ドレスシャッツM	20	20		
4	W1100001203	2021-11-17	ドレスシャッツL	30	30		
5							
6							
7							

図12-4-5　**ブック「売上数量集計_2」を開いたところ**

12-5

辞書を使って集計する

119: aggregate_sales_01.py

```
01  import openpyxl
02
03
04  def print_header(ws):
05      ws["A1"].value = "担当者"
06      ws["B1"].value = "数量"
07      ws["C1"].value = "金額"
08      ws["D1"].value = "得意先"
09      ws["E1"].value = "数量"
10      ws["F1"].value = "金額"
11
12
13  wb1 = openpyxl.load_workbook(r"..\data\sample12_5.
    xlsx")
14  ws1 = wb1.active
15  sales_data = {}
16  for row in range(2, ws1.max_row + 1):
17      person = ws1["E" + str(row)].value
18      customer = ws1["C" + str(row)].value
19      quantity = ws1["J" + str(row)].value
20      amount = ws1["L" + str(row)].value
21      sales_data.setdefault(person, {"name": ws1["F" +
        str(row)].value , "quantity": 0, "amount":0})
22      sales_data[person].setdefault(customer, {"name":
        ws1["D" + str(row)].value , "quantity": 0,
```

```
    "amount":0})
23      sales_data[person][customer]["quantity"] +=
        int(quantity)
24      sales_data[person][customer]["amount"] +=
        int(amount)
25      sales_data[person]["quantity"] += int(quantity)
26      sales_data[person]["amount"] += int(amount)
27  #print(sales_data)
28
29  wb2 = openpyxl.Workbook()
30  ws2 = wb2.active
31  print_header(ws2)
32  row = 2
33  for person_data in sales_data.values():
34      ws2["A" + str(row)].value = person_data["name"]
35      ws2["B" + str(row)].value = person_
        data["quantity"]
36      ws2["C" + str(row)].value = person_
        data["amount"]
37      for customer_data in person_data.values():
38          if isinstance(customer_data,dict):
39              for item in customer_data.values():
40                  ws2["D" + str(row)].value = customer_
                    data["name"]
41                  ws2["E" + str(row)].value = customer_
                    data["quantity"]
42                  ws2["F" + str(row)].value = customer_
                    data["amount"]
43              row +=1
44
45  ws2["F" + str(row)].value =  "=SUM(F2:F" +
```

```
    str(row-1) + ")"
46  ws2["E" + str(row)].value =  "合計"
47
48
49  wb2.save(r"..\data\担当者得意先別集計.xlsx")
```

この項では、Pythonの辞書(ディクショナリー)を使った集計処理を説明します。担当者コード、得意先コードで数量、金額を集計するのですが、辞書にはsetdefault()というメソッドがあり、指定したキーが存在しなければ追加してくれて、存在すれば何もしないという処理をしてくれます。この特徴を生かして、辞書による集計処理を作成します

集計する元データとして、ブック「sample12_5」を用意しました。

	A	B	C	D	E	F	G	H	I	J	K	L	M
1	伝票No	日付	得意先コード	得意先名	担当者コード	担当者名	明細No	商品コード	品名	数量	単価	金額	
2	1010981	2021/10/15	1	赤坂商事	1001	松川	1	W1100001201	ドレスシャッツS	30	2,560	76,800	
3	1010981	2021/10/15	1	赤坂商事	1001	松川	2	W1100001202	ドレスシャッツM	15	2,560	38,400	
4	1010981	2021/10/15	1	赤坂商事	1001	松川	3	W1100001203	ドレスシャッツL	10	2,560	25,600	
5	1010981	2021/10/15	1	赤坂商事	1001	松川	4	W1100001101	ワイシャッツS	20	2,100	42,000	
6	1010981	2021/10/15	1	赤坂商事	1001	松川	5	W1100001102	ワイシャッツM	20	2,100	42,000	
7	1010982	2021/11/16	2	大手ホールディングス	1001	松川	1	W1200001201	カジュアルシャッツ	50	1,890	94,500	
8	1010982	2021/11/16	2	大手ホールディングス	1001	松川	2	W1200001202	カジュアルシャッツ	30	1,890	56,700	
9	1010983	2021/11/17	3	北松屋チェーン	1002	小原	1	W1100001201	ドレスシャッツS	20	2,560	51,200	
10	1010983	2021/11/17	3	北松屋チェーン	1002	小原	2	W1100001202	ドレスシャッツM	20	2,560	51,200	
11	1010983	2021/11/17	3	北松屋チェーン	1002	小原	3	W1100001203	ドレスシャッツL	30	2,560	76,800	
12	1010984	2021/11/18	4	OSAKA BASE	1003	前原	1	W1100001101	ワイシャッツS	50	2,100	105,000	
13	1010984	2021/11/18	4	OSAKA BASE	1003	前原	2	W1100001102	ワイシャッツM	60	2,100	126,000	
14	1010985	2021/11/20	1	赤坂商事	1001	松川	1	W1100001201	ドレスシャッツS	10	2,560	25,600	
15	1010985	2021/11/20	1	赤坂商事	1001	松川	2	W1100001202	ドレスシャッツM	15	2,560	38,400	
16	1010985	2021/11/20	1	赤坂商事	1001	松川	3	W1100001203	ドレスシャッツL	20	2,560	51,200	

売上明細

準備完了　100%

図12-5-1　**元データとなるブック「sample12_5」**

この売上明細の数量、金額を得意先レベル、担当者レベルで集計します。一般に営業担当者は複数の得意先を担当します。自分の得意先の売り上げの合計が各担当者の売り上げには、複数の得意先(もちろんそれぞれの担当する得意先です)のデータを集計する必要があります。

	A	B	C	D	E	F	G	H
1	担当者	数量	金額	得意先	数量	金額		
2	松川	220	491200	赤坂商事	140	340000		
3				大手ホールディングス	80	151200		
4	小原	70	179200	北松屋チェーン	70	179200		
5	前原	110	231000	OSAKA BASE	110	231000		
6					合計	901400		

図12-5-2　**出力するブック「担当者得意先別集計」。各担当者別に得意先を分けて集計した**

これは、担当者ごとに扱った数量、金額を集計したデータです。この中で松川さんの得意先は、赤坂商事と大手ホールディングスで、それぞれの合計値もまとめられています。このデータを作るのが、冒頭のaggregate_sales_01.pyです。そのコードを見ていきましょう。

プログラムの最初にopenpyxlをインポートしたあと、defでprint_header関数を定義しています（4～10行目）。ここで定義するprint_header関数は、出力ファイルの各項目にヘッダーとして見出しを付ける処理をするものとして記述しました。引数として、ワークシートオブジェクトを受け取ります。これを実行することにより、指定したワークシートのセルA1からF1に見出しを付けることができます（5～10行目）。

本書でこれまで見てきたように、セル番地の指定にはいろいろな方法があります。このプログラムでは、

```
ws["A1"].value = "担当者"
```

のように、Excelユーザーにとってなじみ深いA1、B2といったセル番地で指定しています。セル番地を使う場合は、

```
sheet_obj["A1"]
```

という書式になります。他の書式との違いに注意してください。

さて、集計部分に進みましょう。

14行目のwb1.activeでsample12_5.xlsxにひとつだけ存在するシート「売上明細」を変数ws1で扱えるようにします。次に、

```
sales_data = {}
```

で、変数sales_dataに空の辞書を作成します。

16行目のfor in文の中で、range関数を使います。range関数には開始値と停止値を与えています。1とsh.max_row + 1です。ここまで通して読んできた読者の方は、何度も同じ説明を目にして読み飽きたかもしれませんが、max_rowプロパティはデータの入力されている最終行を返します。このため、range関数は停止値のひとつ手前までしか繰り返さないことから、最終行も処理するために1を足しているのです。これで入力されている全行を扱うことができます。

繰り返し処理の中を見ていきましょう。

sample12_5.xlsxのE列には担当者コードが入っているので、変数personに代入します（17行目）。C列は得意先コードなのでcustomerに代入します（18行目）。続けて、数量をquantityに、金額をamountに代入します（19行目）。

次の21行目に出てくる辞書のsetdefaultメソッドが、この集計処理の最も肝心なところです。setdefaultメソッドでキーとして担当者コードを、値として、name、quantity、amountという3つの要素を持つ辞書を与えています。値がこれまた辞書になっているわけです。このように辞書は入れ子にできます。辞書の中に辞書を作ることができるのです。

nameの値は

```
sh["F" + str(row)].value
```

なのでF列すなわち担当者名です。quantity、amountは初期値として0を与えています。ここに担当者レベルの計を求めていくわけですね。

setdefaultメソッドの便利なところは指定したキーが存在しなければ追加してくれて、存在すれば何もしないところです。ですから、行を読み込むごとにsetdefault()しても問題ありません。

シートから集計対象となる範囲の1行目を読み込んで、最初のsetdefaultメソッドを実行したところから、変数sales_dataではシートの1行分を処理するにあたって、次のように集計が進んでいきます。

まず、シート1行目のデータは以下の通りです。

表12-5-1　プログラムが処理する最初の行のデータ

赤坂商事	1001	松川	1	W1100001201	ドレスシャッツS	30	2560	76800

これをまず22行目の

```
sales_data[person].setdefault(customer, {"name":
sh["D" + str(row)].value , "quantity": 0,
"amount":0})
```

で処理します。ここではperson（担当者）をキーとする辞書の中にcustomer（得意先コード）が存在しなければキーとして追加し、値として辞書を作ります。この辞書は、nameキーに得意先名、quantityキーに数量、amountキーに金額という3種類の要素を持ちます。このとき数量と金額については初期値0を設定します。

このコードまで処理すると、sales_dataは次のようになります。

```
{1001: {'name': '松川', 'quantity': 0, 'amount': 0, 1:
{'name': '赤坂商事', 'quantity': 0, 'amount': 0}}}
```

これを見れば、担当者の辞書の中に得意先の辞書が入っていることがわかりますね。

このあと、数量と金額の集計が始まります。表12-5-1のデータを、23行目から26行目まで処理します。この部分のコードをあらためて切り出しておきましょう。

```
23  sales_data[person][customer]["quantity"] +=
    int(quantity)
24  sales_data[person][customer]["amount"] +=
    int(amount)
25  sales_data[person]["quantity"] += int(quantity)
26  sales_data[person]["amount"] += int(amount)
```

ここまで処理が進むと、sales_data辞書は次の状態になります。

```
{1001: {'name': '松川', 'quantity': 30, 'amount':
76800, 1: {'name': '赤坂商事', 'quantity': 30,
'amount': 76800}}}
```

これだけではちょっとわかりにくいかもしれません。21行目から26行目まで、1行ずつ追いながら、どのようにデータを処理していくかを見てください。まず21行目の

```
21  sales_data.setdefault(person, {"name": ws1["F" +
    str(row)].value , "quantity": 0, "amount":0})
```

を処理した時点で、sales_dataは

```
{1001: {'name': '松川', 'quantity': 0, 'amount': 0}}
```

となっています。担当者である松川さんの情報のためのキーが初期状態で追加された形です。続く22行目の

```
22  sales_data[person].setdefault(customer, {"name":
    ws1["D" + str(row)].value , "quantity": 0,
```

```
    "amount":0})
```

に処理が進むと、

```
{1001: {'name': '松川', 'quantity': 0, 'amount': 0, 1:
{'name': '赤坂商事', 'quantity': 0, 'amount': 0}}}
```

と、得意先の情報が辞書形式で追加されました。どんどん先に進みましょう。23行目の

```
sales_data[person][customer]["quantity"] +=
int(quantity)
```

で、得意先のデータとして数量を追加します。これによりsales_dataは

```
{1001: {'name': '松川', 'quantity': 0, 'amount': 0, 1:
{'name': '赤坂商事', 'quantity': 30, 'amount': 0}}}
```

と変化します。このあとの処理はまとめてご覧ください(24〜26行目)。

```
24  sales_data[person][customer]["amount"] +=
    int(amount)
25  sales_data[person]["quantity"] += int(quantity)
26  sales_data[person]["amount"] += int(amount)
```

　これに応じて、24行目で得意先の金額の合計(下記の①)、25行目で担当者の数量(同②)、26行目で担当者の金額(同③)にそれぞれ数値が追加されます。

```
{1001: {'name': '松川', 'quantity': 0, 'amount': 0,
1: {'name': '赤坂商事', 'quantity': 30, 'amount':
```

```
76800}}}…①
{1001: {'name': '松川', 'quantity': 30, 'amount': 0, 1:
{'name': '赤坂商事', 'quantity': 30, 'amount': 76800}}}
…②
{1001: {'name': '松川', 'quantity': 30, 'amount':
76800, 1: {'name': '赤坂商事', 'quantity': 30,
'amount': 76800}}}…③
```

ここまで来たら、繰り返し処理の最初に戻ります。処理範囲の２行目（シート「売上明細」では３行目）のデータをひと通り処理した状態が

```
{1001: {'name': '松川', 'quantity': 45, 'amount':
115200, 1: {'name': '赤坂商事', 'quantity': 45,
'amount': 115200}}}
```

です。このあと、入れ子の辞書の中でキーに存在しない得意先コードが出てくれば、そこで新たに追加します。また、外側の辞書でキーに存在しない担当者コードが出てくれば、つまり別の担当者のデータが出てくれば、それも追加し、同様に集計を繰り替えします。+=という複合代入演算子が集計を担当するわけですね。

売上明細シートを最後まで処理すると、sales_data辞書は次のようになります。

```
{1001: {'name': '松川', 'quantity': 220, 'amount':
491200, 1: {'name': '赤坂商事', 'quantity': 140,
'amount': 340000}, 2: {'name': '大手ホールディングス',
'quantity': 80, 'amount': 151200}}, 1002: {'name': '
小原', 'quantity': 70, 'amount': 179200, 3: {'name':
'北松屋チェ ーン', 'quantity': 70, 'amount': 179200}},
1003: {'name': '前原', 'quantity': 110, 'amount':
231000, 4: {'name': 'OSAKA BASE', 'quantity': 110,
```

```
'amount': 231000}}}
```

ここまでデータがまとまったら、この辞書を新しいExcelのシートに展開していきます。

29行目のopenpyxl.Workbook()で新規ブックを開き、wb2.activeで自動的に1枚作成されているシートを選択します(30行目)。31行目で、プログラム冒頭で定義したprint_header関数にワークシートオブジェクトws2を渡し、項目名を入力します。新しいシートの2行目以降に辞書形式の変数sales_dataから、担当者レベルの集計した数量・金額、得意先レベルの数量・金額を転記していきます。転記の処理が、33行目からの処理です。

33行目の

```
for person_data in sales_data.values():
```

で、sales_dataから担当者ごとの辞書をperson_dataとして取得できます。person_dataはたとえば、以下のようなデータです。

```
{'name': '松川', 'quantity': 220, 'amount': 491200,
1: {'name': '赤坂商事', 'quantity': 140, 'amount':
340000}, 2: {'name': '大手ホールディングス', 'quantity':
80, 'amount': 151200}}
```

この中のname(松川)をA列に、quantity(220)をB列に、amount(491200)をC列の値に設定したら(34〜36行目)、次は37行目からの処理でperson_dataからcustomer_dataに得意先の辞書を取り出します。

ここで注意すべきは、person_dataから取り出すのは辞書ばかりではないということです。person_dataの値を要素の順に取り出すと、得意先の辞書だけでなく、担当者名や担当者レベルの数量、金額も当然取り出してしまいます。そんなときにはisinstance関数を使って、必要な値だけを取り出します。

isinstance関数はオブジェクトの型を判定してくれます。第1引数のオブジェクトが第2引数の型のインスタンス、またはサブクラスのインスタンスであればTrue(真)を返します。

ここでは、

```
isinstance(customer_data,dict)
```

としてcustomer_dataがdict(辞書)のインスタンスであるか調べています。

その結果、Trueを返すときだけ、D列にname(得意先名)、E列にquantity(得意先レベルの数量)、F列にamount(得意先レベルの金額)を入力します。

sales_dataからのシートへの転記を終えたら、集計データの最後として次の行のF列に

```
"=SUM(F2:F" + str(row-1) + ")"
```

として、合計のSUM関数を指定します。これはプログラムからExcelの関数を使用する例ですね。書き出したブックを開いたときに、自動的にSUM関数による計算が実行されて、シートを開いたときには金額の合計値が求められているというわけです。もちろん、本書で紹介した他のコードと組み合わせることで、金額の合計値をプログラムで算出してシートに入力することもできます。その際のコードがどうなるか、練習問題としてぜひ考えてみてください。

さて、これで担当者・得意先別に数量と金額を集計する表が作成できました。49行目で、これを「担当者得意先別集計.xlsx」として保存しています。

12-6

リストでクロス集計する

120: aggregate_sales_02.py

```
01  import openpyxl
02
03
04  customers = []
05  products = []
06
07  wb_in = openpyxl.load_workbook(r"..\data\
    sample12_6.xlsx")
08  ws_in1 = wb_in["得意先"]
09  for row in range(1, ws_in1.max_row + 1):
10      customer = [ws_in1["A" + str(row)].value,ws_
        in1["B" + str(row)].value]
11      customers.append(customer)
12
13  ws_in2 = wb_in["商品"]
14  for row in range(1, ws_in2.max_row + 1):
15      product = ws_in2["A" + str(row)].value + ":" +
        ws_in2["B" + str(row)].value
16      products.append(product)
17
18  sales_amount= [[0]*(len(products) + 2) for i in
    range(len(customers)+1)]
19
20  for j in range(2,len(products) + 2):
21      sales_amount[0][j] = products[j - 2]
```

```
22
23  sales_amount[0][0] =  "得意先コード"
24  sales_amount[0][1] =  "得意先名"
25
26  for i in range(1,len(customers)+1):
27      sales_amount[i][0] = customers[i-1][0]
28      sales_amount[i][1] = customers[i-1][1]
29
30  ws_in3 = wb_in["売上明細"]
31  for row in range(2, ws_in3.max_row + 1):
32      customer = ws_in3["C" + str(row)].value
33      product = ws_in3["H" + str(row)].value
34      amount = ws_in3["J" + str(row)].value
35      for i in range(len(customers)+1):
36          if customer == sales_amount[i][0]:
37              for j in range(2,len(products)+2):
38                  if product == sales_amount[0][j]
                    [:11]:
39                          sales_amount[i][j] += amount
40
41  wb_out = openpyxl.Workbook()
42  ws_out = wb_out.active
43  row = 1
44  for sales_row in sales_amount:
45      col = 1
46      customer_sum = 0
47      for sales_col in sales_row:
48          if row ==1 and col > 2:
49              ws_out.cell(row, col).value = sales_
                col[12:]
50          else:
```

```
51                  ws_out.cell(row, col).value = sales_col
52              if  row > 1 and col > 2:
53                  customer_sum += sales_col
54              col += 1
55          if row == 1:
56              ws_out.cell(row, col).value =  "合計"
57          else:
58              ws_out.cell(row, col).value =  customer_sum
59          row += 1
60
61  wb_out.save(r"..\data\クロス集計.xlsx")
```

ここでは、売上明細を得意先と商品でクロス集計します。2次元のリストを使ってクロス集計する方法を見ていきましょう。2次元のリストは他のプログラミング言語では「2次元配列」と呼ばれるものです。縦軸を得意先、横軸を商品として、数量を集計します。

ブック「sample12_6」のシート「売上明細」の数量がクロス集計の対象です。

	A	B	C	D	E	F	G	H	I	J	K	L
1	伝票No	日付	得意先コード	得意先名	担当者コード	担当者名	明細No	商品コード	品名	数量	単価	金額
2	1010981	2021/10/15	1	赤坂商事	1001	松川	1	W1100001201	ドレスシャッツS	30	2,560	76,800
3	1010981	2021/10/15	1	赤坂商事	1001	松川	2	W1100001202	ドレスシャッツM	15	2,560	38,400
4	1010981	2021/10/15	1	赤坂商事	1001	松川	3	W1100001203	ドレスシャッツL	10	2,560	25,600
5	1010981	2021/10/15	1	赤坂商事	1001	松川	4	W1100001101	ワイシャッツS	20	2,100	42,000
6	1010981	2021/10/15	1	赤坂商事	1001	松川	5	W1100001102	ワイシャッツM	20	2,100	42,000
7	1010982	2021/11/16	2	大手ホールディングス	1001	松川	1	W1200001201	カジュアルシャッ	50	1,890	94,500
8	1010982	2021/11/16	2	大手ホールディングス	1001	松川	2	W1200001202	カジュアルシャッ	30	1,890	56,700
9	1010983	2021/11/17	3	北松屋チェーン	1002	小原	1	W1100001201	ドレスシャッツS	20	2,560	51,200
10	1010983	2021/11/17	3	北松屋チェーン	1002	小原	2	W1100001202	ドレスシャッツM	20	2,560	51,200
11	1010983	2021/11/17	3	北松屋チェーン	1002	小原	3	W1100001203	ドレスシャッツL	30	2,560	76,800
12	1010984	2021/11/18	4	OSAKA BASE	1003	前原	1	W1100001101	ワイシャッツS	50	2,100	105,000
13	1010984	2021/11/18	4	OSAKA BASE	1003	前原	2	W1100001102	ワイシャッツM	60	2,100	126,000
14	1010985	2021/11/20	1	赤坂商事	1001	松川	1	W1100001201	ドレスシャッツS	10	2,560	25,600
15	1010985	2021/11/20	1	赤坂商事	1001	松川	2	W1100001202	ドレスシャッツM	15	2,560	38,400
16	1010985	2021/11/20	1	赤坂商事	1001	松川	3	W1100001203	ドレスシャッツL	20	2,560	51,200

得意先　商品　売上明細

準備完了　100%

図12-6-1　**クロス集計の基になるデータは、ブック「sample12_6」のシート「売上明細」に**

このブックには「売上明細」のほかに、2枚のシート「得意先」と「商品」があり、「売上明細」に出てくる得意先と商品が入力されています。

	A	B	C	D	E	F	G
1	1	赤坂商事					
2	2	大手ホールディングス					
3	3	北松屋チェーン					
4	4	OSAKA BASE					
5							
6							

得意先 | 商品 | 売上明細

準備完了 100%

図12-6-2　**シート「得意先」**

	A	B	C	D	E	F
1	W1100001101	ワイシャッツS				
2	W1100001102	ワイシャッツM				
3	W1100001103	ワイシャッツL				
4	W1100001201	ドレスシャッツS				
5	W1100001202	ドレスシャッツM				
6	W1100001203	ドレスシャッツL				
7	W1200001201	カジュアルシャッツS				
8	W1200001202	カジュアルシャッツM				
9	W1200001203	カジュアルシャッツL				
10						
11						
12						

得意先 | 商品 | 売上明細

準備完了 100%

図12-6-3　**シート「商品」**

このデータをもとに、得意先と商品でクロス集計するわけですが、集計に使うのは「得意先コード」(シート「売上明細」のC列)と「商品コード」(同じくシート「売上明細」のH列)です。列見出しには、商品コードよりわかりやすいだろうという理由で品名を表示するようにします。

得意先コ	得意先名	ワイシャツS	ワイシャツM	ワイシャツL	ドレスシャツS	ドレスシャツM	ドレスシャツL	カジュアルシャツS	カジュアルシャツM	カジュアルシャツL	合計
1	赤坂商事	20	20	0	40	30	30	0	0	0	140
2	大手ホールディングス	0	0	0	0	0	0	50	30	0	80
3	北松屋チェーン	0	0	0	20	20	30	0	0	0	70
4	OSAKA BASE	50	60	0	0	0	0	0	0	0	110

図12-6-4 **得意先コードと商品コードで数量をクロス集計した結果**

これをプログラミングしたのが、冒頭のaggregate_sales_02.pyです。このプログラムをじっくり見ていきましょう。

4行目のcustomersは得意先を入れるためのリストで、5行目のproductsは商品を入れるためのリストです。ここで初期化しておきます。

8行目で、変数ws_in1としてシート「得意先」を扱えるようにしています。続く9行目のfor文ではrange関数を使って、すべての得意先のコードと名前をcustomersリストに追加します。

customerという変数名で得意先コードと得意先名のリストを作って、customersにappend（追加）しているので、customersは以下のような2次元のリストになります。

```
[[1, '赤坂商事'], [2, '大手ホールディングス'], [3, '北松屋
チェーン'], [4, 'OSAKA BASE']]
```

次にシート「商品」をws_in2で操作します（13行目）。シート「得意先」と同様にすべての商品のコードと名前をproductsリストに入れるのですが、productsリストにappendしているproductは（リストではなく）文字列型です。appendの前の行（15行目）で

```
15  product = ws_in2["A" + str(row)].value + ":" + ws_
    in2["B" + str(row)].value
```

として、商品コードと品名を":"を挟んで連結しています。ですから、productsリストは以下のような1次元のリストです。

```
['W1100001101:ワイシャッツS', 'W1100001102:ワイシャッツM',
'W1100001103:ワイシャッツL', 'W1100001201:ドレスシャッツ
S', 'W1100001202:ドレ
スシャッツM', 'W1100001203:ドレスシャッツL', 'W1200001201:
カジュアルシャッツS', 'W1200001202:カジュアルシャッツM',
'W1200001203:カジュア
ルシャッツL']
```

18行目の

```
18  sales_amout= [[0]*(len(products) + 2) for i in
    range(len(customers)+1)]
```

はリスト内包表記によるリストの初期化です。sales_amountはクロス集計用の2次元リストです。

```
[0]*(len(products) + 2)
```

で、productsリストの要素の数をもとに、0を要素として持つ1次元のリストを作ります。そして

```
for i in range(len(customers)+1)
```

のループによりcustomersの数をもとに、その1次元のリストを繰り返し作成します。つまり、

```
[0, 0, 0, 0, 0, 0, 0, 0, 0, 0, 0]
```

のリストを5個持つリストが作成されます。ちょっと、わかりにくいですね。集計対象の商品は9種類あります。でも上のリストにはそれより2個多く、0を11個並べました。最初の0は、得意先コードを入れるために用意しました。

同様に2番目は、得意先名を入れるための0です。残りの9個の0が商品に割り当てられます。

同様の理由で、[0, 0, 0, 0, 0, 0, 0, 0, 0, 0, 0]のリストは5個作ります。クロス集計の対象となる得意先は4社ですが、1行目には「商品コード:品名」を代入するつもりだからです。

その代入処理は、20行目の

```
20  for j in range(2,len(products) + 2):
```

から始まり、24行目の

```
24  sales_amount[0][1] = "得意先名"
```

まで実行したところで、次のようになります。

表12-6-1　**24行目までで作成されるクロス集計用の表**

得意先コード	得意先名	W1100001101:ワイシャッツS	W1100001102:ワイシャッツM	…	W1200001203:カジュアルシャッツL
0	0	0	0	…	0
0	0	0	0	…	0
0	0	0	0	…	0
0	0	0	0	…	0

次の26行目の

```
26  for i in range(1,len(customers)+1):
```

のループで、得意先コードと得意先名を編集します。range関数の引数に1と開始値を指定したのは「得意先コード」、「得意先名」が入っている列見出し行を飛ばすためです。customers[i-1][0]は得意先コードを、customers[i-1][1]は得意先名を表します。ここまで処理すると、次のようになり、集計の準備完了です。

表12-6-2　24行目までで作成されるクロス集計用の表

得意先コード	得意先名	W1..	W1..	W1..	W1..	W1..	W1..	W1..	W1..	W1..
1	赤坂商事	0	0	0	0	0	0	0	0	0
2	大手ホールディングス	0	0	0	0	0	0	0	0	0
3	北松屋チェーン	0	0	0	0	0	0	0	0	0
4	OSAKA BASE	0	0	0	0	0	0	0	0	0

次にシート「売上明細」を読み込んで、リストに集計していくわけですが、31行目で

```
31  for row in range(2, ws_in3.max_row + 1):
```

とrange関数の引数で開始値2を指定しているのは、「売上明細」の1行目が項目名だからです。これにより、シートの2行目から順々にデータを読み込んでいけます。

32行目で変数customerにC列の得意先コードを代入、33行目でproductにH列の商品コードを代入、34行目でamountにJ列の数量を代入したら、2次元のリストを調べます。

35行目のfor in文の中に、36行目のif文を入れ子にして、得意先コードが一致するという条件

```
customer == sales_amount[i][0]
```

にマッチした行で、商品コードが一致するという条件

```
product == sales_amount[0][j][:11]
```

の列が見つかったら、数量をマッチした行・列のセルに加算します。商品コードが一致するかどうかを調べる際には、「商品コード:品名」の文字列からス

ライスを使って、先頭から11文字の商品コードを取り出し比較しています。
　41行目の

```
openpyxl.Workbook()
```

からが出力処理です。44行目の

```
44    for sales_row in sales_amount:
```

で2次元のリストから1次元のリストに相当する行を取り出します。このforループの中では47行目の

```
47    for sales_col in sales_row:
```

で行から列を取り出し、出力先のセルを編集します。

```
row ==1 and col > 2
```

が成り立つとき（48行目）はC列以降の列見出しなので、

```
sales_col[12:]
```

とスライスを使って、「商品コード:品名」から品名部分（12文字目以降）を取り出しています（49行目）。if文の処理が終わったら、次に処理中のセルが

```
row > 1 and col > 2
```

の条件が成り立つか、つまり2行目以降で3列目（C列）以降かどうかを調べます（52行目）。これがTrueのときには、得意先の合計を求めるために、customer_sumにsales_colの値を累計していきます。そして、1行の処理が終わったら、customer_sumの値を表の右端に入力します。この処理を

繰り返すことで、得意先×商品コードのクロス集計ができるというわけです。

　最後に集計結果を「クロス集計.xlsx」に保存して、クロス集計は完了です（61行目）。

12-7
pandasライブラリと組み合わせて使う

pandasライブラリは、Pythonのデータ分析の世界では有名なライブラリで、大きな表データ、行列を解析することができます。

pandasには3種類のデータ形式があります。Seriesは1次元の配列です。Pythonのリストに似ています。2番目はDataFrame(データフレーム)です。DataFrameは行と列を持つ2次元の配列データです。DataFrameを用いることで、CSVファイルや同じく2次元の表であるExcelのシート上のデータをプログラムから柔軟に扱うことができます。ここでは、DataFrameを使います。3番目のデータ形式はPanelです。これは3次元の配列データです。

DataFrameを使って何ができるかというと、本書でこれまで見てきたようなフィルター処理、ソート(並び替え)、groupby(グルーピング)による集計、ピボットテーブルによるクロス集計など。これが実に簡単な記述でプログラミングできるようになります。ここではpandasライブラリを使った集計の例をいくつか見たいただこうと思います。

さっそくpandasの強力な機能を…あまりといきたいところですが、その前にpandasをインストールしてください。

pandasは外部ライブラリなので、pipコマンドでインストールする必要があります。Visual Studio Codeのターミナルで

```
pip install pandas
```

と入力します。

図12-7-1　pip install pandasでインストール

するとインストールが始まり、あとはターミナル画面に進行状況が表示されます。インストールが完了してプロンプトが表示されるまで待ちましょう。

```
ターミナル　問題 1　出力　デバッグ コンソール　　　1: pip

PS C:\excel_python_ref\pandas_sample\prg> pip install pandas
Collecting pandas
  Downloading pandas-1.2.4-cp39-cp39-win_amd64.whl (9.3 MB)
     |████████████████████████████████| 9.3 MB 1.6 MB/s
Collecting pytz>=2017.3
  Downloading pytz-2021.1-py2.py3-none-any.whl (510 kB)
     |████████████████████████████████| 510 kB 2.2 MB/s
Collecting python-dateutil>=2.7.3
  Using cached python_dateutil-2.8.1-py2.py3-none-any.whl (227 kB)
Collecting numpy>=1.16.5
  Downloading numpy-1.20.3-cp39-cp39-win_amd64.whl (13.7 MB)
     |████████████████████████████████| 13.7 MB 1.3 MB/s
Requirement already satisfied: six>=1.5 in c:\users\ez11\appdata\roaming\python\python39\site-packages (fro
m python-dateutil>=2.7.3->pandas) (1.15.0)
Installing collected packages: pytz, python-dateutil, numpy, pandas
```

図12-7-2　pandasをインストール中のターミナル

pandasをインストールすると、数値計算ライブラリのNumpyも同時にインストールされます。他の外部ライブラリと比べると容量が大きいためか、インストールに少し時間がかかります。あせらずインストールが終わるのを待ってください。

pandasの準備ができたところで、さっそく使ってみましょう。まず始めに、ブック「sample12_7」のシート「売上明細」をDataFrameに読み込み、ピボットテーブルを作り、得意先コード、商品コードで数量をクロス集計します。

コード12-7-1　**得意先コードと商品コードで数量をクロス集計する**

121: use_pandas_01.py

```
01  import pandas as pd
02
03
04  df = pd.read_excel(r"..\data\sample12_7.xlsx",
    sheet_name="売上明細")
05  print(len(df))  #len 行数   15
06  print(df.size)  #size 要素数    180
07
08  df2 = df.pivot_table(index="得意先コード",columns="商
    品コード", values="数量", \
09      fill_value=0, margins=True, aggfunc="sum")
10  print(df2)
```

短いコードなので1行ずつ読んでいきましょう。1行目の

```
import pandas as pd
```

ですが、pandasライブラリはpdとインポートの際に別名を付けることが一般的です。ここでもそれにならいました。

4行目のread_excel関数は、ExcelのシートWを読み込みDataFrameを返します。それをデータフレームオブジェクト変数dfで受けています。引数として渡したシートは、ブック「sample12_7」のシート「売上明細」です。データ自体は、本章で何度も見て来たものと同じものです。

8行目のdf.pivot_tableメソッドは、これだけで変数df2にDataFrameとしてピボットテーブルを返します。ピボットテーブルは、Excelで使ったことがある人も多いかもしれません。表から特定のフィールド（項目）を行と列に配置して、値を集計する機能です。

引数に指定した項目を見ていきましょう。

- index … 縦の集計項目（複数指定可）
- columns … 横の集計項目（複数指定可）
- values … 集計対象の値の項目を指定*1
- fill_value … NaN（欠損値 Not a Number）を何で埋めるか。ここでは0埋めしている
- aggfun … 集計関数を指定（デフォルトはmean（平均値）,countやsumを指定できるほかラムダ式なども指定できる）

最後（10行目）の

```
print(df2)
```

でピボットテーブルをターミナルに出力します。得意先コード、商品コードで数量が集計されていることがわかります。Allとして縦計（商品計）、横計（得意先計）も出力されています。

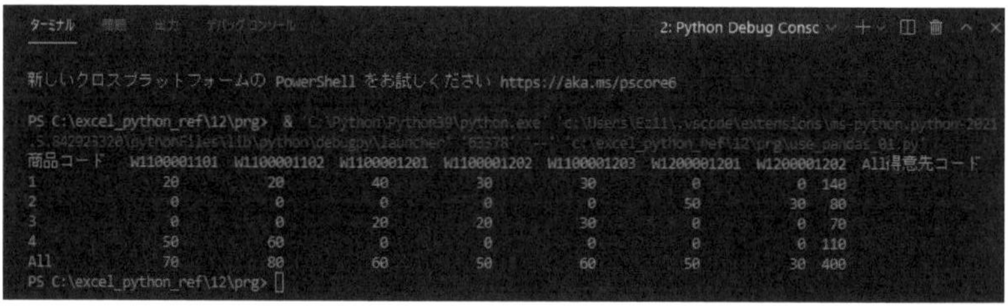
ターミナル
2: Python Debug Consc
新しいクロスプラットフォームの PowerShell をお試しください https://aka.ms/pscore6
PS C:\excel_python_ref\12\prg> &
商品コード W1100001101 W1100001102 W1100001201 W1100001202 W1100001203 W1200001201 W1200001202 All得意先コード
1 20 20 40 30 30 0 0 140
2 0 0 0 0 0 50 30 80
3 0 0 20 20 30 0 0 70
4 50 60 0 0 0 0 0 110
All 70 80 60 50 60 50 30 400
PS C:\excel_python_ref\12\prg>

図12-7-3　**ピボットテーブルとして出力された集計結果**

結果をターミナルに出力するだけでなく、DataFrameのto_excelメソッドでExcelのシートとして出力することができます。これに対応したプログラムを見てください。

---

*1　行末の\は行継続子です。

コード12-7-2 **プログラムで作成したピボットテーブルをExcelに書き出す**

```
122: use_pandas_02.py
01  import pandas as pd
02
03
04  df = pd.read_excel(r"..\data\sample12_7.xlsx",
    sheet_name="売上明細")
05
06  df2 = df.pivot_table(index="得意先コード",columns="商
    品コード", values="数量", \
07  fill_value=0, margins=True, aggfunc="sum")
08
09  with pd.ExcelWriter(r"..\data\ピボットテーブル_01.
    xlsx") as writer:
10      df2.to_excel(writer, sheet_name="得意先商品別数量")
```

9行目以降が、処理結果をExcelファイルに書き出すコードです。ExcelWriterオブジェクトを使って、出力ファイルにピボットテーブル_01.xlsxを指定し、sheet_nameを「得意先商品別数量」として出力を設定します（9行目）。続く10行目のto_excelメソッドでデータフレームをファイルに書き出します（10行目）。

これで、pandasで作成したピボットテーブルをExcelファイルに出力できました。

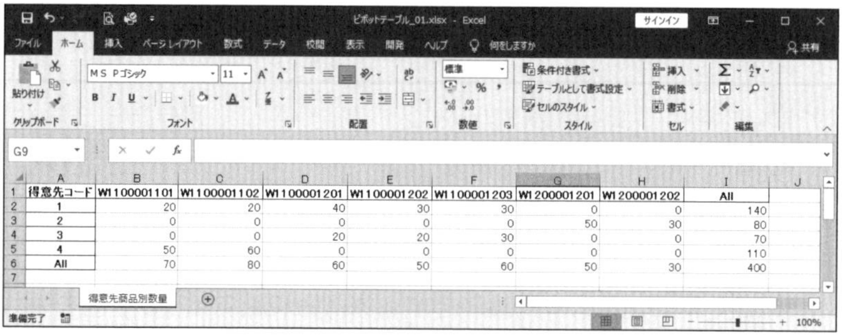

得意先コード	W1100001101	W1100001102	W1100001201	W1100001202	W1100001203	W1200001201	W1200001202	All
1	20	20	40	30	30	0	0	140
2	0	0	0	0	0	50	30	80
3	0	0	20	20	30	0	0	70
4	50	60	0	0	0	0	0	110
All	70	80	60	50	60	50	30	400

図12-7-4　**ピボットテーブル_01.xlsxに書き出された得意先および商品別の数量**

しかしながら、pandasライブラリはExcelファイルの加工を目的としていないので、細かい指定ができません。本書のようにExcelファイルを読み込んで、加工して再びExcelファイルに書き出すことが目的にするのであれば、pandasライブラリをopenpyxlライブラリとともに使うのが良いと思います。その方法もご紹介します。

具体的には、pandasの機能で作ったDataFrameオブジェクトから、openpyxlのdataframe_to_rows関数でデータを1行ずつ取得するという使い方が便利です。また、読み込んだ行をWorksheet.appendメソッドでExcelのシートに貼り付けることもできます。

これを実際のプログラムで見てみます。

コード12-7-3　**pandasで作ったデータをopenpyxlで加工する**

123: use_pandas_03.py

```
01  import openpyxl
02  from openpyxl.utils.dataframe import dataframe_to_
    rows
03  import pandas as pd
04
05
06  df = pd.read_excel(r"..\data\sample12_7.xlsx",
    sheet_name="売上明細")
```

```
07
08  df2 = df.pivot_table(index="得意先コード",columns="商
    品コード", values="数量", \
09      fill_value=0, margins=True, aggfunc="sum")
10
11  wb_out = openpyxl.Workbook()
12  ws_out = wb_out.active
13  for row in dataframe_to_rows(df2, index=True,
    header=True):
14      #print(row)
15      ws_out.append(row)
16
17  wb_out.save(r"..\data\ピボットテーブル_02.xlsx")
```

dataframe_to_rows関数を使いやすくするために、2行目でopenpyxl.utils.dataframeからdataframe_to_rowsを直接インポートしました。

13行目が、pandasで作成したピボットテーブルのデータフレームから、openpyxlの関数でデータを取り出す処理です。データフレームdf2からdataframe_to_rows関数でデータフレームの行を以下のようにリストとして取り出すことができます。

```
[None, 'W1100001101', 'W1100001102', 'W1100001201',
'W1100001202', 'W1100001203', 'W1200001201',
'W1200001202', 'All']
['得意先コード']
[1, 20, 20, 40, 30, 30, 0, 0, 140]
[2, 0, 0, 0, 0, 0, 50, 30, 80]
[3, 0, 0, 20, 20, 30, 0, 0, 70]
[4, 50, 60, 0, 0, 0, 0, 0, 110]
['All', 70, 80, 60, 50, 60, 50, 30, 400
```

use_pandas_03.pyでは、14行目で各行の値をターミナルに出力するようにしています。

もう一度13行目を見てください。dataframe_to_rows関数の引数にした

```
index=True, header=True
```

の指定は、それぞれ行インデックスと列ヘッダーを出力する（True）か否か（False）です。use_pandas_03.pyのコードでは、どちらもTrueにしました。このため、この出力結果の1行目および各リストの最初の要素がヘッダーになっています。こうして取り出した1行ずつの出力を、ワークシートオブジェクトのappendメソッドでws_outに追加します（15行目）。

このシートおよびブックはメモリ上に展開されているので、最後に「ピボットテーブル_02.xlsx」として保存します（17行目）。このExcelファイルを開くと次のようにシートが作成されています。

	A	B	C	D	E	F	G	H	I
1		W1100001101	W1100001102	W1100001201	W1100001202	W1100001203	W1200001201	W1200001202	All
2	得意先コード								
3	1	20	20	40	30	30	0	0	140
4	2	0	0	0	0	0	50	30	80
5	3	0	0	20	20	30	0	0	70
6	4	50	60	0	0	0	0	0	110
7	All	70	80	60	50	60	50	30	400

図12-7-5　**ピボットテーブル_02.xlsxを開いたところ**

これを、「12-6　リストでクロス集計する」の集計結果と比べてみましょう。

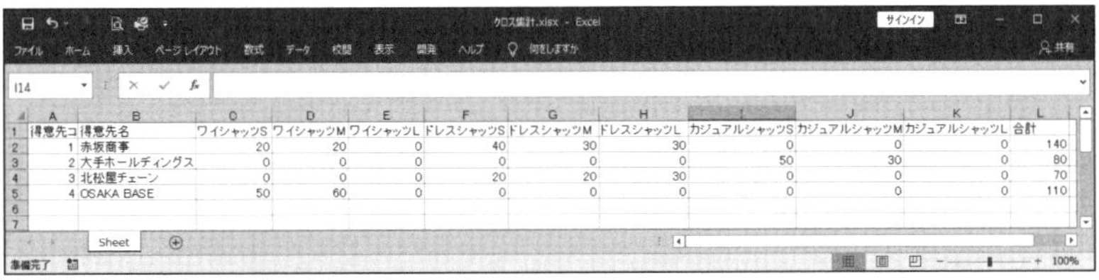

得意先コ	得意先名	ワイシャツS	ワイシャツM	ワイシャツL	ドレスシャツS	ドレスシャツM	ドレスシャツL	カジュアルシャツS	カジュアルシャツM	カジュアルシャツL	合計
1	赤坂商事	20	20	0	40	30	30	0	0	0	140
2	大手ホールディングス	0	0	0	0	0	0	50	30	0	80
3	北松屋チェーン	0	0	0	20	20	30	0	0	0	70
4	OSAKA BASE	50	60	0	0	0	0	0	0	0	110

図12-7-6　**クロス集計.xlsxを開いたところ（図12-6-4を再掲）**

まず、列の数が違いますね。データフレームのpivot_tableメソッドの場合、集計対象の値がない列は除かれます。また、自動的にAllで縦横ともに合計を出してくれます。これは便利ですね。

得意先コードと商品コードでクロス集計しているので、行見出しが得意先コード、列見出しが商品コードになっているのは仕方がないことなのですが、ここはやはりどちらもコードを得意先名と品名に表示を変えたいものですね。

この変換は、openpyxlで加工することにしましょう。次のプログラムを見てください。

コード12-7-4　**pandasのデータをopenpyxlで加工する**

124: use_pandas_04.py

```
01  import openpyxl
02  from openpyxl.utils.dataframe import dataframe_to_
    rows
03  import pandas as pd
04
05
06  df = pd.read_excel(r"..\data\sample12_7.xlsx",
    sheet_name="売上明細")
07
08  df2 = df.pivot_table(index="得意先コード",columns="商
    品コード", values="数量", \
09      fill_value=0, margins=True, aggfunc="sum")
```

```
10
11  wb_out = openpyxl.Workbook()
12  ws_out = wb_out.active
13  for row in dataframe_to_rows(df2, index=True,
    header=True):
14      ws_out.append(row)
15
16  wb_in = openpyxl.load_workbook(r"..\data\
    sample12_7.xlsx")
17  ws_out["A2"].value = "得意先名" #ここから得意先名の編集
18  ws_in1 = wb_in["得意先"]
19  for row_out in range(2,ws_out.max_row + 1):
20      customer = ws_out["A" + str(row_out)].value
21      for row_in in range(1,ws_in1.max_row + 1):
22          if customer == ws_in1["A" + str(row_in)].
            value:
23              ws_out["A" + str(row_out)].value = ws_
                in1["B" + str(row_in)].value
24
25  ws_in2 = wb_in["商品"] #ここから品名の編集
26  for col_out in range(2,ws_out.max_column + 1):
27      product = ws_out.cell(1, col_out).value
28      for row_in in range(1, ws_in2.max_row + 1):
29          if product == ws_in2["A" + str(row_in)].
            value:
30              ws_out.cell(1, col_out).value = ws_
                in2["B" + str(row_in)].value
31
32  wb_out.save(r"..\data\ピボットテーブル_03.xlsx")
```

追加した処理をざっくり説明します。17〜23行目は、ワークシートws_outのA列の得意先コードを順に変数customerに入れ、sample12_7.xlsxのシート「得意先」の同じくA列に同一の得意先コードがないか走査するコードです。このブックにもシート「商品」とシート「得意先」があるので、同じ得意先コードがあれば23行目の

```
ws_out["A" + str(row_out)].value = ws_in1["B" +
str(row_in)].value
```

でシート「得意先」のB列に入っている得意先名を、ワークシートws_outの得意先コードが入っているセルに代入します。これにより「得意先コードを得意先名に変換する」ことができます。この処理を得意先コードの数だけ繰り返して、得意先コードを得意先名に置き換えます。

25〜30行目の処理は、同様にシート「商品」をもとに、商品コードを商品名に置き換える処理です。このプログラムでピボットテーブルを作成したシートを見てください。

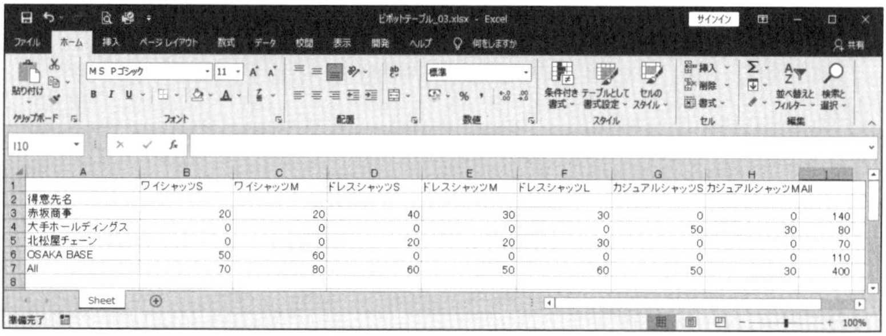

	ワイシャッツS	ワイシャッツM	ドレスシャッツS	ドレスシャッツM	ドレスシャッツL	カジュアルシャッツS	カジュアルシャッツM	All
得意先名								
赤坂商事	20	20	40	30	30	0	0	140
大手ホールディングス	0	0	0	0	0	50	30	80
北松屋チェーン	0	0	20	20	30	0	0	70
OSAKA BASE	50	60	0	0	0	0	0	110
All	70	80	60	50	60	50	30	400

図12-7-7　**コードが表示されていた商品と得意先を、それぞれ名称に置き換えた（ピボットテーブル_03.xlsx）**

このように基本的なデータ処理にはpandasライブラリを使い、それだけでは手が行き届かないところをopenpyxlライブラリで補うという使い分けが考えられます。

ピボットテーブル以外の例を少し見ておきましょう。

まずご紹介したいのは、データフレームのqueryメソッドによる抽出処理です。

コード12-7-5　**データフレームのqueryメソッドでデータを抽出する**

125: use_pandas_05.py

```
01  import openpyxl
02  from openpyxl.utils.dataframe import dataframe_to_
    rows
03  import pandas as pd
04
05
06  df = pd.read_excel(r"..\data\sample12_7.xlsx",
    sheet_name="売上明細")
07  df2 = df[[ "得意先名", "品名", "金額"]].query("金額 >
    50000")
08
09  wb_out = openpyxl.Workbook()
10  ws_out = wb_out.active
11  for row in dataframe_to_rows(df2, index=False,
    header=True):
12      ws_out.append(row)
13
14  wb_out.save(r"..\data\query_01.xlsx")
```

6行目でブック「sample12_7」のシート「売上明細」をデータフレームオブジェクト変数dfに読み込み、それをqueryメソッドで「金額が50000より大きい」行だけ抽出します（7行目）。列も得意先名、品名、金額だけを取得するようにしました。これを、新しいブックに作成されたシートにappendメソッドで追加していきます（9〜12行目）。この処理結果を保存したquery_01.xlsxを見てみましょう。

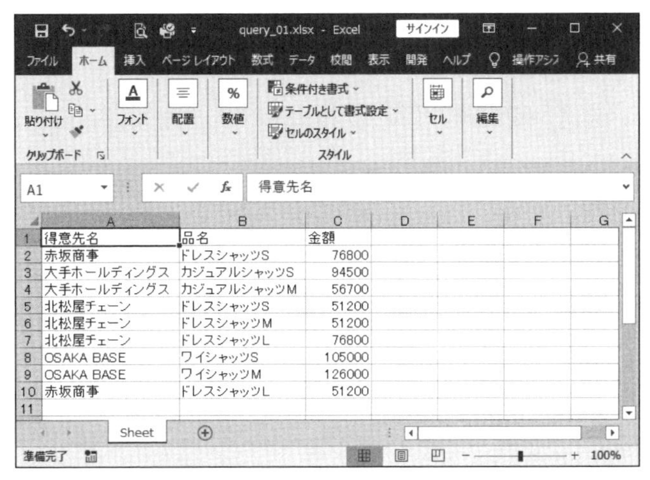

	A	B	C	D	E	F	G
1	得意先名	品名	金額				
2	赤坂商事	ドレスシャッツS	76800				
3	大手ホールディングス	カジュアルシャッツS	94500				
4	大手ホールディングス	カジュアルシャッツM	56700				
5	北松屋チェーン	ドレスシャッツS	51200				
6	北松屋チェーン	ドレスシャッツM	51200				
7	北松屋チェーン	ドレスシャッツL	76800				
8	OSAKA BASE	ワイシャッツS	105000				
9	OSAKA BASE	ワイシャッツM	126000				
10	赤坂商事	ドレスシャッツL	51200				
11							

図12-7-8　**金額が50000より大きい行だけを抽出したquery_01.xlsx**

50000より大きい売上明細だけが抽出されています。

次にgroupbyによる集計結果をExcelに出力します。

コード12-7-6　**groupbyを使って特定の項目を集計する**

126: use_pandas_06.py

```
01  import openpyxl
02  from openpyxl.utils.dataframe import dataframe_to_
    rows
03  import pandas as pd
04
05
06  df = pd.read_excel(r"..\data\sample12_7.xlsx",
    sheet_name="売上明細")
07  df2 = df.groupby(["担当者名", "得意先名"])["金額
    "].sum().reset_index()
08
09  wb_out = openpyxl.Workbook()
10  ws_out = wb_out.active
```

```
11  for row in dataframe_to_rows(df2, index=False,
    header=True):
12      ws_out.append(row)
13
14  wb_out.save(r"..\data\groupby_01.xlsx")
```

use_pandas_06.pyでは、ブック「sample12_7」のシート「売上明細」をデータフレームオブジェクト変数dfに読み込み、7行目のgroupbyメソッドで、担当者名、得意先名でそれぞれ金額を合計します。

```
reset_index()
```

でデータフレームとしてインデックスを作り直し、データフレームdf2に代入します。

このdf2から各行を新しいブックにappendし、groupby_01.xlsxという名前でExcelブックを保存するというのが、このプログラムの大まかな構造です。その実行結果を見てみましょう。

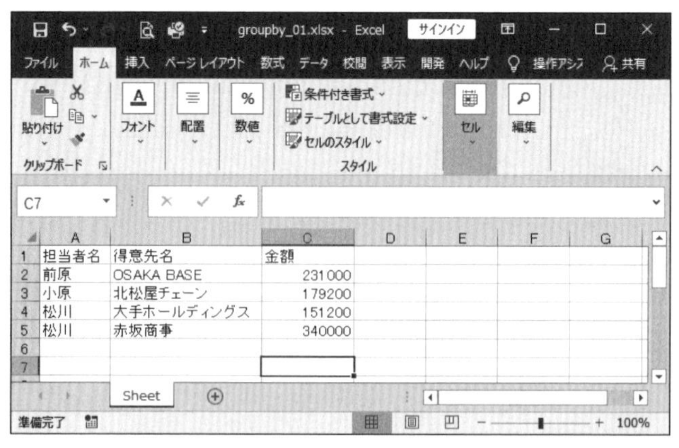

担当者名	得意先名	金額
前原	OSAKA BASE	231000
小原	北松屋チェーン	179200
松川	大手ホールディングス	151200
松川	赤坂商事	340000

図12-7-9　**項目ごとの集計にpandasのgroupbyを使って、特定の項目を集計した（groupby_01.xlsx）**

これで担当者名、得意先名ごとの金額の集計ができました。このように

Excelの細かい操作や設定が得意なopenpyxlと、集計が得意なpandasはイイトコ取りで組み合わせると効果的だと思います。

Appendix

Python3 チートシート

Pythonが全く初めての人には本書のほかに入門書を1冊読んで基本文法を学ばれることをお薦めしますが、文法はど忘れしたり、他のプログラミング言語とごっちゃになったりしがちです。そんなときにこのチートシートを参照してください。

▶ 基本データ型

int　（整数型）	-145、-12、0、156、17800
float（浮動小数点数型）	-12.567、9.543
bool（ブール型）	True（真）、False（偽）
str　（文字列型）	'Hello'、"See you"、'あ'、"こんにちは"

▶ 演算子

●算術演算子

演算の内容	記号	
足し算	+	x + 1
引き算	−	3 - 2
掛け算	*（アスタリスク）	y * 4
割り算	/（スラッシュ）	6 / 2
剰余算	%	6 % 4（結果は2）
商を整数	//	3 // 2（結果は1）
べき乗	**	5**3（結果は125）

●代入（複合代入）演算子

演算の書き方	演算内容
x = 1	xに1を代入
x += y	x + y の結果をxに代入
x -= y	x - y の結果をxに代入
x *= y	x * y の結果をxに代入
x /= y	x / y の結果をxに代入
x %= y	x / y の余りをxに代入

●比較演算子

演算の書き方	演算内容
x == y	xとyが等しいときにTrueを返す
x != y	xとyが等しくないときにTrue
x < y	xがyより小さいときにTrue
x <= y	xがy以下のときにTrue
x > y	xがyより大きいときにTrue
x >= y	xがy以上のときにTrue

●ブール（論理）演算子

演算の書き方	演算内容
x and y	論理積　xとyのどちらもTrueならTrue
x or y	論理和　xとyのどちらかがTrueならTrue
not x	否定　xがTrueならFalse、FlaseならTrue

▶ 関数定義

```
def 関数名(引数リスト):  ―― コロンが必要
├──→ 文
├──→ ⋮
├──→ return 戻り値  ―― 戻り値がない場合はreturn文を省略可
   └── インデントされた部分が関数の中身
```

▶ コメント

```
# ここにコメントを書く
```

▶ インポート

import モジュール名（パッケージ名）

……….ライブラリ（モジュールもしくはパッケージ）をインポートする

import モジュール名（パッケージ名）as 別名

……….インポートして別名を付ける

from モジュール名（パッケージ名）import クラス名（関数名）

……….モジュールから特定のクラスや関数をインポートする

▶ シーケンス

list（リスト）	変数名 = [要素1,要素2,・・・] ミュータブル：要素の書き換えができる インデックスで要素にアクセスできる

test_lst = [90,87,67,56,78] ⟶ test_lst[1]は87

tuple（タプル）	変数名 = (要素1,要素2,・・・) イミュータブル：要素の書き換えができない インデックスで要素にアクセスできる

name_tpl = ("阿部","伊藤","植野","木村","松本")

⟶ name_tpl[4]は松本

＊Pythonでは文字列もシーケンス

▶ リストのメソッド

append	**リストの末尾に要素を追加する** test_lst = [90,87,67,56,78] test_lst.append(99)	test_lstは[90, 87, 67, 56, 78, 99]になる
insert	**指定した位置に要素を追加する** test_lst = [90,87,67,56,78] test_lst.insert(1,56)	test_lstは[90, 56, 87, 67, 56, 78, 99]
pop	**特定の要素を削除する** test_lst = [90,87,67,56,78] test_lst.pop(3)	test_lstは[90, 87, 67, 78]

▶ シーケンス演算

in 演算子　含まれているか否か

test_lst = [90,87,67,56,78]

67 in test_lst は True を返す

66 in test_lst は False を返す

▶ スライス

変数名[開始位置:終了位置]

シーケンスの一部を取り出す

name_tpl = ("阿部","伊藤","植野","木村","松本")

name_tpl[1:3] は ('伊藤', '植野') を返す

……… 開始位置から終了位置の手前まで

name_tpl[2:] は ('植野', '木村', '松本') を返す

……… 開始位置から最後まで

name_tpl[:3] は ('阿部', '伊藤', '植野') を返す

……… 最初から終了位置の手前まで

▶ リスト内包表記

lst = [式 for 変数 in イテラブルオブジェクト]

リストを簡潔な表記で作成できる

squares = [x**2 for x in range(10)]

squares は [0, 1, 4, 9, 16, 25, 36, 49, 64, 81]

for文を使って書くと、

```
squares = []
for x in range(10):
    squares.append(x**2)
```

となるところをリスト内包表記なら1行で書ける

▶ range 関数

連番を生成する。戻り値はrange型のオブジェクト

range(終了値)　0 ≦ i ＜終了値

list(range(5))としてリストを生成すると[0, 1, 2, 3, 4]

range(開始値,終了値,[ステップ])

開始値 ≦ i ＜終了値

ステップは省略すると1

list(range(1,5))は[1, 2, 3, 4]

list(range(1,5,2))は[1, 3]

▶ 辞書（ディクショナリー）

変数名 = [キー1: 値1, キー2: 値2,…]

ミュータブル：要素の書き換えができる

キーで要素にアクセスできる

persons_dic = {1001:"松原",1002:"小原",1003:"前原",2001:"富井"}

persons_dic[1003]は前原を返す

▶ 出力

```
x = 5
print(x)    5を出力
print("x =",x)    x = 5を出力

x = 5
y = 8
print("x =",x, "y =",y)    x = 5 y = 8を出力
```

▶ 条件分岐

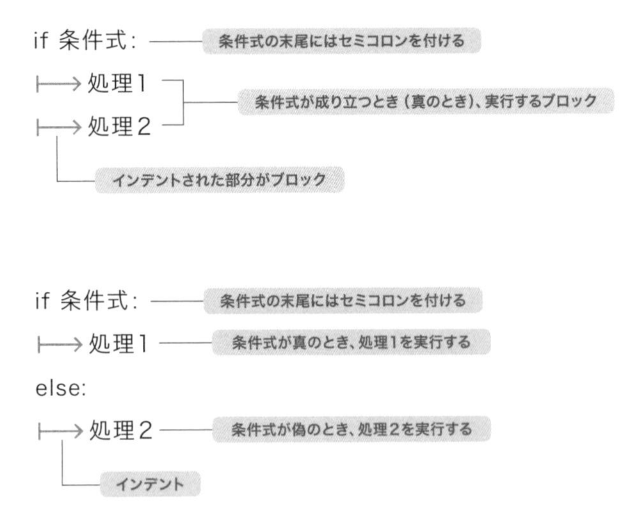

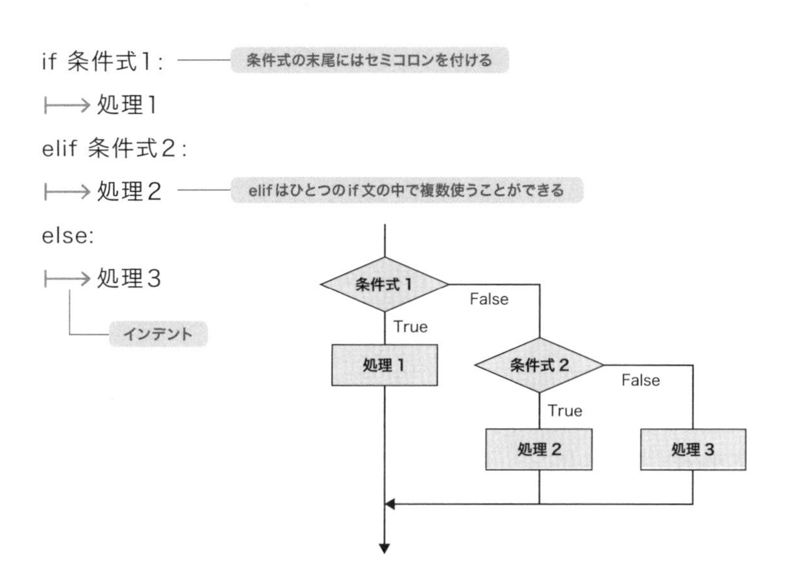

▶ for in 文によるループ

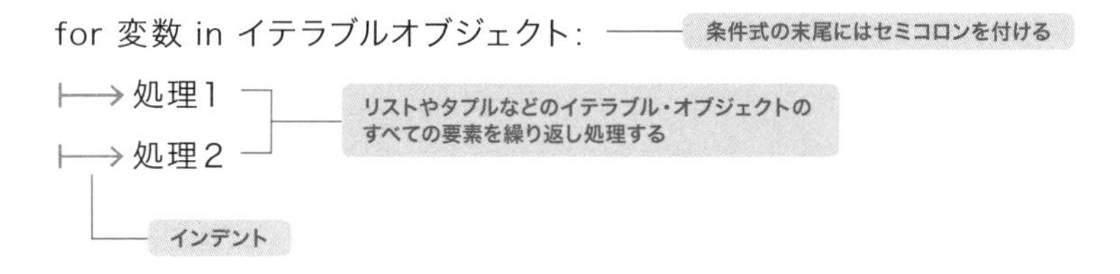

▶ for in 文に range 関数を組み合わせたループ

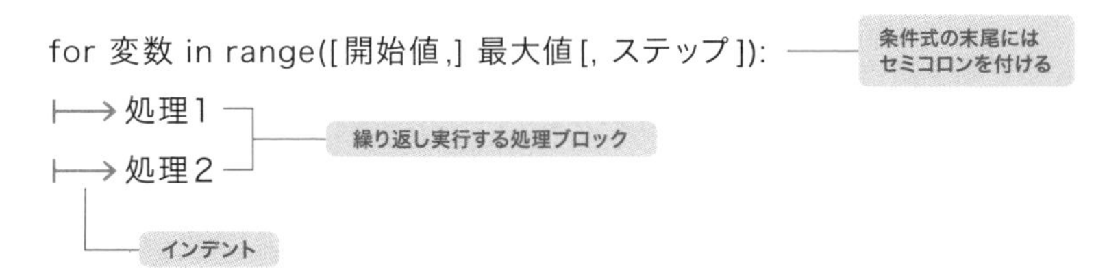

▶ while 文によるループ

```
while 条件式:
├──→ 処理1 ┐
├──→ 処理2 ┘── 条件式が成り立つ間、繰り返し実行する処理ブロック
└── インデント
```

▶ 例外処理

```
try: ──── 末尾にはセミコロンを付ける
├──→ 通常処理
except Exception as e: ──── 例外オブジェクトを変数eなどで受け取る
├──→ 例外処理    Exceptionは「例外」のこと
```

プログラミングの世界では有名な0除算例外への対応例

```
try:
├──→ print(1 / 0) ──── ZeroDivisionErrorが発生する
except ZeroDivisionError as e:
├──→ print(e)    division by zeroと出力
```

▶ enumerate 関数

イテラブルオブジェクトからインデックスと値をひとつずつ取り出す

for インデックス, 値 in enumerate(イテラブル・オブジェクト):

```
name_tpl = ("阿部","伊藤","植野","木村","松本")
for i, name_one in enumerate(name_tpl):
⟼ print(i,name_one)
```

出力結果

```
0 阿部
1 伊藤
2 植野
3 木村
4 松本
```

▶ zip 関数

zip関数は複数のイテラブルオブジェクト（リスト、タプル、文字列など）を同時に扱いたいとき役立ちます。

```
code_lst = [1001,1002,1003]
name_lst = ["松川","小原","前原"]
for cd, nm in zip(code_lst, name_lst):
⟼ print(cd,nm)
```

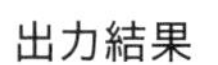

出力結果

```
1001 松川
1002 小原
1003 前原
```

▶ 書式設定

●文字列のformatメソッド

```
name_tpl = ("阿部","伊藤","植野","木村","松本")
for i, name_one in enumerate(name_tpl):
⟼ print("{}番は{}".format(i, name_one))
```

置換フィールド{}に値を挿入する

出力結果

0番は阿部
1番は伊藤
2番は植野
3番は木村
4番は松本

●f文字列（f-strings）　Python3.6以降

```
name_tpl = ("阿部","伊藤","植野","木村","松本")
for i, name_one in enumerate(name_tpl):
⟼ print(f"{i}番は{name_one}")
```

置換フィールドに変数を指定できる

（出力結果は上記と同じ）

INDEX
索引

Q

R

S

T

- 本書で紹介しているプログラムおよび操作は、2021年6月末現在の環境に基づいています。
- 本書発行後にOSやExcel、Python、関連するライブラリやサービス、Webブラウザーなどがアップデートされることにより、動作や表示が変更になる場合があります。あらかじめご了承ください。
- 本書に基づき操作した結果、直接的、間接的な被害が生じた場合でも、日経BP並びに著者はいかなる責任も負いません。ご自身の責任と判断でご利用ください。
- 本書についての最新情報、訂正、重要なお知らせについては、下記Webページを開き、書名もしくはISBNで検索してください。
https://project.nikkeibp.co.jp/bnt/

Excel×Python
逆引きコードレシピ 126

2021年 7月26日　第1版第1刷発行

著　者　金宏 和實
発行者　村上 広樹
編　集　仙石 誠
発　行　日経BP
発　売　日経BPマーケティング
〒105-8308 東京都港区虎ノ門4-3-12

装　丁　小口 翔平＋阿部 早紀子（tobufune）
デザイン　LaNTA
印刷・製本　図書印刷

ISBN978-4-296-07012-1
Printed in Japan